NO PLACE TO HIDE

Edward Snowden,
the NSA,
and the U.S.
Surveillance
State

无处可藏

斯诺登、美国国安局与全球监控

[美] 格伦·格林沃尔德◎著　　米拉　王勇◎译

中信出版社·CHINACITICPRESS ·北京·

图书在版编目（CIP）数据

无处可藏 /（美）格林沃尔德著；米拉，王勇译. —北京：中信出版社，2014.7
书名原文：No Place to Hide: Edward Snowden, the NSA, and the U.S. Surveillance State
ISBN 978-7-5086-4586-5
I. ①无… II. ①格… ②米… ③王… III. ①国家安全－组织机构－情报工作－美国 IV. ①D771.235
中国版本图书馆CIP数据核字（2014）第099819号

No Place to Hide: Edward Snowden, the NSA, and the U.S. Surveillance State by Glenn Greenwald

Published by arrangement with Henry Holt & Company, LLC
through Bardon-Chinese Media Agency

无处可藏

著　　者：[美]格伦 · 格林沃尔德
译　　者：米拉　王勇
策划推广：中信出版社（China CITIC Press）
出版发行：中信出版集团股份有限公司
（北京市朝阳区惠新东街甲4号富盛大厦2座　邮编　100029）
（CITIC Publishing Group）
承 印 者：中国电影出版社印刷厂

开　　本：787mm×1092mm　1/16　　印　　张：16.75　　字　　数：163千字
版　　次：2014年7月第1版　　印　　次：2014年7月第1次印刷
京权图字：01-2014-3640　　广告经营许可证：京朝工商广字第8087号
书　　号：ISBN 978-7-5086-4586-5 / D · 284
定　　价：42.00元

服务热线：010-84849555　　服务传真：010-84849000
投稿邮箱：author@citicpub.com

美国政府已经完善了技术能力，可以让我们对往来的各种电子信息进行监控……这种能力可以随时转向针对美国人，那么任何人都不会再有隐私可言，因为一切均可处于监控当中，电话交流、电报往来，无所不包。普天之下，无处可以藏身。

——参议员弗兰克 · 丘奇（Frank Church）

参议院关于情报活动研究政府行动特别委员会（丘奇委员会），1975 年

谨以本书献给所有那些为将美国政府的大规模监控体系公之于世的人们，特别是那些不惜冒着牺牲个人自由的风险也要执意如此的爆料人。

目 录 NO PLACE TO HIDE

前　言　NO PLACE TO HIDE

2005年秋，并非出于什么宏伟计划，我决定创建一个时政博客。当时，我对这一决定最终会以多大程度改变我的生活一无所知。紧随“9 · 11”事件之后，美国政府内部采纳了激进和极端的理论，我在当时对此感到日益警觉，我希望能就这类话题进行写作，以便我能比自己当时的工作——宪法和民权律师带来更大的影响。

在我开博不过7周后，《纽约时报》（*New York Times*）就扔下重磅炸弹，称2001年布什政府曾秘密下令，要求美国国家安全局（NSA）在事先未获得相关刑法所规定的搜查令的情况下对美国人的电子通信进行监听。与此同时，报方还透露这种无证监控已经进行了4年之久，而且至少锁定了数千位美国民众作为监控对象。

这一话题与我的兴趣热情和专业技能极好契合。政府试图为国安局的秘密计划寻找说辞，借助了同样极端的执行权理论，而这正是促使我当初开博的原因，即恐怖主义威胁的概念赋予了美国总统几乎无尽的权限，可以为“维护国家安全”采取一切手段，其中甚至包括违反法律的权限。随之而来的讨论引发了复杂的宪法和法律解释的问题，而我的法律背景使我可以极好地应对这一局面。

在接下来的两年时间内，我在自己的博客中和一本2006年的畅销书中，对无证窃听丑闻的方方面面进行了分析研究。我的立场非常直截了当：美国总统下令进行非法监听已经触犯法律，势必应对此担负责任。在美国愈演愈烈的强硬外交政策和高压政治气候中，这一立场必定极受争议。

就是在这一背景下，促使爱德华·斯诺登（Edward Snowden）脱颖而出，在数年之后，他选择我成为他的第一联系人，在更大范围中披露国安局的丑行。他表示自己相信我可以充分认识到大规模监控和极度国家保密措施的危险性所在，而且不会向政府及其媒体等机构的诸多同盟势力所施加的压力退让低头。

斯诺登将手中掌握的大量绝密文件转交给我，与此同时，斯诺登本人也经历了大量极富戏剧性的遭遇，这在全球范围内对大规模电子监控的威胁以及数字时代的隐私权价值产生了史无前例的兴趣。但是背后深层次的问题由来已久，大部分都是在暗中进行。

在目前的国安局监控争议中，的确有许多不同寻常之处。现在的科技水平使得无孔不入的监控成为可能，而这一切在以往只存在于最富想象力的科幻小说家的作品当中。此外，“9·11”恐怖袭击事件之后，美国在安全方面存在的脆弱性极大地促进了一种有利于权力滥用的政治气候形成。感谢斯诺登的大无畏精神以及电子信息复制的相对便利，我们对美国监控体系究竟在如何运作可以获得第一手资料，并进行独一无二且细致入微的分析。

然而，从某些角度而言，有关美国国安局的报道让以往无数插曲被重新提及，时间跨度可以历时数百年之久。的确，反对政府对隐私权的侵犯是美国建国的主要原因之一，因为美国殖民者当初反对法律规定英国官员可以随意闯入任何民宅。美国殖民者后来同意让政府合法获得具体的指定搜查证，以针对有证据表明有合理依据做出不轨行径的个人进行搜查。不过，对全体公民不加区别地进行全面搜查势必是违法行为。美国宪法第四修正案将这一理念在美国法律中进行了深刻的体现，具体行文言简意赅："人民的人身、住宅、文件和财产不受无理搜查和扣押的权利，不得侵犯。除依照合理根据，以宣誓或代誓宣言保证，并具体说明搜查地点和扣押的人或物，不得发出搜查和扣押状。"最重要的是，该修正案旨在在美国永久性废除政府针对毫无嫌疑的公民进行大范围监控的权力。

在18世纪，监视行为发生的冲突主要集中在房屋搜查，可是随着科技的发展，监控的形式也随之升级。在19世纪中叶，铁路线的飞速发展，使得快速便捷的价格低廉邮政服务成为可能，英国政府私拆邮件的行为导致了英国的一大丑闻。在20世纪最初的几十年间，美国联邦调查局的前身美国调查局使用窃听装置以及邮件监控和告密人员对反对美国政府政策的人士予以镇压。

无论具体的技术手段如何，历史上的大规模监控都具备若干固定的特点。首先是对国家政治持异见者以及边缘人士会首先中招，导致支持政府的人士或至少对政府漠不关心的人们会误以为自己会与此类事情毫无瓜葛。历史事实表明，大规模监控设施的存在，无论政府是否使用，都足以对持异见者产生震慑作用。当公民意识到自己会常常处于监视之下，自然会俯首帖耳，心有戚戚。

20世纪70年代，对联邦调查局的监控调查结果令人瞠目，该机构仅从政治信仰出发，就将50万美国公民贴上了潜在的"危险分子"的标签，并长期对其进行监控。[监控目标名单从马丁 · 路德 · 金（Martin Luther King）到摇滚音乐家约翰 · 列侬（John Lennon），再到女权主义者以及反对共产主义的约翰伯奇协会（John Birch Society）都有涉及。]但是监控滥用之苦并非仅仅曾经出现在美国历史上。恰恰相反，大规模监控往往是无耻势力的普遍企图。在任何情况下，此举的动机都如出一辙：镇压异见，强行要求众人言听计从。

由此，实施监控可以帮助政府对原本会异彩纷呈的政治信条实现统一。在20世纪之交，英法帝国均设立了特殊的监控部门，以应对反殖民主义运动的威胁。在“二战”之后，俗称“斯塔西”（Stasi）的民主德国国家安全部，成为政府对个人生活侵犯的同义词。更有近期在“阿拉伯之春”期间反抗独裁执政的民众抗议活动中，叙利亚、埃及和利比亚等地的政府都在针对国内持不同政见者对互联网的使用进行了监控。

彭博新闻社（Bloomberg News）和《华尔街日报》（*Wall Street Journal*）所做调查表明，在独裁政府深陷抗议民众的重重包围之中时，他们索性从西方科技公司大量购买监控工具。叙利亚的阿萨德政权从意大利监控企业Area SpA调入了诸多员工，他们获悉叙利亚“迫切需要对人员进行跟踪”。在埃及，穆巴拉克的秘密警察购买破解Skype密码的工具，对激进分子的网络通话进行监听。在利比亚，据《华尔街日报》报道，2011年，记者和抗议人士闯入了政府的监控中心，结果发现冰箱大小的黑色设备，这些都产自法国监控企业艾姆斯（Amesys）。这些设备都是用来监控利比亚的主要互联网服务提供商的“互联网流量”，“打开邮箱、破解密码、潜入在线聊天工具，并勾勒出不同嫌疑人员间的联系。”

有能力对人们间的交流沟通进行窃听为从事此举的人赋予了极大权力。除非这类权力可以得到严格的监督控制和问责考量，几乎很容易就会被滥用。若要指望美国政府在完全保密的情况下开启大规模监控机器，而且完全不会另徇私情，这有悖于历史中的真实案例，也与人性的所有相关证据背道而驰。

的确，即便在斯诺登爆料之前，昭然若揭的是，若认为美国在监控问题上的表现会与众不同，这绝对是太过幼稚的想法。这种高谈阔论是美国官员谈及不与美国结盟的政权时的典型表现。

但即便是国会参会人员都禁不住会注意到这样一点，此次听证会召开之际恰逢《纽约时报》揭露布什政府实施的大规模国内无证监听的两个月之后。鉴于所披露的内容，如此大肆批判别国在一国之内实施自己的监控措施，不过是一纸空谈。加州的民主党籍众议员布拉德·谢尔曼（Brad Sherman）紧随史密斯众议员之后发言，他提到美国的科技公司被告知在抵抗来自中国政府的压力时，在涉及自己的政府的问题时也应审慎对待。他颇具预见性地警告称："否则，有朝一日当中国人发现自己的隐私权遭到了最恶劣的侵犯，远在美国的我们也同样会意识到，也许未来某届的总统会断言，对宪法更宽泛的诠释会包括读取我们的电子邮件。我希望，在没有法院指令的情况下，这类事件还是不要发生为好。"在过去的10年间，出于对恐怖主义的担心（这其实是源自对实际威胁的一致夸大），美国领导者以此为借口，推出了大量极端主义的政策，从而导致了侵略战争、世界范围的刑讯制度，未经指控就对国外和美国公民进行羁押（甚至杀害）。但是无所不在的秘密监控体系却在肆意发展，这已成为政府最为持久的遗产所在。之所以如此，是因为总管史上的所有类似案例，但是由于互联网在日常生活中发挥的作用，目前国安局的监控丑闻在规模上绝对无人能望其项背。

特别是对年青一代而言，互联网不再是只能实施为数不多的几种生活功能的孤立的几个域名。它不仅仅意味着是我们的邮件和电话。相反，互联网构成了我们生活的核心，几乎与所有事情都息息相关。我们在网上交友，选择影片，组织政治活动，创建并存储最私人的数据信息。我们在网上创造并表达自己最真实的个性和自我感受。

将互联网纳入大规模监控系统当中所产生的效果与以往任何国家监控项目都大不相同。所有以往的监控体系由于条件所限相比之下更具局限性，也便于规避。而允许监控体系在互联网生根发芽则意味着基本上所有形式的人类互动、规划甚至想法本身都会受到政府的监控。

在互联网首次得以广泛应用之初，很多人都认为其潜力无限：网络通过将政治进程实现民主，调整强者和弱者的竞技场，可以使亿万民众获得解放。可以不必受到机构的束缚、不受社会或政府的控制，不必有太多恐慌地使用互联网，即网络自由对实现这些美好展望至关重要。将互联网变为监控系统则会破坏它最核心的潜质。更糟的是，它会将互联网变为一种压迫的工具，威胁会制造出最极端、最暴虐的政府入侵武器，这在人类历史上可谓绝无仅有。

这就是让斯诺登揭秘意义非凡、举足轻重的原因所在。通过将国安局令人惊诧的监控能力以及更居心叵测的勃勃野心公之于世，斯诺登的大胆揭秘让我们清晰地看到自己正身处极富历史意义的十字路口。鉴于互联网的独特魅力，数字化时代是否将开启个人解放和政治自由？抑或它将带来无所不在的监视和控制，其力度和范围远超过以往最残暴的暴君梦想中的尺度？在此时此刻，任何一种发展的方向都完全可能。我们所采取的行动将决定我们最终置身何处。

NO PLACE

Edward Snowden

TO HIDE

the NSA

第1章

and the U.S.

取得联系

Surveillance State

2012年12月1日，爱德华 · 约瑟夫 · 斯诺登跟我取得了联系，不过当时我根本没想到联系我的人会是他。

他是通过电子邮件跟我联系的。他自称辛辛纳图斯（Cincinnatus），把自己比作古罗马的卢修斯 · 昆克提斯 · 辛辛纳图斯。公元前5世纪，这位农民被推举为罗马执政官，带领大家抵御外来侵略。他最为世人所铭记的是打败敌军后的作为：立刻主动放弃政治权力，回归农耕生活。被誉为“公民道德典范”的辛辛纳图斯如今是为了公众利益发挥政治权力、为了大局限制甚至放弃个人权力的象征。

电子邮件一开始写道：“在我看来，民众的通信安全问题非常重要。”邮件的目的是劝说我通过PGP加密方式联系，以便“辛辛纳图斯”传递给我一些材料。他说他敢肯定我会对那些材料感兴趣。PGP加密方式是1991年发明的，这三个字母的意思是“更好地保护隐私”（Pretty Good Privacy）。经过改进，这种加密方式已经变成了一种成熟的工具，可以让电子邮件等网上通信方式免于监控和黑客的侵扰。

这种程序的实质，是用护盾把每一封电子邮件包裹起来。护盾是一套密码，由几百甚至几千个随机数字和区分大小写的字母组成。

世界上最高级的情报机构——其中自然包括美国国家安全局（National Security Agency, NSA）——都拥有每秒能进行多达10亿次尝试的密码破解软件，但PGP加密方式的密码极为冗长，而且随机性很高，即使最先进的破解软件也要多年时间才能破解。最担心通信遭到监控的那些人，比如情报人员、间谍、人权斗士、黑客等人，都借助这种加密方式来保护他们发送的信息。

在这封邮件中，"辛辛纳图斯"说他到处搜寻我的PGP"公钥"——这种工具可以帮助人们通过加密邮件交流——但却一无所获。由此他断定我没使用这种程序。他告诉我："这样一来，任何人跟你联系都有风险。我并不是说你每次跟别人联系都要加密，但至少你要为对方提供这种选择吧。"

"辛辛纳图斯"随后提到了戴维·彼得雷乌斯（David Petraeus）上将的性丑闻。调查人员查看他与记者葆拉·布罗德维尔（Paula Broadwell）联系的谷歌电子邮件时，发现了两人的婚外情，从而结束了他的职业生涯。

他写道，如果彼得雷乌斯在发送电子邮件时先加密，那么调查人员就将无法阅读那些邮件。"加密事关重大，而且对包括间谍和拈花惹草之徒在内的人来说都是这样的。"他告诉我，发送加密的邮件"对任何想跟你联系的人来说都是至关重要的安全措施"。

为了鼓动我听从他的建议，他又写道，"你可能愿意从有些人那里了解情况，可是如果不能确保信息传递过程中不被监控，他们绝不会联系你的。"

然后他又提出帮我安装加密程序："这方面如果你需要什么帮助，请告诉我，或者通过推特求助。推特上有你许多技术熟练的粉丝，他们马上就会提供帮助。"他在邮件末尾写道："谢谢。C。"

好久前我就打算使用加密软件了。这些年来，我一直在针对维基解密（WikiLeaks）、从事检举揭发、自称"匿名者"（Annoymous）的黑客组织以及相关话题撰写文章，有时候还跟美国国家安全部门的内部人士有通信往来。他们中多数人都非常关心通信安全问题，希望防范那些不必要的监控，因此我一直有使用加密软件的打算。

但这种程序一般都很复杂，对我这种编程和计算机方面都几乎一窍不通的人来说尤其如此，因此这件事一直未能付诸实际。

C的邮件并没让我马上行动起来，因为报道其他媒体经常忽略的线索而在业界崭露头角后，我频频听到各色人等说要提供“轰动新闻”，最后却往往一无所获。而且我平时基本上是手头的新闻就疲于应付，因此要让我搁置当前的工作开始追踪新的线索，就必须有点具体的由头。尽管影影绰绰地提到“有些人”、“我愿意了解”，但C的邮件中却没有足够吸引人的内容。我虽然读了邮件，却没作任何回复。

三天后，我又收到了C的邮件，问我是否收到了第一封邮件。这次我迅速做了回复：“我收到了你的邮件，准备动手落实。不过我没有PGP号码，也不知道该如何操作，但我会找个能帮我的人。”

那天晚些时候，他又回复邮件，发来了一份按部就班操作的明确指南，实际上就是加密技术的傻瓜指南。由于自身对此技术的不了解，我发现那些操作指南复杂而且令人困惑。在结尾部分他写道，这些只是“最基本的内容。如果你找不到别人来帮你完成程序的安装和使用”，他补充说，“请告诉我，我可以帮你联系世界上几乎任何地方的加密技术人员。”

这封邮件的签名比前面两封更气派：

你加密的朋友

辛辛纳图斯

尽管我确实有此打算，但却始终无暇应对。7个星期过去了，未能将此事兑现也让我心头有些沉重。这个人会不会真有什么重要内容要爆料，结果却因为我没能安装一个计算机程序就错过了呢？我也明白，抛开其他因素，即使最后发现辛辛纳图斯没有什么让人产生兴趣的材料，加密技术将来或许会很有价值。

2013年1月28日，我给他发了邮件，说想找人帮忙熟悉加密技术，最好在随后的两三天内做完这件事。第二天他回复了邮件："这是个好消息！如果将来需要进一步帮助或是碰到问题，欢迎随时提出。请接受我对你支持通信私密所表达的最衷心的感谢！辛辛纳图斯。"

但我却仍然没采取任何行动，因为当时我一直在忙于其他报道，而且也不相信C真会掌握什么有价值的线索。当时我并非刻意不去有所作为，只是因为我的日常安排始终满满当当，听从这位陌生人的指示去安装加密软件一直排不上日程，这实在不值得让我为此而停止其他事情。

因此我和C发现双方处于左右为难的境地。除非我安装加密软件，否则他就不肯告诉我爆料的任何具体内容，甚至不肯透露他的身份和工作单位。但是因为没有具体内容的吸引，我对安装加密软件这件事也始终拖拖拉拉。

面对我的无所作为状态，C加大了力度。他制作了个10分钟左右的视频短片，题为"记者使用PGP指南"。借助能生成电脑语音的软件，这个短片指导着我可以一步步地轻松安装包括图表和影像的加密软件。

尽管如此，我仍然没采取行动。据他后来讲，此时的他十分沮丧，心想，"我这边已经做好了准备，情愿牺牲自由，甚至可能会以牺牲性命为代价，交给这个家伙数千份源自美国最隐秘机构的绝密文件。纵使没有几百条新闻的话，这样的爆料会带来几十条独家新闻，可他却不肯费心去安装加密程序。"

就这样，我险些与美国历史上规模和影响最大的国家安全问题泄密事件失之交臂。

* * * * *

我再次听到有关这件事的消息是在10周以后。4月18日，我从我的常居地里约热内卢乘飞机去了纽约。按照预先的安排，我要针对政府机密和侵犯公民权利的危险作几次报告。

刚刚在肯尼迪机场降落，我就发现纪录片制片人劳拉·波伊特拉斯

（Laura Poitras）已经给我发来了一封电子邮件，里面写道："本周你会在美国吗？我想跟你商量点儿事，不过最好面谈。"

我很重视劳拉·波伊特拉斯发来的信息。在我熟识的人当中，她最专注、最独立、最无所畏惧。她冒着极大风险拍摄了一部又一部电影。她没有团队，没有新闻机构的支持，靠的只是微薄的资金投入、一部摄像机，以及她的决心。在伊拉克战争暴力的巅峰时刻，她冒险闯入逊尼派三角地带拍摄了《祖国，我的祖国》（*My Country, My Country*），毫不畏缩地透视了美国占领后伊拉克民众的生活，让本片获得了奥斯卡金像奖的提名。

为了拍摄下一部纪录片《誓言》（*The Oath*），劳拉随后去了也门。在那里，她花了数月的时间追踪奥萨马·本·拉登（Osama bin Laden）的保镖和司机这两个也门人的足迹。此后波伊特拉斯一直在拍摄一部关于美国国家安全局监控的纪录片，由此导致她在进出美国时经常遭到政府当局的侵扰。

从劳拉身上，我总结出了一条宝贵的经验。到2010年我们初次相识时，她在进出美国时已经被国土安全部在机场拘禁过十几次：除了受过审讯和威胁，她的采访本、胶片和笔记本电脑都曾遭到扣留。尽管如此，因为担心曝光此事造成的反响会让自己无法继续工作，她却一直不肯把受到的无情侵扰公之于众。不过在纽瓦克机场遭受了一次不同寻常的虐待性审讯后，这种情况发生了变化，劳拉实在忍无可忍。"我保持沉默，结果情况却变得越发糟糕，而不是有所改善。"她准备让我就此做些报道。

我在网络政治杂志《沙龙》（*Salon*）发表的文章详细描述了波伊特拉斯经常遭受的讯问。这篇文章备受关注，还有人发表声明支持她，对她所受到的侵扰行为倍加谴责。文章发表后，波伊特拉斯再次乘飞机离开美国时，就没再受到讯问，携带的材料也不再被没收。在随后的数月间，她也并未再受到侵扰。多年以来，劳拉第一次可以自由地出行了。

这件事让我深受启发：国家安全部门的官员不喜欢被曝光。他们只会在自以为身处黑暗保护的安全环境中时才会有不法行为。我们发现保密是权力滥用的关键和推动力，唯一的真正解药则是将其公之于众。

* * * * *

在机场读到劳拉的邮件后，我立刻作了回复："实际上我今天上午刚到美国……你在哪里？"我们约定第二天在杨克斯我住的酒店的大堂碰头，见面后我们到餐厅找地方坐了下来。不过在劳拉的坚持下，我们先后两次调整了位置后才开始交谈，以免别人听到我们的谈话。随后劳拉言归正传，说有"极为重要而又敏感的事项"需要讨论，而且安全问题对此事至关重要。

由于我带着手机，劳拉要求我或是取出手机电池，或是把它放回酒店房间。"这么说貌似有些疑神疑鬼，"她说，但政府工作人员能利用遥控手段激活手机和笔记本电脑来窃听谈话内容。把电话和电脑关机都不能起到防范效果，只有取下电池才行。

先前我曾经从主张公开透明的激进人士和黑客那里听到过这种说法，但我往往以为这种做法过于谨慎，但这次因为此言是出自劳拉之口，我不敢怠慢。发现手机的电池不能取下来后，我就把手机送回酒店房间，才再次前往餐厅。

现在劳拉可以跟我谈及正事了。她说自己先前收到了一系列匿名邮件，发件人的态度似乎很认真诚恳。他自称能接触到一些绝密文件，可以证明美国政府正在对本国公民和其他国家实施监控。他下决心要把这些文件透露给她，而且明确要求她与我合作一同将此公之于世。当时我并没有把此事与我从辛辛纳图斯那里收到的邮件联系起来，那些邮件早已被我置之脑后。

随后劳拉从包里抽出了几页纸，那是匿名爆料者发来的两封电子邮件的部分内容，我坐在桌边从头至尾读了一遍，邮件的内容很吸引人。

第二封邮件是在第一封邮件数周之后发出的，邮件开头写的是"仍然是我"。针对劳拉最关注的那个问题——你何时能提供爆料文件？他答道："我只能说'很快'。"

爆料人告诫劳拉，谈论敏感问题时一定要取下手机电池，或者把手机放入冰箱，因为这样就能免于被监听，他又告诉劳拉，应该跟我一起处理那些文件。然后他谈到了自己使命的关键部分：

最初阶段引发的震撼（初次公开爆料之后）将会使得人们支持建设更平等的互联网，但除非科学的发展速度超越法律，否则这对普通民众来说并无益处。

若能明确我们的隐私是如何受到侵犯，我们就能占到上风。我们可以向所有人保证，通过普遍性立法，大家都能受到保护，但这样做的前提是技术界愿意面对威胁精心研究解决方案。最后，我们必须遵循这样一条原则：有权有势者的隐私得到保护的唯一途径，就是对普通百姓也能一视同仁。这条原则要通过法律的形式来保障，而不是通过某些人为的政策体现。

“看来确有其人，”读完邮件后我说道，“我不知该怎样准确解释，但却本能地感觉这绝非戏言，此人的身份应该名副其实。”

“我也这么想，”劳拉答道，“对此我没有多少疑问。”我和劳拉都明白，我俩对爆料人的真实性所持的信心或许毫无根据，这也是情理之中的事。我们都不知是谁发来的邮件，任何人都有可能。这一切有可能都纯属捏造；而且这也有可能是政府方面所设的陷阱，想让我们因为爆料而涉刑；或许有可能还是有人想通过发送虚假文件来实现损害我们信誉的目的。

我们讨论了这种种可能性。我俩都知道，美国军方曾在2008年发布秘密报告，宣称维基解密是国家公敌，并提出了一些方法来“破坏乃至摧毁”这个组织。这份报告（具有讽刺意义的是也被泄露给了维基解密）讨论了传递虚假文件的可能性，因为如果维基解密把虚假文件当作真实文件发布，其信誉就会遭受重大打击。

我和劳拉都很清楚各种机关陷阱，但我们抛开了这一切，纯粹依靠自己的直觉行事。那些邮件虽然没有什么具体信息，但却确凿无疑地表明其作者的真实存在。他之所以写下这些邮件，是因为他非常坚定地认识到政府秘密行动和监控无处不在的危险性；我本能地体会到了他在政治方面的激情，由此对他、他的世界观以及让他感到焦灼的紧迫感产生了一种强烈的认同感。

过去 7 年间，在信念驱使下，我几乎每天都在写文章，探讨美国政府在秘密行动、极端行政权力、军国主义、民权监控和侵扰等方面的危险动向。有一种特殊的语气和态度把记者、激进人士和我的读者联合起来，因为大家一致对这些动向感到警惕。在我看来，若非感同身受，那么他人不会轻而易举地如此言之凿凿地纷纷表示赞同。

在劳拉收到的最后一批邮件中，对方提到他在为提供文件而做着最后的准备，还需要 4 到 6 周的时间，让我们静候他的消息，并保证我们会收到相关文件。

三天后，我和劳拉再次见面，这次的位置选在曼哈顿，因为她收到了匿名爆料者的另一封邮件。他解释了自己为什么愿意以自由为代价，冒着长期入狱的危险披露这些文件。到如今我已经确信无疑……我们的知情人此言绝对无虚，但在我们乘飞机返回巴西的途中，我告诉合作伙伴戴维 · 米兰达（David Miranda）说，我决心把一切置诸脑后。“此事也许会无疾而终，他可能会改变主意，或者会被捕。”戴维的直觉很强烈，他对此事抱有不知从何而来的确信感。“这事应该不假，肯定有这么个人，他会把这件事捅出来的，”他对我说道，“而且这将是轰动性的新闻。”

* * * * *

回里约热内卢后，在 3 周时间内我没收到任何消息。我基本上也没有对知情人一事考虑太多，因为我很清楚能做的只有等待。5 月 11 日，我收到了我和劳拉先前合作过的一位技术专家发来的电子邮件，邮件内容言简意赅：“你好格林，我来指导你学习使用PGP软件。你有没有联系方式，以便我发给你一些东西，帮助你下周开始使用这种软件？”

我敢肯定，他所说的“一些东西”就是我处理爆料者提供文件所需的要件。这也意味着劳拉已经收到那位匿名人士发送的邮件，收到了我们期待已久的文件。

那位技术专家随后通过联邦快递给我寄来一个包裹，预计两天后到达。我不知道里面会有什么：是程序呢，还是那些文件？在随后的48个小时内，我完全没法专心做事。可是等到了预定的派送日期，到下午5点半钟我仍未收到任何东西。我给联邦快递打电话咨询得知，包裹因为“未知的原因”被海关扣留了。

两天过去了，接着五天又过去了，整整一周都过去了。每天联邦快递都是同样的解释：因为某些未知原因，包裹被海关扣留。

一段时间之内，我曾怀疑某国政府造成了这次宝贵的延误，比如美国、巴西或别国政府，因为他们也许掌握了些情况，不过我还是坚持去相信另一种可能性更高的解释：这不过碰巧是官僚作风造成的麻烦。

到这个时候，劳拉已经很不情愿通过电话或网络谈及这方面的任何问题了，因此我根本不晓得包裹里面究竟有什么。劳拉又补充说道，我们可能要立刻到香港跟知情人见面。

我非常不解，能接触到美国绝密文件的这个人在香港干什么？香港与此事有什么关系？我本以为这位匿名知情人身处马里兰州或北弗吉尼亚，怎么他偏偏要在香港呢？当然，我愿意前往任何地方与他见面，不过我想要事先明确究竟缘何成行，但因为劳拉无法跟我自由联系，这次刨根问底只能推迟进行。

到最后，包裹寄出约10天后，联邦快递把它送到了我的手中。撕开信封，我发现里面有两个U盘，还有一封用打字机打出的信件，详细介绍了如何使用各种网络安全方面的计算机软件，信中还有诸多加密邮件账户的密码和我闻所未闻的另一些程序。

我一头雾水。尽管我也对密码短语（passphrase）有所听闻，知道那基本上就是些冗长的密码，由包括区分大小写的字母和标点符号组成的句子随机构成，目的在于增大破解难度，但我却从没听说过这些程序。由于劳拉非常不情愿跟我通过电话或网络跟我沟通，我仍然分外沮丧，因为虽然最终拿到了期待已久的东西，但却不知这会具体派上什么用场。

不过我很快就会对此有所了解，而且是从能提供指导的高人那里得到指点。

收到包裹后的第二天，也就是5月20日那周，劳拉告诉我说需要立刻交流一下，但只能通过OTR聊天的方式。OTR是可以让我们在网上安全交流的一种加密程序，先前我曾经使用过。借助谷歌的帮助，我安装了这种聊天软件，注册了账户，把劳拉的用户名加入了我的“好友名单”，她立刻就上线了。

我问她那些绝密文件在哪里。她告诉我，知情人将会提供那些文件，她那里没有。她问我愿不愿意过几天陪她一起去香港。我问她能否确定值得这样去做，也就是说她是否已确定了知情人的真实身份。她用加密方式回答说：“当然已经确定，否则我怎么会让你陪我同去香港呢，”由此推断，她肯定从知情人那里拿到了些有价值的文件。

不过她还告诉我，有个问题正变得越发严重。知情人情绪很低落，因为事态进展不畅，而且还有新的转折，即《华盛顿邮报》（*The Washington Post*）也可能掺和进来。劳拉说我必须立刻跟他直接交流，向他做出保证，并安抚他日益不耐烦的情绪。

没出1小时，知情人就给我发来了邮件。尽管当时我并不清楚，但实际上邮件是辛辛纳图斯发来的。这是自1月间关于我缺少加密软件的那场谈话后，我们之间的第一次联系。

发送邮件的电子信箱是：Verax@×××.×××。在拉丁语中，“Verax”意指“说出真相的人”。邮件的主题是“需要谈谈”。“我在跟我们共同的一位朋友做一个项目”，邮件写道，暗示是他这位匿名知情人在跟劳拉联络。

“近期你必须抛开所有短程旅行安排来与我见面，你需要参与到其中，”他写道，“有什么办法能让我们尽快谈一谈吗？照我看，你使用的通信设备安全性并不怎么样，不过我会针对你现有的条件想办法的。”他建议我们通过OTR

方式交流，并给了我他的用户名。

我不清楚他说的“抛开短程旅行”是什么意思：先前我曾告诉他自己不明白他为什么在香港，但绝无拒绝前往之意。我以为这是沟通不畅的原因，于是立刻做出回复，“为介入其中，我愿意想尽一切方法。”并建议即刻通过OTR方式联络。把他的用户名加入我的OTR好友名单后，我开始等待。

不到15分钟，我的电脑就发出了一声清脆的响声，显示他已经上线。带着一丝紧张，我点击了一下他的名字，输入了“你好”两字。他回应了我的问候，然后开始了彼此的交流。此时我感觉到，这位知情人手头掌握有美国监控情况方面相当数量的秘密文件，而他至少还想要再透露其中的部分内容。

我毫不犹豫地告诉他，自己定会参与其中，尽管对这位知情人的名字、就职单位、年龄等信息仍一无所知，我仍表示“愿尽我所能报道此事”。随后知情人又问我能否前往香港与他见面。因为不想让他感觉我在借故套取信息，所以我并未询问他在香港的具体原因。

确实，从一开始我就决定把双方交谈的主动权交给他。如果想让我知道他为什么会出现在香港，他自会做出解释。如果想让我知道他手头有什么要爆料，他也会如实相告。对我来说，采取这种被动的姿态绝非易事。我曾从事过律师行业，现在的身份是记者，有问题时已经习惯了咄咄逼人的质询，而我心中有数百个问题想要找出答案，但我深知此时他的处境微妙。

抛开其他方面的真实性暂且不说，我很清楚此人已经下定决心，要做在美国政府看来是离经叛道的事情。从他对安全通信的极度重视可以看出，我们必须谨小慎微。由于对他的身份、动机、思考问题的方式和顾虑都所知甚少，显然我必须保持克制，谨慎行事。因为我不想让他生疑，所以就迫使自己接受他所提供的全部信息，而不是主动挖掘信息。

尽管我不清楚为什么他偏偏会出现在香港，也不知缘何他希望我也能前往那里，我还是答复他，“我当然会去香港。”

那天我们在网上聊了两个小时。他首先关注的是劳拉已和《华盛顿邮报》

的记者巴顿 · 格尔曼（Barton Gellman）说起过先前给她的一些国安局文件。那些文件与“棱镜”计划这一具体方案有关。按照“棱镜”计划的部署，国安局可以从脸书（Facebook）、谷歌（Google）、雅虎（Yahoo）、Skype这类世界上规模最大的互联网公司收集私人通信信息。《华盛顿邮报》并未就此立刻大肆报道，而是召集一批律师进行咨询，可律师们提出了诸多要求，并发出危言耸听的种种警告。在知情人看来，这意味着他将提供一个前无古人的新闻机会，《华盛顿邮报》却因恐惧而不敢有所作为，而他也担心《华盛顿邮报》涉及的圈子可能会走漏风声，从而威胁到他的人身安全。

“我对事态的发展很不满意，”他告诉我，“我本想让其他人来报道‘棱镜’计划，而让你专注于揭露更宽泛的内容，特别是美国国内的大规模监听内容；但现在我更倾向让你来报道此事。我读你的文章已颇有时日，”他说道，“深知你做此事定会义无反顾，勇往直前。”

“我很愿意，”我告诉他，“现在具体商量一下需要我做些什么。”

“你的首要任务是亲赴香港，”他说，这话他后来又重复了多次：“马上前往香港。”

尤其让他感到不快的是，格尔曼拒绝赴港与他见面，称《华盛顿邮报》的律师认为从法律层面来看此举并不理智，存在风险，尽管C认为如此顾虑尚属多余。我做出承诺，说自己绝不会受到这种影响。

那次网上交流的另一个重要话题是他爆料的目的何在。从劳拉展示的那些电子邮件来看，貌似他感觉有责任向世人公开表明，美国政府正在秘密打造庞大的监控体系。但他此举究竟有何用意？

他的回答是：“我想激起一次全球性的辩论，探讨隐私问题、互联网自由和国家监控的危险性等问题。我对由此会带来什么后果完全无所畏惧。我很清楚这样做可能会牺牲自己，但对此我心甘情愿，因为我清楚这属于正义之举。”然后他又一语惊人：“我想公开自己的真实身份。我相信自己有义务解释一下这样做的原因及目的。”他告诉我他已完成一份文件，在公布自己的知情人身份后，他准备在互联网发布这份文件。这是一份支持隐私保护、反对监控的宣言，要向全世界征集签名，以展现隐私保护在世界范围内得到的支持。

公布身份的代价几乎毋庸置疑：至少也要身处囹圄，即便不会更糟。尽管如此，这位知情人却还是一再强调，称自己“心甘情愿地”承担后果。

他表示“做这一切我只担心一件事，”那就是“民众看到这些文件后，只是耸耸肩，‘我们知道这件事，但我们并不在乎。’我唯一担心的是自己的所作所为最后一无所获。”

我向他保证，“不会这样的，你多虑了”，可我其实也并无多大把握。多年来，我一直在撰写关于国安局滥用权力的文章，但我的体会是很难让公众关注国家机关秘密开展的监控行动：大家觉得侵犯隐私和滥用权力往往属于抽象的概念，难以引起公众发自内心的关注。更重要的是，这个话题往往十分复杂，因此更难吸引公众的注意。

但这次的感觉不同，绝密文件一旦公开，就会引起媒体的注意。另外，爆料者是国家安全机关的内部人士，而不是民权联盟的律师或民权倡导者，这无疑也会增加爆料的分量。

当晚，我对戴维讲了去香港的事。我还是不大甘心就此放下手头的各种工作，乘飞机赶到地球另一端去见一个连姓甚名谁都毫不知晓的人，特别是我根本没有证据能证实他的真实身份。这可能纯粹是在浪费时间，抑或其中有诈或是其他什么千奇百怪的事情呢？

戴维的建议是：“你应该告诉他，自己首先要看到部分第一手文件，才能确认他确实言之有物，这件事才值得你去付诸实际。”

一如既往，我接受了他的建议。第二天登录OTR聊天程序时，我告诉他准备在几天后去香港，但首先我需要看到部分文件，以便对他的爆料内容能事先有所了解。

为了实现这一目的，他让我安装各种各样的程序软件。随后我花了几天时间，通过网络让对方指点着我一步步地安装使用各种程序，包括最后的PGP

加密技术。得知我是初学者后，他表现得极为耐心，几乎就是手把手地教会我每一步的内容，“点击蓝色按钮，然后按确定，然后进入下一步。”

我不停地跟他道歉，说自己水平太低，浪费了他数小时的宝贵时间来教我这些安全通信的基础知识。“不用担心，”他说道，“这大都无关紧要，而且我现在空闲时间多得很。”

各种程序安装就绪后，我收到一个文件夹，其中约有 25 个文件：“这只是让你略微看看，算是冰山一角的一个侧面吧。”他此言似乎是在勾起我的兴趣。

我把文件夹解压缩，看到了文件名单，然后随便点开了一份。文件的顶部用红色字体标着一个代码：“绝密/通信情报/禁止向外方成员展示/”。从这些代码可以看出，这份文件被官方界定为绝密等级，涉及的是通信情报，而且不能向包括国际组织和联盟伙伴在内的外方成员展示。此时此刻，事实已经一清二楚，源自世界上最强大的国家最神秘的机构之一美国国家安全局的一份机密通信文件。在国安局 60 多年的历史上，如此重要的文件从未泄露过，可我手头此时却掌握了几十份这样的文件，而前两天花了几个小时跟我在网上聊天的那位知情人，却还要给我更多这样的文件。

第一份文件是国安局官员的训练手册，详细为分析人员讲解最新监控手段。它泛泛地介绍了分析人员可以查询的信息类型（电子邮件地址、IP 定位器数据、电话号码等）以及他们能够接收到的数据类型（邮件内容、电话“元数据”、聊天记录等）。实际上，我看到的这部分就是国安局官员为分析人员讲解如何窃听目标通信时所讲的内容。

我的心跳不由得加快了。为了消化读到的内容，让自己平静下来继续阅读，我不得不停下来在房间里来回走动了几次。回到笔记本电脑前，我随手点开了下一个文件。那是一份绝密的 PPT 演示材料，标题是：“棱镜计划/美国——984XN 综述。”每一页上都带着规模最大的 9 家互联网公司的标识，具体包括谷歌、脸书、Skype、雅虎等。第一张幻灯片介绍了这个方案的详细内容："国安局从微软、雅虎、谷歌、脸书、Paltalk、美国在线、Skype、Youtube、苹果等美国服务商的服务器直接收集信息。"有张图表列举了这些公司参加这一计划的具体日期。

我再次因为情绪激动而停止了阅读。

知情人还说，当时机合适时他会发给我大批文件。我决定暂且搁置这些虽然意义重大但却颇显神秘的说明部分，而是由他决定给我文件的时间顺序，继续按照我既定的思路采取行动，这也是因为面前的资料太令我激动了。

从第一眼看到这几份文件开始，我就明白了两件事：我要立刻赶赴香港，而且报道此事必须得到就职单位的大力支持。这意味着尽管作为每日专栏文章的作者，我加盟《卫报》（*The Guardian*）只有9个月的时间，但这次也要让它参与进来，无论是报纸还是其在线新闻网站均是如此。我很清楚，这将是重磅新闻，也的确该让他们参与进来了。

我通过Skype网络电话与美国版《卫报》的英籍主编简宁·吉布森（Janine Gibson）取得了联系。我跟《卫报》达成的协议是：我享有完全的编辑自主权，这意味着我的文章发表前任何人都不得对之进行编辑或评论。我写好文章，然后通过网络直接发表即可。唯一的例外在于，如果我发布的内容可能给报纸带来法律方面的后续问题，需要事先给他们提个醒。在先前的9个月里，这类事件只发生过一两次，也就是说我跟《卫报》的主编来往很少。显而易见，如果有什么报道需要他们留心一下的话，这次就应属其中一例。另外，我知道自己也需要《卫报》的各种资源和支持。

"简宁，我有重磅新闻，"我脱口而出，"我有个知情人，他好像能接触到很多国安局的绝密文件。他已经提供了几份文件，内容让我非常吃惊，但他说还有很多类似文件。出于某种原因，他现在身处香港。我虽不清楚具体原因，但他很希望我能亲自前往去与他见面，获取其他文件。就他已经提供的部分来看，即我刚刚看过的那些文件，似乎很令人震惊——"

吉布森登时打断了我的话："你是在用什么方式与我联系？"

“通过Skype。”

“我觉得我们不应在电话上讨论这类问题，尤其不能通过Skype来谈。”她明智地说，然后建议我即刻乘机前往纽约面谈此事。

我计划飞往纽约，给《卫报》相关人员看手头的这些文件，来引起他们的兴趣，然后由他们安排我去香港与知情人见面。经过与劳拉商量后，她同意和我在纽约会合，然后一起前往香港。

第二天，我连夜乘机从里约热内卢赶到纽约肯尼迪国际机场，在第二天上午9点钟，也就是5月31日周五那天，我在入住曼哈顿的一家酒店后见到了劳拉。我俩做的第一件事就是去买了台笔记本电脑，用这台从没接入过互联网的电脑作为我的“无网”工具。监控这种不连接互联网的计算机难度要大得多。如果想要这样做，国安局这样的情报机构就必须借助更有难度的方法，比如物理上直接接触到电脑本身，在硬盘上安装监控装置等才能落实。把电脑随时放在身边，就可以防范这种侵扰。我会用这台电脑来处理不想遭到监控的那些材料，比如秘密的国安局文件，因为这样就不必担心会受到监视。

我把新电脑塞进背包，跟劳拉一起，在曼哈顿走过5个街区，来到《卫报》的办事处。

到达时，吉布森已经恭候多时了。我和她直接走进了她的办公室，在那里见到了她的副手斯图尔特 · 米拉尔（Stuart Millar）。劳拉坐在外面等我，因为吉布森和劳拉彼此并不相识，而我希望这样安排便于我们间的自由交谈。我不清楚《卫报》的主编会做出何种反应，也不知道他们会心存顾虑还是会兴奋激动。先前我跟他们没合作过，更未曾谈及如此重要的问题。

我在笔记本电脑上打开知情人提供的文件后，吉布森和米拉尔一起坐在桌边读了起来，两人偶尔会发出“哇”、“天哪”这样的感叹声。我坐在沙发上，看着他们阅读文件，观察他们领会其中内容后脸上的震惊神情。每次他们看完一份文件后，我就给他们展示另一份文件，而他们的表情也变得越来越惊奇。

除知情人提供的那二十几份国安局文件外，其中还有他准备发布的个人声明，希望征集民众签名以支持保护隐私、反对监控这项事业。这份声明措辞严厉、令人震撼，不过如果考虑到他令人震惊的郑重选择，这也是预料之中的事，因为这样的选择将会终结他的正常生活。我也很理解：像他这样一个人，目睹了庞大的国家监控体系的秘密搭建过程，而且这一体系并未受到任何监管或制约，那么他定会对由此带来的危险极为警觉。他的口吻的确非常极端：正因他非常担忧，才做出这种不同寻常的决定，大胆采取如此极端的做法。尽管我很理解他这样做的缘由，可我还是担心吉布森和米拉尔读到声明后会怎样反应。我不想让他们以为在和一个疯子打交道，尤其是在我跟他交谈几个小时后，我发现此人极为理性而且认真考虑过此事的前后因果。

我的担忧很快就变成了现实。吉布森断言道："对有些人来说，这事听起来很疯狂呀。""有些人，尤其是支持国安局的媒体，可能会说这事有点儿像恐怖分子泰德·卡辛斯基[①]（Ted Kaczynski）的风格，"我表示赞同道，"但归根结底，最重要的是文件内容，而不是此人本身或其爆料的动机。另外，任何人做出这么极端的事情肯定会有极端的想法，这些都在所难免。"

除了声明之外，斯诺登还给准备帮助自己爆料的记者写了封信，解释他此举的动机和目标，信中还预见自己可能会遭到妖魔化的攻击：

> 我的唯一目的是告诉公众有哪些事情是以他们的名义做的，以及他们受到了哪些伤害。美国政府及其附庸国勾结在一起，让全世界都遭受着无所不在的秘密监控的困扰，无人可以幸免。借助信息分类处理的技术能力和对谎言的掩盖，他们保护本国的体制不受公民监督，而且通过过度强调给被管理者有限保护，使得即便出现泄密的情况也能免于众怒。
>
> 邮件内附的各个文件都货真价实，旨在让我们了解覆盖全球的监控系统在如何运作，从而可以研究防范之道。就在发送邮件的当天，该系

① 泰德·卡辛斯基：美国臭名昭著的恐怖分子，通过寄送邮件炸弹的方式制造恐怖事件。——译者注

> 统能收集整理的全部通信记录都准备留存数年，而且世界各地都在部署设置最新的“海量数据存储库”（或者用委婉的说法是“任务”数据存储库），而最大的数据存储库则位于犹他州的新数据中心。虽然我也企盼公众的觉醒和辩论会带来变革，但我很清楚：政策会随时间而发生改变，如果当权者利欲熏心，即使宪法有明文规定，政策也会遭到歪曲。用史书上的话来说就是：我们不要谈对人类的信任，而应该借助加密技术让他们不能为非作歹。

我立刻发现，最后一句话是源自一部1798年关于美国前总统托马斯·杰斐逊（Thomas Jefferson）的戏剧中的台词，也是我在写作中经常引用的：“我们不要谈如何信任行使权力的人们，而应该借助宪法的力量不让他们为非作歹。”

阅读了这些文件和斯诺登的信后，吉布森和米拉尔被我说服了。那天上午我抵达之后还不到两个小时，吉布森就做出了结论：“这么看来，你需要尽快去香港，你看明天出发怎么样？”

《卫报》决定参与进来。我去纽约的目的已经达到。现在我明白了，吉布森的意思是抓紧时间跟进此事，至少在当前是如此。

当天下午，我和劳拉一起与《卫报》负责安排差旅的员工一起研究如何尽快赶赴香港。最好的选择是乘坐国泰航空航程16小时的飞机，于第二天离开肯尼迪机场。但就在我们准备庆祝很快会见到知情人本尊时，又出现了新的困难。

那天晚上接近午夜时分，吉布森说她想安排在《卫报》效力20年的资深记者埃文·麦卡斯基尔（Ewen MacAskill）参与进来，并说“他是个了不起的记者”。

考虑到此事的重要程度，我知道自己肯定会需要《卫报》其他记者的帮助，因此从常理上看这么安排无可厚非。但是我并不认识麦卡斯基尔，而且对于在最后时刻把他强加给我们感到有些不爽。

“我想让埃文跟你一起去香港。”她补充说。我和麦卡斯基尔并不相识。更重要的是，知情人也不认识他，他以为只有我和劳拉要去香港。我非常担心，计划安排周到严谨的劳拉肯定会对这种突然变化大发脾气，这又被我不幸言中。

“不行，绝对不行，”她答道，“我们不能在最后时刻增加新面孔，而且我根本就不认识他，谁了解他的情况？”

我尽量给她解释吉布森的良苦用心。我和《卫报》并不真正熟悉和彼此信赖，尤其面对的是这样重大的事件，而且我想对方对我可能也是这种感受。考虑到《卫报》在这件事中所冒的风险，我猜测他们是想派个自己熟悉的老员工一同前往，以了解事态进展，确保这件事的确值得冒此风险。另外，吉布森需要伦敦方面《卫报》主编的批准和全力支持，那些人对我的了解还不如她。她可能是想安排进来一个人让伦敦那边放心，而埃文刚好满足这样的要求。

“我不管，”劳拉说道，“跟一个陌生人一同前往可能会引来监视，或者会让知情人心生顾虑。”作为妥协，她建议《卫报》方面安排埃文过几天再去，等我们在香港联系上对方先建立起彼此间的信任再去不迟。“这事你占据主动。和他们讲，如果我们没准备好，就不能派埃文过去。”

我又过去找吉布森，端出这个貌似聪明的妥协方法，可她却似乎心意已决。“埃文与你们一起赴港，但在你们做好准备前，他不必和知情人见面。”

毫无疑问，埃文与我们同去香港至关重要。吉布森需要对那里出现的情况有充分把握，需要减轻她在伦敦的老板可能怀有的担忧，但劳拉却同样固执，坚持说我们不能跟他一起走。

“如果知情人在机场监视我们，看到不认识的第三者出现，就会因为紧张而放弃与我们接触，这绝对不行。”

就像美国国务院的外交官在中东的敌对双方之间往来穿梭，尽管徒劳却希望牵线促成交易一样，我又回去找吉布森，她含含糊糊地回答暗示埃文可以几天后过去，也有可能这是我期望得到的答复。不管怎样，那天夜间晚些时候，我从安排差旅的员工那里了解到，埃文的机票已经出票，是第二天的同一航班。无论如何他们都要安排他一起成行。

第二天上午去机场的汽车上，我和劳拉之间发生了唯一的一次争吵。一离开酒店，我就把埃文无论如何都要同去的消息告诉了她，结果她勃然大怒，坚持说这样做会搞糟了整个安排。在这个阶段让陌生人参与进来是不合情理的。参入如此敏感事情却没有接受过资格审查，她不相信埃文，而且认为是我的原因造成《卫报》让我们的计划冒上了风险。

我没法让劳拉相信她的担心实属多虑，不过我还是尽量想说服她并让她认识到：《卫报》方面很坚决，我们没有别的选择，而且等我们做好准备后埃文才会跟知情人见面。

劳拉却是不管不顾。为了抚平她的怒气，我甚至说我自己可以不去香港，然而这一提议却被她立刻拒绝了。去肯尼迪机场的路上遇到了堵车，有10分钟的时间我俩在车上气冲冲地一言不发，气氛十分尴尬。

我知道劳拉是正确的，事态不该如此进展，于是我打断沉闷的僵局告诉了她这一点。然后我建议我们都不理埃文，把他逼走，假装他跟我们不是一起的。"我们是站在一边的，"我恳求劳拉，"我们不要再吵了，考虑到所冒的风险，这将不会是最后一次出现我们难以掌控的局势。"我劝说劳拉专心一起和我努力克服困难。没多久，我们两人又恢复了平静。

快到机场时，劳拉从双肩包里拿出一个U盘，表情严肃地发问："猜猜这是什么？"

"什么？"

"那些文件，全部都在这里。"她答道。

* * *

到达机场时，埃文已在门口等我们了。我和劳拉对他都很诚恳，但却有些冷淡，希望让他能有受到排斥的感觉，想让他知道如果我们不同意就没他什么事。作为当前我们痛恨的唯一目标，我们把他当成了别人硬塞给我们的额外行李。这样做不怎么公平，但我满脑子想的只是劳拉U盘里存储的宝贵信息，以及我们所做的事情的重要意义，根本没有过多考虑埃文的问题。

来机场的路上，劳拉曾经在车上花5分钟的时间给我介绍过计算机的安全系统，她说准备在飞机上睡觉。她递给我那个U盘，建议我开始看那些文件。等到了香港，她说，知情人就会把我那一份文件交给我。

飞机起飞后，我拿出自己那台没有联网的电脑，插入劳拉给我的U盘，按照她教的方法装载了那些文件。在随后的16个小时里，尽管非常疲惫，我却在一边一份份地阅读那些文件，一边兴奋地做着笔记。许多文件跟我最初在里约热内卢看到的那份“棱镜”计划一样影响重大、令人震惊，其中还有许多文件涉及的内容问题性质更为严重。

最早读到的文件中，有一份是《海外情报监控法案》（FISA）的秘密法庭发出的指令。《海外情报监控法案》是在丘奇委员会发现政府进行了几十年的监听行为后国会在1978年通过的法案。这一立法背后的理念在于，政府可以继续进行电子监控，但为防止类似的权力滥用，它首先必须得到该法庭的许可。此前我从没见过《海外情报监控法案》法庭的指令，而且几乎任何人都没见过。这类特别法庭是政府机构中最神秘的。它们发出的全部指令都自动被纳入绝密等级，只有很少人能得到授权查看。

我在去香港的飞机上读到的那份法庭指令很令人吃惊，原因是多方面的。它要求威瑞森电信公司（Verizon Business）提交“美国与外国以及美国内部所有当地电话联络”的“全部通话信息记录”。这意味着国安局又在不加区别地秘密收集至少数千万美国人的电话通信记录。几乎任何人都没想到过奥巴马政府在做这种事。如今有了这条指令，我不仅知道了此事，而且有法庭的指令可以作为证据。

更重要的是，按照法庭指令的说明，对美国电话记录的大规模收集是依照

《爱国者法案》（The Patriot Act）第 215 条的相关规定进行。跟法令本身相比，这种对《爱国者法案》的这种激进解释更令人瞠目。

“9 · 11” 事件之后颁布的《爱国者法案》之所以引发争议，是因为第 215 条降低了政府获取 “业务记录” 时的门槛，从 “合理依据” 调整为 “相关依据”。这意味着为了获取极度敏感、侵犯隐私的文件，比如病历、金融交易记录或电话记录，联邦调查局只需要证明这些文件与即将开展的调查存在 “相关依据” 即可。

但是没人想到这条法规赋予了美国政府权力收集所有人的记录，数量庞大而且不加任何选择，就连 2001 年推出《爱国者法案》的鹰派共和党人，乃至极端反对这项法案的最坚定的民权卫士们也没有想到。然而在我飞赴香港途中在笔记本电脑上打开的这份秘密法庭指令在指示威瑞森电信公司把所有美国用户的电话记录交给国安局，这一事实体现出来的正是这一点。

两年来，俄勒冈州的罗恩 · 怀登（Ron Wyden）和新墨西哥州的马克 · 尤德尔（Mark Udall）两位民主党参议员一直在全国各地宣讲警告美国民众，如果大家得知奥巴马政府通过 “秘密的法律解读” 赋予自身庞大而又不为人所知的间谍力量，将会 “大吃一惊”。但因为这些间谍活动和 “秘密解读” 都属于机密，作为参议院情报委员会成员，这两位参议员虽然发现事态令人担心，尽管作为国会成员他们受到豁免权的保护，但却无法将其公之于众。

一看到《海外情报监控法案》的法庭指令我就明白了，这至少也是怀登和尤德尔谈到的那种滥用权力疯狂监控方案的部分内容。我立刻就判断出了这份《海外情报监控法案》指令的意义，迫不及待地想要将其发表，因为我敢肯定将其公开后会引起地震般的反应，导致民众呼吁政府采取公开透明措施并追究责任。这只是我在去香港途中阅读的数百份绝密文件之一。

我对知情人所作所为的看法再次发生了变化。这种情况先前已经有过三次：最早是我看到劳拉收到的邮件时，然后是我开始跟知情人进行交流时，再就是我读到他发送的包括二十几份文件的邮件时。只不过现在我感觉自己真正开始领悟到这次爆料的重大意义。

飞行途中每隔一会儿，劳拉就会到我坐的那一排前。我那一排正对着飞机的舱壁。一看到她，我就从座位上起身，和她一起站在舱壁前的空地，我们两人都是深受震撼，难以自持，一言不发。

多年来，劳拉一直在调查国安局监控问题，而且她本人也频频遭到国家安全局滥用权力的侵扰。早在2006年，我就已开始撰文探讨不受制约的国内监控造成的威胁。那年我出版了自己的第一本著作，提醒民众注意国安局目无法纪的过激行为。我俩都在与庇护政府间谍行为的强大而又神秘的铜墙铁壁做斗争：怎样描述行事高度保密的这家机构所做的工作呢？此时此刻，我们已经把这堵墙打开了缺口。

在这架飞机上，我们拥有政府竭尽全力想要隐藏的数千份文件。我们有无可置疑的证据，可以证明美国政府为侵犯美国和世界人民的隐私所做的一切。在我继续阅读的过程中，这些文件有两方面内容为我留下了深刻印象。首先是文件整理得井井有条。这位知情人创建了无数的文件夹、子文件夹、子文件夹中再有文件夹，且将每个文件都准确归位。我从未发现有任何文件存在位置错误。

我已经花费了数年时间为心目中的英雄切尔西·曼宁（Chelsea Manning）[①]辩护。这位士兵因为对美国政府的行为——政府的战争罪行和其他系统性的欺骗——感到震惊，毅然予以揭发，通过维基解密向世人公布了机密文件。但曼宁却曾遭受批评（我相信这种批评是不公正的），批评人士（毫无证据地）认为他没有像丹尼尔·艾尔斯伯格（Daniel Ellsberg）[②]那样先阅

① 切尔西·曼宁：原名布拉德利·曼宁，生于俄克拉何马州，曾为美国陆军上等兵，2010年因涉嫌将美国政府的机密文件外泄给维基解密网站而遭美国政府逮捕并起诉。2013年7月30日，美国马里兰州米德堡军事基地内一个军事法庭宣判，向维基解密网站泄露大量秘密文件的士兵布拉德利·曼宁间谍罪罪名成立。

② 丹尼尔·艾尔斯伯格：前美国军方分析师，因1971年私自拷贝并向媒体提供五角大楼机密文件为世人所知。

读文件内容就将文件公开了（艾尔斯伯格是曼宁坚决的拥护者，而曼宁显然至少也浏览了文件）。这种观点经常被人拿来攻击曼宁的做法，说那并非英勇之举。

我们的国安局知情人显然不会受到任何此类指责。毫无疑问，他已经仔细阅读了提供给我们的每份文件，而且完全明白文件的内涵，然后精心将其组织归类。

这些文件的另一个惊人之处在于它们透露出的政府谎言的严重程度，知情人为各种证据都做了明确的标记。他给第一批文件夹中有一个文件夹名为“无界线人（BOUNDLESS INFORMANT）——国家安全局向国会撒谎”。这个文件夹包括几十份文件，从中可以看出国安局精心统计的他们窃听的电话和监控的邮件。其中还有证据材料表明国安局每天都在收集数百万美国人的电话和电子邮件数据。

“无界线人”是国安局一项计划的名称，旨在准确地量化该机构每天的监控活动。文件夹中的一张图表显示，截至 2013 年 2 月，国安局的下属单位仅从美国通信系统中就收集了 30 多亿份通信数据。

知情人给我们提供的证据很确凿地表明，国会了解情况时，国安局官员直截了当地频频撒谎。多年来，形形色色的参议员都曾要求国安局大致估计有多少美国民众的电话和电子邮件受到监控。那些官员却一直坚称因为自己没有这方面的数据，所以无法回答这个问题，而这些数据在“无界线人”那些文件中却一览无余。

意义更为深远的是，这些文件和威瑞森电信公司的那份文件都证明，奥巴马政府的高级国家安全官员、国家情报总监詹姆斯 · 克拉珀（James Clapper）曾对国会撒谎。2013 年 3 月 12 日，参议员罗恩 · 怀登质询他：“国安局是否在收集数百万乃至亿万美国民众的数据？”

克拉珀回答得言之凿凿，但却是信口雌黄：“没有，先生。”

* * *

经过16小时几乎不间断的阅读，我仅仅读完了那些文件中的一小部分内容。但在飞机降落的过程中，我对两件事确认无疑。首先，知情人极为精明，极具政治头脑，这从他对多数文件意义的判断方面可以明显看出这一点。而且他极为理性。他选择、分析和描述我手头那数千份文件的方式可以证明这一点。

其次，我们很难否认，他就是那种典型的检举者。针对面向国内的监控方案，高级国家安全官员彻头彻尾地向国会撒谎，如果揭露这方面的证据还不能让爆料者成为毫无争议的检举者，那怎样做才能算呢？

我很清楚，政府及其同盟把知情人妖魔化的难度越大，他的爆料带来的影响就越深远。抹黑检举者最常用的两种说法是说他多变和幼稚，不过对我们的知情人来说这样的说法根本站不住脚。

飞机降落前不久，我最后又读了一份文件。虽然那份文件的标题是“请先读我”，我却是在航程最后才第一次看到它。这份文件再次解释了知情人做出如此选择的原因，说明了他对后果的预期，在语气和内容上跟我给《卫报》主编们看的那份声明有些类似，但它也有些跟其他文件不同的地方：上面有知情人的真实姓名，这是我第一次看到。另外还非常准确地预测了如果公开身份他可能会有的遭遇。这份文件在揭露了国安局自2005年以来的斑斑劣迹后，在文件结尾处他写道：

> 许多人会谴责我在国家问题上不持相对主义立场，认为我不该对美国的社会问题揪住不放，而应转而去关注遥远的异国存在的邪恶；但在我看来，那些事我们既无权力也无责任去顾及。在我看来，公民的意义就在于首先要监督美国政府，然后再去纠正别国政府的错误。当前在美国国内，政府只是极不情愿地允许受到有限的监督，而且拒绝对恶行承

担任何责任，我们深受其害。被边缘化的年轻人犯下轻微的罪行时，我们的社会漠然视之，任由他们在世界上最庞大的监狱系统中遭受难以忍受的折磨；而在有钱有势的电信供应商明知故犯、罪行累累时，国会却为他们的精英朋友通过了可以追溯豁免的第一部法律——不管是民事法还是刑事法，尽管犯下那些罪行的人原本应该被判处历史上最长的刑期。

这些公司的团队中有国内最好的律师，然而他们却没有受到哪怕是最轻微的法律追究。包括副总统和他的法律顾问在内，当调查发现权力高层亲自指使了这些恶行的时候，我们该怎么办？如果你认为调查应该停止，认为调查结果应该列为超级机密由“异常控制信息”的STLW部门掌控，认为进一步的调查应该停止，因为让那些滥用权力的人承担责任有悖国家利益，认为我们必须“向前而不是向后看”，不但不去停止这些非法活动，而是授予他们更多的权限，那么你将受到美国权贵的欢迎，因为这就是真实情况，我要公布一些文件证明此事。

我知道自己会因为此举遭受惩罚，我也知道把这些信息公之于众意味着我会有怎样的下场。但即使只有瞬间，只要统治我深爱的这个世界的那个联盟能被揭露，那么我就会感到满足，因为它是由秘密法律、不公平的赦免和不可抗拒的行政权力组成的。如果你想提供帮助，请加入开源社区，共同努力保持新闻精神的活力，保持互联网的自由。我曾去过政府最黑暗的角落，他们害怕的是光明。

爱德华 · 约瑟夫 · 斯诺登，社会保险号：已隐匿

中央情报局（CIA）化名已隐匿，员工身份号：已隐匿

曾以公司员工身份为掩护担任美国国家安全局高级顾问

曾以外交人员身份为掩护担任美国中央情报局外勤官员

曾以公司员工身份为掩护担任美国国防情报局讲师

NO PLACE

Edward Snowden

TO HIDE

the NSA

第2章

and the U.S.

香港十日

Surveillance State

我们于 6 月 2 日周日晚抵达香港。当时计划的是入住酒店后立刻跟斯诺登碰面。我们住的酒店位于香港繁华的九龙区，一进房间，我就打开电脑上网通过加密聊天程序联系斯诺登。像往常一样，他已经在等着我了。

针对航班的情况寒暄了几句后，我们谈到了见面的详细安排。“你们可以来我住的酒店。”他说。

这是我第一次感到吃惊，没想到他居然会选择住在酒店。我对他为什么会待在香港仍然毫不知情，但直到那时，我都认为他到香港是为避人耳目。在我想象中，如今没有了收入来源的他应该销声匿迹地躲在一间简陋廉价的小公寓里，而不是这样大大方方待在酒店里，每天花上一大笔钱。

我们认为最好还是等到第二天上午再见面，于是调整了原来的计划。这实际上是斯诺登的主意，这样的做法也制造了随后几天里令人心惊胆战的谍战片氛围。

他的说法是：“如果你们晚上出来活动，很可能会引起注意。两个美国人大晚上入住酒店又立刻外出，这未免太过奇怪了。明天上午你们来我这里会更为自然。”

那时，斯诺登既担心受到当地香港特区政府和中国政府的监视，也担心受到美国方面的监视。他害怕我们会受到当地情报人员的跟踪。考虑到他曾深度参与美国间谍机构的活动，这番话肯定是有根有据，我便听从了他的安排，但却对那天晚上未能见面还是感到有些失望。

香港时间比纽约时间正好早 12 个小时（夏令时），也就是说我现在正好晨昏颠倒，所以那天晚上我基本上一夜无眠，而且在那次旅程中几乎就没怎么睡。时差是一方面的原因，还有就是那几天我一直处在几乎难以控制的兴奋状态，每天只是迷迷糊糊地睡一个半小时左右，最多两个小时。

第二天早晨，我和劳拉在酒店大堂会合，乘出租车前往斯诺登所在的酒店。见面的所有细节都是劳拉跟斯诺登安排的。因为担心司机可能是便衣特工，她在出租车里不怎么愿意说话。我也没像以往那样认为这种想法是疑神疑鬼、庸人自扰。尽管有这些因素的影响，我还是从她那里打探出了见面的计划安排。

我们要去斯诺登所在酒店的三楼，也就是会议室所在的楼层。他选择了一个在他看来多种因素兼顾的会议室房间：既足够偏僻而没有太多他所谓的“人流量”，又不因为过于隐蔽而会让我们在那儿等他时引起他人的注意。

劳拉告诉我，我们一到三楼，就要问一下在指定房间附近遇到的第一个服务员是否有餐厅可以用餐。这对斯诺登来说是个信号，因为他会在附近监听，确保没人跟踪我们。进入指定的房间后，我们要在一只“巨型鳄鱼”旁的沙发上等候。我从劳拉口里得知，那只是件装饰品，并非活的鳄鱼。

我们有两个不同的见面时间：上午 10 点和 10 点 20 分。如果在第一个时间两分钟内斯诺登仍未出现，我们就离开那个房间去别的地方，然后在第二个时间再回来，到时他会来找我们。

“我们怎么知道他是哪一位？”我问劳拉，我俩仍对他几乎一无所知，不管是年龄、种族、体貌特征，还是其他方面。

“他会手拿着魔方。”劳拉答道。

听到这句话我一下子笑了出来：那种场面太怪异、太极端、太不可思议了。我心想，这就是一部以香港为背景的跨国电影，离奇而又刺激。

出租车把我们送到了美丽华酒店的入口处。我发现这家酒店也位于摩天大楼和时尚商店鳞次栉比、高度商业化的九龙区。走进大厅，我再次感到震惊：斯诺登并不是住在普普通通的酒店，而是住在一家价格昂贵的豪华酒店，据我所知每天的房费要高达数百美元。我心想，此人准备爆国家安全局的料，行动需要高度保密，那为什么还要到香港来，并藏在这个引人注目地区的一家五星级酒店呢？当时思考这个难解之谜没有什么意义，因为过不了几分钟，我就会见到这位知情人，到时候估计所有答案都能揭晓。

跟香港的许多建筑物一样，美丽华酒店占地面积堪比一座小村庄。我和劳拉花了至少 15 分钟在这个偌大的酒店里寻找指定的见面地点。我们乘了好几部电梯，穿过了几座内部连廊，一遍又一遍地问路。感觉快到见面地点时，我们看到了一位酒店服务员，我有些不太自然地问了那个作为暗号的问题，然后听她给我们介绍各种各样的餐厅。

转过一个拐角，我们看到有个房间开着门，地板上放着一只庞大的绿色塑料鳄鱼。按照斯诺登的要求，我们坐在空荡荡的房间中部的沙发上紧张地等待着，一言不发。那个小房间似乎没有什么真正的用途，除沙发和鳄鱼外，没有任何其他东西，似乎没人会进来。我们在那里静静地坐了漫长的五分钟，没有人来，于是我们起身离开，到附近的另一个房间里等了 15 分钟。

10 点 20 分的时候，我们返回指定房间，坐在鳄鱼附近的沙发上继续等待。沙发面对着房间的后墙和一面大镜子。两分钟后，我听到有人走进了房间。

我并没转身看进来的人，而是一直盯着镜子，因为从镜子里可以看到有人朝我们走来。等他离我们只有几英尺远时，我才转过身来。

我首先注意到的是他左手正在摆弄的魔方。爱德华 · 斯诺登跟我们打了声招呼，但并没有伸出手表示欢迎，因为事先说好要让这次见面看上去像是偶遇。像之前安排的那样，劳拉问他酒店的食物如何，斯诺登回答说不怎么样。事后回想起来，在这整个事件中所有让我感到吃惊的因素中，最让我感到惊诧的就是见面那一刻。

当时斯诺登29岁，但看起来最多二十五六岁的样子。他身穿牛仔裤和一件字母有些褪色的白色T恤，戴着一副时下流行的有些呆板的黑框眼镜。嘴边一圈稀疏的山羊胡，看起来好像最近才开始剃须似的。他的外貌轮廓分明，身体有如军人般健壮，身材瘦削，脸色苍白，当时他明显非常戒备。斯诺登看上去就像一个20出头到25岁上下、泡在大学计算机实验室里的书呆子。

当时我感到简直有些难以捉摸。因为种种原因，先前我一直下意识地以为斯诺登年龄还要大些，可能要五六十岁的样子。首先，由于他能接触到如此多的敏感文件，我感觉他在国家安全系统应该处于高层的位置。其次，从他的见解和策略看，他一直表现得见多识广、精明老道，让我一直觉得他是位政治舞台上的老手。另外，我知道他已经做好准备，要牺牲自己向世人披露真相，甚至可能要在囹圄中度过余生，因此我以为他已近退休之年。在我看来，能做出如此极端的决定，此人肯定多年来、甚至几十年来一直感觉梦想已经破灭。

这样的一个年轻人，却提供了有关国安局惊世骇俗的材料，这实在令我有些摸不着头脑。我的大脑飞快地运转，考虑各种可能性：这是个骗局吗？我不远万里漂洋过海乘机赴港这是在浪费时间吗？这样一个年轻人怎么可能接触我们看到的那种机密文件呢？在情报和间谍活动方面经验丰富精明老道的那个知情人怎么可能就是眼前的这个小伙子？我心里想，或许这是知情人的儿子、助理或情人，他要带我们去见真正的知情人。各种可能性一起涌进了我的脑海，但似乎任何一种都说不过去。

“那跟我来吧。”他说道，显然也很紧张。我和劳拉紧跟在他的身后，一边走一边有一搭没一搭地打着招呼。我还没从惊讶和疑惑中回过神来，一路上也没说几句话，看得出劳拉也有同样的感受。斯诺登似乎十分警惕，好像在查看是否有人在监视我们或者有别的不祥的迹象，于是我们就基本上默默无语地跟在他的身后。

我们不知道他要把我们带去哪里，只是跟着他走进电梯，到10楼并进了他的房间。斯诺登从钱包里拿出门卡把门打开。“请进，”他说，“不好意思，屋里有点乱，我大概已经有几周没出过门了。”

房间里确实很乱。桌子上放着服务员送来后还没吃完的饭菜盘子，脏衣服扔得到处都是。斯诺登清理出一把椅子，请我坐下，然后自己坐到了床上。房间很小，我们彼此的距离还不到 5 英尺。我们之间谈话的气氛紧张、尴尬而又呆板。他马上谈到了安全问题，问我是否带了手机。我说带了这部仅限巴西国内使用的手机。他却执意要求我取下电池或者把手机放在迷你吧台的冰箱里，以免我们的对话遭到监听。

就像劳拉在 4 月里告诉我的那样，斯诺登说美国政府能利用遥控手段激活手机来监听谈话内容。这样我就相信确实有这种技术了，但当时却仍然认为他俩的担心有些疑神疑鬼。后来发现，我才是受到误导的人。多年来，美国政府一直在各种罪案调查中使用这种技术。2006 年，对纽约犯罪团伙提出刑事诉讼的过程中，联邦法院的法官就曾判定联邦调查局使用“漫游窃听器”属于合法行为，当时实际上就是通过远程控制把个人手机变成窃听设备。

把我的手机安安稳稳地放进冰箱后，斯诺登又从床上拿了几个枕头放到门下。“这是为了防止走廊有耳，”他解释道，“房间里可能有录音或录像设备，不过好在我们要谈的内容很快就会见诸报端了。”他半开玩笑地说。

我在这方面没有什么发言权，而且对斯诺登的身份、就职单位或作为仍只是一知半解，所以也就拿不准我们可能面临什么威胁，不知道是监控还是别的形式，但却一直感觉不那么稳妥。

也许是为缓解紧张的情绪，劳拉连坐都没坐，什么话也不说，直接打开包拿出相机和三脚架，然后走过来在我和斯诺登的身上别上了麦克风。

先前我们曾经讨论过她在香港给我们录像的计划，毕竟她的身份是纪录片制片人，而且在拍摄关于国安局的影片。我们的所作所为将成为她拍摄项目的重要内容，这是不可避免的，但我没想到这么快就开始了录像环节。从心理上讲，秘密接触一位被美国政府认为犯了重罪的知情人并同时为他录像，确实不那么容易接受。

没过几分钟，劳拉就准备好了。“现在我要开始摄像了。”她宣布说，好像这是天经地义的事情一样。一想到她在做摄像记录，我们变得更加紧张起来。

本来我和斯诺登的交流就很不自然，录影开始时，我俩立刻变得更加拘谨、更加生分，姿势僵硬，语速也慢了下来。这些年来，我作过许多场有关监视改变人们行为举止的演讲，多次强调过，研究表明人在得知自己被旁人观察时会变得更内敛、讲话内容更放不开。如今我亲眼看到并真切地感受到了这种变化。

考虑到过多客套也没有用处，我就索性直奔主题。“我有许多问题要问您，如果你觉着可以的话，我会一个接着一个地提问。”我开始说道。

斯诺登说：“好的。”显然他也跟我一样谈起正事就放松了下来。

那时我有两个主要目标。首先，由于我知道国安局随时很有可能找上门来并将他逮捕，我想尽可能地了解他的详细情况，比如他的生活和工作，是什么让他做出这样惊人的选择，他通过什么手段以及为什么要获取那些文件，还有他为何待在香港。其次，我决心要搞清楚他是否可靠、是否坦诚，搞清楚他是否在隐藏关于自己身份和作为方面的重要信息。

虽然从事政治新闻报道已近八年，但与我接下来要做的事情关系更密切的却是先前的律师工作经验，因为律师的工作就包括向证人取证。在取证过程中，律师要跟证人交流数小时，有时候甚至要交流几天。法律规定证人必须出面并如实回答律师提出的问题。讯问过程中的一个主要目标就是揭穿谎言，发现他们叙述过程中矛盾的地方，识破他们编造的伪证，从而获取真相。让我对律师这份职业心存好感的为数不多的几个原因中，取证是其中之一。我掌握了各种方法来攻破证人的心理防线，而使用这些方法时总是需要毫不留情地连珠炮般提问。同样的问题往往会在不同的语境下从不同的角度反复被问及，为的就是检验他们叙述的真实性。

跟斯诺登在网上交流时，我心甘情愿地处于被动地位，对他毕恭毕敬，那天我却一反常态，采取了当律师时用的种种积极策略。甚至连吃零食、去洗手间这种事情都没做，我一连用了 5 个小时的时间来质询他。一开始我问的是他的童年、上学的经历、在政府部门任职前的工作。我要求他把凡是能想起来的细节统统告诉我。我了解到，斯诺登生于北卡罗来纳州，在马里兰州长大，来自中产阶级下层的家庭，父母都是联邦政府雇员（父亲在海岸警卫队工作了 30 年）。中学期间他对学习兴趣索然，根本就没完成学业，与上课相比，他对互联网更感兴趣。

几乎就在那个时候，我意识到自己当面见识了在线交流时总结出的关于他的情况：斯诺登非常聪明、极其理性，思考问题有条不紊。他回答我的问题简明扼要而又令人信服。几乎每个问题的答案都高度切题，这显然是深思熟虑的结果。情绪不稳定或患有心理疾病的人往往东拉西扯，斯诺登与此截然不同。他的沉稳和专注让我信心大增。

虽然我们在线交流时很容易形成印象，但可靠的判断仍然需要见到本人才能做出。尽管最初时满腹疑虑，对要接触的人一团茫然，我很快就对情况产生了更好的感觉。尽管如此，我却仍然非常担心，因为我很清楚，我们将要做的一切是否可行完全取决于斯诺登的身份是否可靠。

在他的工作经历和精神历程上我们花了几个小时的时间。跟许多美国人一样，“9 · 11”恐怖袭击后，他的政治观点发生了重大变化：他变得更加“爱国”了。2004 年，20 岁的他为了参加伊拉克战争而报名参军，因为当时他认为这是将伊拉克人民从压迫中解放出来的光荣事业。然而仅仅接受了几周的基本训练后，他就发现人们谈论更多的是杀戮那些阿拉伯人，而不是去解放他们。后来在一次训练事故中，他摔断了双腿结果被迫退伍，此时他对那场战争的真实目的也已经失望透顶。

但是斯诺登依然相信美国政府本质善良，于是决定像他的家人一样为联邦政府机构效力。虽然没有中学文凭，可他年纪轻轻时就为自己找到了一些机会，比如 18 岁前他曾从事每小时薪资 30 美元的技术工作，2002 年以后一直担任微软公司认证的系统工程师。但在他看来，联邦政府的工作不但崇高，而且从职业发展的角度也很有潜力，于是他开始在马里兰大学高级语言研究中心当保安，那栋大楼是由国家安全局秘密掌控并使用的。至于目的，他说是为了得到一份从事绝密工作的权限，以便将来从事相关的技术工作。

尽管斯诺登只是个辍学生，但却很有技术方面的天赋，而且年纪轻轻就表现出来这种天赋。虽然他年纪尚轻，没受过正规教育，但这个特点以及他显而易见的聪明大脑却使得他在职场能够迅速发展，很快便在2005年从一介保安升职为中情局的技术专家。

他解释说整个情报圈都急需专业技术人员。这个圈子已经发展得非常庞大，盘根错节，难以找到足够的人员来维持运作。因此国家安全机构只好从非传统的人才库中招募员工。具备高超的计算机技能的人往往年纪不大，有时候还宅在家中，而且在主流教育体系中不怎么出色。他们往往认为互联网文化要比正规的科班教育更让人动心。斯诺登成了他所在机构IT团队的重要成员，他显然比多数接受过大学教育的同事知识更渊博、水平更高。他感觉找到了真正适合自己的环境，他的一技之长也可得到回报，而学历方面的缺憾也可被忽略。

2006年，他从为中情局短期打工变成了全职员工，从而增加了工作机会。2007年在海外工作期间，他了解到中情局要招募一名精通计算机系统的员工。因为上司给他写的推荐信多有褒奖之词，他应聘成功，最后被安排到瑞士为中情局工作。他在日内瓦待了3年，一直到2010年，他公开的身份是外交人员。

据斯诺登描述，他在日内瓦的工作远远不仅是“系统管理员”那么简单，他被看作驻瑞士人员中技术和网络安全方面的高级专家，被派往各地出差解决无人能解决的一些问题。2008年在罗马尼亚举行北约峰会期间，他被中情局特别安排去为总统服务。尽管取得了这般的成功，可正是在中情局工作的这段时间里，斯诺登开始对美国政府的所作所为感到极为忧虑。

“维护电脑系统所具有的权限，使得我接触到很多秘密情报。”他告诉我，

“其中有许多事情非常糟糕。我开始明白，我们的国家在世界上的真实行径与我先前接受的教育中所说的存在多么大的差别。”

他举了一个例子：中情局特工曾想要招纳一名瑞士银行家，以从他那里获取机密信息。他们想了解与美国有利益关系的人们的财务交易情况。斯诺登说一位秘密特工主动与这位银行家交好，在一天晚上把他灌醉，并且怂恿他开车回家。当这位银行家被警察拦下并因酒驾而拘捕时，这位中情局的探员主动提出帮他解决问题，但条件是他必须跟中情局合作。他们所做的工作后来以失败告终。他告诉我：“就因为他们没能奏效的方案，那个人的生活被彻底搞垮了，而他们却一走了之。”斯诺登说除了这场阴谋本身让人不齿之外，那些探员吹嘘他们的做事手段时脸上的骄傲之情也让他感到愤懑。

他曾经多次提醒上司留意计算机安全和系统方面他感觉越过道德底线的一些问题，结果几乎每次都遭到回绝，这让他愈发感觉心灰意冷。

“他们会说这不关你的事，或者嫌你一知半解、胡说八道，基本上就是让你不要瞎操心。”他说。斯诺登给同事们留下的印象是他有太多的担心，这一点让他的上司很是不快。“就在这时我开始意识到要推卸责任有多么容易，权力越大越缺乏监管，越没有责任。”

2009 年年底，灰心丧气的斯诺登决意离开中情局。就是在这个阶段，在日内瓦的工作即将结束的时候，他第一次认真考虑要去揭发爆料。

“当时你为什么没这样做呢？”我问道。

这是因为当时他想的是——或者至少希望——巴拉克 · 奥巴马当选总统后会进行改革，不再出现他见过的那种滥用权力的极端情况。奥巴马就职时曾经宣誓说，要改变因为针对恐怖主义发动战争而引起的国家安全方面的权力滥用情况。斯诺登以为至少情报界和军方最糟糕的一些方面会好转。

“但后来我发现，毫无疑问，奥巴马不仅仅是在继续这样行事，而且在许多方面更加肆无忌惮。”他说道，“我意识到我不能坐等领导人来解决这些问题。领导力体现在首先采取行动，为别人做出榜样，而不是指望别人采取行动。”

他也担心把中情局的秘密公开会造成的伤害。“如果泄露中情局的秘密，你就可能伤害别人，”他指的是秘密特工和知情人，“我不愿意这样做。但是泄露国家安全局的秘密只会打击滥用权力的体制，因此我更愿意这样做。”

于是斯诺登又回到了国家安全局，这次是为戴尔公司效力，因为戴尔公司跟国家安全局有合作关系。2010年，他被派驻日本，有了比先前更高的权限，可以了解到监控方面的机密。

“那时候看到的一切开始真正让我心烦意乱，”他说，“我实时看过无人驾驶飞机对可能要杀害的目标进行监控。你可以看到整个村子，看到大家在做什么。我见过国安局在人们打字输入时追踪他们的网络行为。我渐渐明白了美国的监控能力已经变得多么具有侵犯性。我认识到了这个体制影响的真正范围，而其他人几乎都对此一无所知。”

在他看来，他需要而且有责任把看到的一切公之于众，而且这种感觉越来越强烈。“我在国安局的驻日机构待得越久，越深刻地感到绝不能缄口不言。实际上，我感觉助纣为虐遮掩此事不被公众知晓才是大错特错。”

斯诺登的身份暴露出来之后，许多记者试图把他描述成头脑单纯的小程序员，说他稀里糊涂接触到机密信息，但事实远非如此。

斯诺登告诉我，在中情局和国安局期间，经过一次次的训练，他逐渐变成了高级网络特工，以黑客手段侵入其他国家的军用及民用电脑系统来窃取信息或为发动袭击做准备。在日本期间，训练进一步强化。他掌握了最复杂的技术，能防范其他情报机构获取他们的电子数据，正式成为通过认证的高级网络特工，能不留痕迹地侵入其他国家的军用以及民用电脑系统来窃取信息或为发动袭击做准备。到最后，他被国防情报局的联合反情报学院选中，在他们的反情报课上授课。

他坚持让我们行动时遵循的安全手段都是他在中情局，尤其是国安局期间学到的，有些甚至是他帮助设计的。

2013年7月，《纽约时报》证实了斯诺登告诉我的内容，报道指出：“在为国安局的承包商效力时，爱德华 · 约瑟夫 · 斯诺登掌握了黑客技术，成为国安局求之不得的网络安全专家。”《纽约时报》指出，他在那里接受的训练“对他更加熟悉网络安全问题起到了关键作用。”文章还说，斯诺登手里的资料表明他“在电子间谍活动和网络战争中已经变被动为主动，帮助国家安全局窥探别国的电脑系统以窃取信息或做好进攻的准备”。

尽管我在质询时尽量按时间的先后顺序提问，但却经常会因为一时心急就打乱了顺序。我特别想搞清楚的是，到底是什么驱使他放弃自己的事业，并冒着锒铛入狱的危险，把多年来被灌输到脑海中的保密与忠诚要求抛诸脑后。

同样的问题我用不同的方式问了很多次，斯诺登也给出了许多不同的答案，但这些答案让我感觉要么太肤浅、太抽象，要么就是太缺乏激情和信念。谈论国安局的系统和技术时他很轻松，但谈到自己时显然就要拘谨些，尤其是听到我说他做出如此了不起的勇敢之举、需要从心理层面找找原因的时候。他的回答不像发自肺腑，有些空洞，因此我感觉不那么令人信服。他说世人有权知晓自己的隐私是否受到侵犯；说从道义上讲，他有责任对恶行表明立场；说从良心上讲，自己珍视的价值观暗地里受到威胁时，他不能继续保持沉默。

我相信他的确很重视那些政治方面的价值观念，但我想知道是什么个人方面的原因驱使他牺牲生命和自由来捍卫那些价值观。我感觉自己并没得到真正的答案。也许他自己也不清楚；也许是因为他像许多美国人一样，浸淫在这样一种国家安全方面的文化中，因而并不愿意过于深刻地剖析内心世界。但是无论怎样，我必须弄明白。

其他因素且不说，我必须确定他做出这种选择时真正理性地考虑过后果：只有确信他是自觉自愿地这样做，彻底搞清他的目的，我才愿意帮他冒如此大的风险。

到最后，斯诺登给了我一个真实而又让人为之振作的答案。他告诉我：“我认为，要真正衡量一个人的价值不该看其说自己信仰什么，而要看其如何捍卫那些信仰。如果言行不一，那么那些信仰就是一纸空谈。”

那他是如何想出这种衡量自身价值的方法的？他凭什么相信如果愿意为了更多人的利益牺牲自身利益就是有道义的行为？

“一言难尽。”斯诺登答道。他成长过程中阅读了大量希腊神话，而且深受约瑟夫·坎贝尔（Joseph Campbell）的《千面英雄》（*The Hero with a Thousand Faces*）一书的影响。他指出，那本书“从我们都知晓的故事中找到了共有的主线”。那本书给他的主要教益在于，“我们通过自身的行动和行动带来的变化为生命增添了意义”。人的价值体现在他的行动之中。“我不想做一个不敢捍卫自己原则的人。”

在他的精神历程中他反复遭遇这种主题，这种关于身份和价值评判的道德构建，当然，他略显尴尬地解释说电子游戏也有一些影响。他告诉我，沉迷电子游戏得出的体会在于他认识到，即使是无权无势的一个人也可以面对不公平。“游戏的主角往往是普通人，当独自面对强权带来的极度不公时，要么因为恐惧而选择逃走，要么选择为信念而战。历史同样证明，即使是似乎极为普通的人，只要坚决捍卫正义，就可以战胜最为强悍的对手。”

这并不是我第一次听到有人说电子游戏对塑造他们的世界观发挥了重要作用。换作在几年前，我可能会对这种说法嗤之以鼻，但现在我已经逐渐意识到，对斯诺登这一代人来说，在树立人们的政治意识和道德观念、帮助大家理解自身价值方面，电子游戏的作用毫不亚于文学、电视和电影。它们也能呈现复杂的道德困境并引发玩家的思考，尤其是对那些开始质疑自己所受教育的人来说更是如此。

斯诺登告诉我，早些时候从工作中得出的道德方面的思考是“我们个人发展的模版和诱因”，而且成年之后尤其认真反思道德义务和心理方面的局限性。他解释说：“人被动服从的原因是对后果的恐惧。一旦抛开金钱、事业与安全这些身外之物，你就可以克服这种恐惧。”

对他的世界观同样产生重要影响的是互联网史无前例的价值。跟许多同代人一样，对他来说，互联网并非用来完成各种任务的简单工具，而是他的心智和个性成长的世界，互联网本身赋予了他自由、探索的机会以及精神成长和领悟的潜在空间。

在斯诺登看来，互联网独一无二的价值无法衡量，要不惜一切代价予以保卫。十几岁的时候，他就通过互联网来表达自己的观点，跟远方有着完全不同背景的陌生人聊天。没有互联网，他绝对接触不到那些人。“大致说来，互联网让我体验了真正的自由，发掘了我全部的潜能。”谈到互联网时，他显然非常愉快，甚至充满激情，他又补充说，“对许多孩童来说，互联网是自我实现的途径，他们可以探索自我，发现自己的发展目标，但要达到这个目的必须匿名才行——即使犯了错误也无人知晓。我很担心，恐怕我这一代人是能享受这种自由的最后一代人。”

这种观点对他的决定的影响是显而易见的。“我不想生活在没有隐私、没有自由、把互联网的独特价值都消灭掉的世界里。”斯诺登告诉我。他说他不得不采取行动阻止这种情况的出现，或者更确切地说，让别人来决定是否为了捍卫这些价值观而采取行动。

除此之外，斯诺登反复强调，说他的目的不是摧毁国安局使其无法继续实施监控。他告诉我，“这不是我能做的事。”相反，他想提醒美国及全世界人民他们的隐私正在受到侵犯，要让他们知道真相。他坚持说，“我不想破坏现有的体制，只是让民众来决定这些行为是否可以继续。”

斯诺登这样的告密者往往遭到妖魔化的攻击，称他们生性孤僻或一事无成，做事并非出于良心，而是因为生活失败后精神错乱、态度沮丧。但斯诺登却截然不同，他生活中有许多让人艳羡的方面。做出披露那些文件的决定意味着他要跟深爱多年的女友分手，离开支持自己的家人，放弃在夏威夷天堂般的生活、稳定的职业以及丰厚的收入，放弃充满各种可能性的人生。

2011年在日本的工作结束后，斯诺登回到了国家安全局在马里兰州的另一家机构，依旧为戴尔公司工作。加上奖金，那年他的年薪超过20万美元。工作主要是跟微软及其他科技公司一起为中情局和其他部门打造安全的电脑系统来储存文件和数据。谈到当时的情况时，斯诺登说："情况变得越来越糟糕，在那个岗位上，我亲眼看到政府尤其是国安局与民营科技企业合作窃取民众的通信记录。"

在那天5个小时的询问过程中，实际上可以说我在香港与他交谈的整个过程中，斯诺登几乎一直表现得冷静、客观而又镇定。但在提到让他义无反顾站出来告密的原因时，他变得有些情绪化甚至略微有些恼火，说道："我知道他们建立这样一个系统是为了在全球范围消灭隐私。目的就是任何人只要在网上交流，国安局都能收集、储存并分析他们的通信内容。"

正是因为这种想法，斯诺登才下定决心要将其检举揭发。2012年，他被戴尔公司从马里兰州调任至夏威夷。在2012年的一段时间里，他下载过一些他认为应该曝光于世的文件，还有另一些文件，但并不是为了公开，而是旨在帮助记者搞清事情的来龙去脉。

2013年初，斯诺登发现还需要一批文件，但是在戴尔公司工作的他却接触不到，要拿到这些文件他必须获得另一份工作，被任命为基础架构分析师，然后才能有机会接触到国安局的监控原始数据库。

心里想着这个目标，他申请了博思艾伦咨询公司夏威夷一处机构的一个岗位。该公司是全国最庞大的私营国防承包商，员工中很多前政府官员。为此他放弃了高薪职位，因为这份工作让他可以下载完整描述国安局秘密监控活动所需的最后一批资料。更重要的是，由此他可以收集关于国安局秘密监控美国内部全部电信基础架构的信息。

2013年5月中旬，他跟公司说去年得了癫痫病并以治病为由请了几周的假。他整理好行李，包括4个不同用途的新笔记本电脑。他没有告诉女友要去哪儿，实际上平时出差他也不会告诉她自己的目的地。他是想不让女友知悉内情，这样一旦日后他的身份曝光，她也不会受到政府的骚扰。

他于5月20日从夏威夷来到香港，用真实姓名入住了美丽华酒店，之后就一直待在那里。

斯诺登住酒店并没有隐瞒身份，而是用自己的信用卡付账，他的解释是自己的活动情况迟早会被美国政府、媒体以及几乎所有人审查。他希望如此可以防止有人说他是外国间谍，因为如果在此阶段他躲藏起来难免就会出现这种猜测。他说自己的目的就是要向公众表明自己的活动情况都能解释清楚，其中不牵扯什么阴谋，而且他是独自行动。在香港特区政府和中国政府看来，他就像一个正常的生意人，不是玩失踪的潜伏者。他告诉我："我并不想隐匿自己的身份，因此没必要躲起来，让阴谋论者或妖魔化我的人有借口。"

然后我又问了那个第一次网上交流之后就想问的问题：做好爆料准备后，为什么他选择香港作为目的地？一如既往，斯诺登的回答表明他的决定是仔细分析后做出的。

他说自己优先考虑的是保证跟我和劳拉沟通那些文件的问题时保证自己的人身安全。他担心如果美国政府了解到他的爆料计划就会设法阻止他，比如逮捕或更严重的手段。照他推断，香港虽然是一个特别行政区，但却是中国领土，跟他心目中的其他藏身之地相比，比如厄瓜多尔、玻利维亚这样的拉美国家，美国间谍要对付他可能会更困难些。另外，跟冰岛这样的欧洲国家相比，香港有能力也更加愿意顶住美国的压力不把他引渡出去。

虽然向公众爆料是斯诺登选择目的地时的首要考虑，但这却不是唯一考虑的因素。他还希望能够到一个民众珍视他认为重要的那些价值观的地方。他本来还可以到另外一些地方，那些地方可能会提供防范美国方面动作的更安全的保护，比如中国大陆。其中当然也有一些国家政治方面更加自由，比如冰岛或另外一些欧洲小国。但在他看来，香港最好地融合了人身安全和政治力量方面的考量。

毫无疑问，这个决定也有一些弊端，斯诺登也很清楚这一点，比如香港跟中国大陆的关系会让批评者更容易把他妖魔化。但是当时没有最完美的选择。他经常说："我的所有选项都很糟糕。"不过香港确实为他提供了安全保障，也让我们可以自由行动，在其他地方或许就要困难得多。

了解了事情的全部真相后，我又有了一个目标：确保斯诺登清楚，他作为整个事件爆料人的身份曝光后，可能带来怎样的后果。

奥巴马政府在政治领域发起了针对告密者的一场史无前例的战争。竞选总统时，他曾发誓要建立“史上最透明的政府”，尤其是保护告密者，称赞他们“勇敢”而“高尚”，而如今他却恰恰是反其道而行之。

奥巴马政府依据 1917 年的《反间谍法》（The Espionage Act）对 7 名泄密者提起诉讼，超过了往届政府处理类似案件的总和，事实上是以往总数的 2 倍还要多。《反间谍法》是“一战”期间通过的法案，其中赋予了伍德罗·威尔逊（Woodrow Wilson）总统权力将反对战争的异议人士当作犯罪分子起诉，而且对此的处罚相当严厉，违法者将面临终身监禁甚至死刑。

毫无疑问，斯诺登会受到这部法律的严厉制裁，奥巴马政府的司法部会以足以判他终身监禁的罪名起诉他，而且他可能会作为卖国贼受到广泛的谴责。

“你觉得身份暴露之后会有什么后果？”我问道。

斯诺登的回答很迅速，显然他早已多次考虑过这个问题。“他们会说我违反了《反间谍法》，说我犯了重罪，帮助美国的敌人，危害了国家安全。我敢肯定他们揪住我过往的一切，可能夸大其词甚至胡编乱造，尽可能地把我妖魔化。”

他说他并不想坐牢：“我想尽量争取不坐牢。但如果结局注定如此，因为我很清楚这种可能性很大，刚才我也想过，那么不管他们如何对我，我也愿意承受。唯一让我无法忍受的就是公众对这一切袖手旁观。”

无论是初次见面的第一天还是在随后的日子里，斯诺登的决心和对可能出现的情况的冷静思考都让我深感讶异和感动。我从未见他表现出任何遗憾、恐惧和不安。他坚定地表示心意已决，称自己十分清楚可能出现的后果，并已做好了准备来承担这些后果。

斯诺登似乎从这个决定中获得了一种力量。说到美国政府可能对他采取的行动时，他表现得无比镇静。想到未来几十年甚至一辈子都将身陷囹圄，这种恐惧可以将任何人吓瘫，可是这位29岁的年轻人在面对这一切时的表现令人备受鼓舞。他的勇气感染了我和劳拉，我们彼此发誓并且也跟斯诺登一再承诺：从那一刻起，我们的每个决定和每次行动都会尊重他的选择。我有责任按照斯诺登的初衷来报道整个事件，要坚守心中正义的信念,不被那些急于遮掩他们的行动的邪恶官员无耻的威胁所吓倒。

5个小时的询问过后，我确信斯诺登所说的一切都是真实可信的，而且他是经过深思熟虑后自愿来做这件事的。跟他分手前，他再次强调之前已经说过很多次的问题：他坚持让我们表明提供文件的知情人是他，而且要在我们公开发表的第一篇文章中就这样做。“无论是谁，做出如此惊天动地的事情，就有义务解释这样做的原因和目的。”他说。他也不想加剧因为躲藏而让美国政府营造出的恐惧氛围。

此外,斯诺登非常肯定，一旦我们的报道文章开始刊出，国安局和中情局就会迅速查明泄密的根源。他并没有想尽一切办法遮掩自己的踪迹，因为他不想让同事遭到调查或背黑锅。他坚持说借助自己掌握的技术，以及由于国安局的系统出人意料的松懈，如果愿意的话他完全可以不留任何痕迹，尽管他已经下载了如此众多的绝密文件。然而，他却故意留下了一些蛛丝马迹让他们发现，这也意味着没有必要继续隐匿身份。

虽然，我不想通过公布他的身份帮助政府知悉他的情况，但斯诺登却说服了我，说他的身份暴露在所难免。更重要的是，他决心主动在公众面前亮相，而不是听任政府描述他的情况。

对于身份的曝光，斯诺登唯一担心的是会因此分散民众对问题本质的注意力，他表示“我知道媒体会把各种事件贴上人的标签，而政府会希望围绕着我开展报道，并攻击提供信息的人。”他计划一开始将自己曝光后就从人们的视野中消失，让民众继续关注国安局及其监控行为。“公开身份并作些说明后，”他说，“我就不再接受任何采访了，我不想成为关注的核心。”

我决定不在第一篇报道中曝光斯诺登的身份，而是再等一个星期，这样我们就可以心无旁骛地曝光整个事件的开头部分。我们的想法很简单：要尽快开始爆料，一天爆一篇猛料，在还未揭露知情人身份的时候就将整个事件报道完毕。会面结束时，我们仨达成了一致，并制订了一个计划。

待在香港的剩余时间里，我每天都跟斯诺登见面详谈。尽管服用过帮助睡眠的药物，我每晚的睡眠时间也从没超过 2 小时，其余时间都在利用斯诺登提供的文件撰写稿件。等文章开始发表后，我再接受采访讨论这些文章的内容。

斯诺登让我和劳拉来决定曝光哪些材料，以及按照何种顺序、以怎样的方式把它们呈现在民众眼前。但在我们第一天见面的时候，斯诺登就像此前和此后许多次所做的那样，强调我们迫切需要仔细审查所有的材料。"我挑选这些文件是基于公众的利益，"他告诉我们，"但是得靠你们从记者的角度来判断哪些可以发表出来让大众知晓，同时又不会伤及无辜。"不为别的原因，斯诺登知道真正引发公众讨论的前提是不会授美国政府以话柄：公开发表这些文件会危害到部分人的生命安全。

他还强调说关键是要通过媒体发表这些文件，也就是跟媒体合作，撰写提供材料背景的文章，而不是大批量地将其发表出来。他相信这样做可以得到更多的法律保护，更重要的是，可以允许公众更加条理、更加理性地了解爆料的内容。"如果我想大规模地把这些文件在网上发表，那么我自己做就好了，"他说道，"我希望你保证依次发表这些文章，以便民众能够明白他们应该知道的东西。"我们都同意按照这个模式开展报道。

斯诺登向我解释了多次，称他之所以从一开始就想让我也参与其中，是因为他知道我会积极地报道此事，而不会受到美国政府威胁的影响。他频频提到《纽约时报》和其他一些主流媒体都曾经按照政府要求对一些重大事件噤声。不过，尽管他想要积极的报道，他也仍需要一些做事严谨的记者花时间全面彻底地检查所有文件，以确保报道时提及的各种细节都无懈可击。他告诉我："我给你的文件中有些不是为了发表，而是为了帮你理解这个系统的运作方式以便你可以采用恰当的方式报道。"

在香港待了一整天后，我离开斯诺登的旅馆房间，回到我自己的房间，熬夜写了4篇文稿，希望《卫报》可以立即刊登。比较急迫的情况是：我们需要在斯诺登在因为各种原因无法进一步发表言论前能和我们一起检查尽可能多的材料。

情况紧急还有另一层原因。在去往肯尼迪机场的出租车上，劳拉第一次告诉我她与几家大型媒体机构和一些记者谈过斯诺登的事。

这其中就包括曾经两度获得普利策奖的巴顿·格尔曼，此人曾任职于《华盛顿邮报》，现在是该报的自由撰稿人。劳拉没能说服几个人跟她一起去香港，但格尔曼一直都对监控行为感兴趣，因而对这件事自然也就非常感兴趣了。

由于劳拉的建议，斯诺登允诺给了格尔曼"一些文件"，想要跟他以及《华盛顿邮报》合作披露一些具体情况。

我对格尔曼抱有敬意，但《华盛顿邮报》却让我不齿。在我看来，《华盛顿邮报》是华盛顿地区恶霸媒体的核心，具有美国政治媒体各种最邪恶的特点：与政府紧密勾结，巴结国家安全机构，排除一切反政府声音。2004年，这家报纸自己的媒体评论员霍华德·库尔茨（Howard Kurtz）曾撰文证实，在入侵伊拉克的准备阶段，《华盛顿邮报》系统地放大了支持战争的声音，对反战的声音却轻描淡写，甚至视而不见。库尔茨的结论是，《华盛顿邮报》的报道"惊人地一边倒"，支持发动战争。《华盛顿邮报》的社论版现在仍然是美国军国主义、秘密行动以及监控行为最狂热、最愚蠢的支持者之一。

劳拉交给了《华盛顿邮报》一份独家新闻的材料，尽管他们没有为此付出努力。上交那份材料并不是知情人斯诺登的最初选择，而是在劳拉建议之下的行动，可他们却无动于衷。事实上，我与斯诺登的第一次密谈正是因为他对《华盛顿邮报》畏首畏尾的做法感到愤慨。

这些年来，我对维基解密曾偶有微词，其中一个原因在于，他们会时不时地把一些重大爆料交给体制内的媒体组织，让他们尽力保护政府，从而提升自身在新闻界的地位和重要性。对于绝密文件的独家爆料可以提升出版物在业界的地位，让写出新闻的记者更有知名度。将斯诺登这样的独家新闻提供给独立撰稿人和媒体机构就更有道理了，因为这样做可以放大他们的声音，提升他们的地位，扩大他们的影响力。

更糟糕的是，我知道《华盛顿邮报》会遵循制约体制内媒体如何报道政府机密的那些保护性潜规则。按照这些规则，政府要控制披露哪些信息并降低甚至消除由此造成的影响，因此编辑首先要去拜访官员，告知他们即将发布何种新闻。国家安全部门的官员然后再告诉编辑们由于披露这些信息国家安全方面会遭受的各种损失，接着双方需要花时间商量并确定能够见诸报端的内容和不宜公开的内容。最好的情况也是长时间的拖延。通常最有新闻价值的信息都会被过滤掉。正是因为这个原因，2005 年在报道中情局海外"黑狱"的情况时，《华盛顿邮报》隐瞒了这些监狱所在的国家，从而使得中情局的非法海外监狱得以继续存在。

基于同样的原因，《纽约时报》将该报两名记者吉姆 · 瑞森（Jim Risen）和艾瑞克 · 利希特布劳（Eric Lichtblau）在 2004 年中旬打算报道国安局非法监听项目的新闻压制了超过一年之久。时任美国总统布什将该报发行人亚瑟 · 苏茨伯格（Arthur Sulzberger）以及主编比尔 · 凯勒（Bill Keller）叫到总统办公室，令人匪夷所思地告诉他们，如果把国安局未经授权对美国公民实施监视的消息发布出去，就等于助纣为虐地帮助恐怖分子。《纽约时报》听从了这些指示，将这则新闻一直拖后 15 个月，到 2005 年年底布什总统竞选连任成功之后才发表（从而帮助他获得了连任），掩盖了他未获授权就监听美国民众的劣迹。就在瑞森个人有关揭秘事件的书即将出版的时候，《纽约时报》才将国安局的监听行为公之于众。

另外，还有体制内媒体讨论政府不当行为的基调问题。美国的传媒文化要求记者避免直白或陈述性的报道方式，不管看起来多么无聊，都要在报道中插入政府的声明以表示尊重。他们采取《华盛顿邮报》专栏作家艾瑞克 · 万彭（Erik Wemple）讥讽为"中庸之道"的报道方式：绝对避免任何定论性的语言，而是同时报道政府的回应和所谓“真实的情况”，从而使得爆料内容给读者的感觉就是支离破碎、毫无头绪的一团乱麻。最重要的是，他们总是过于强调官方的声明，即使那些声明荒唐得离谱或者充满欺骗也在所不惜。

正是因为这种由担忧驱动的、奴颜婢膝的媒体风格导致了《纽约时报》、《华盛顿邮报》等众多媒体在报道布什政府的审讯策略时回避使用“折磨”这个词，尽管他们在描述世界上其他政府的同样行为时往往随意使用这个词语。也正是因为这个原因，媒体都在粉饰美国政府官员关于萨达姆和伊拉克的种种说法，向美国民众推销战争，尽管原因在于美国媒体放大的虚假理由，而不是他们调查的结果。

另一条保护政府的潜规则在于媒体只能发表少量此类绝密文件，然后就此打住。他们可以报道一篇类似斯诺登提供的这类文件以降低其影响力，发表几篇报道，然后陶醉在“重大爆料”的赞美声中就一走了之，保证没有带来多少真正的改变。斯诺登、劳拉和我一致认为，关于国安局文件的真正报道要求我们积极主动地发表文章，不能停止，直到所有涉及公众利益的问题都被全面谈及，而不管它们会引起多少人的愤怒，招来多少威胁。

斯诺登在我们第一次交谈时就反复提到《纽约时报》对国安局监听事件的隐瞒，明确表示他不信任体制内的媒体来报道他的事。他认为《纽约时报》对那份信息的隐瞒不报道或许改变了2004年美国总统大选的结局。他告诉我：“隐藏那件事改变了历史。”

他决心通过公布他所掌握的机密文件将国安局的监视行为彻底曝光，引发民众对于监视行为的讨论而不是仅仅对记者表示赞赏之后就戛然而止。这需要对整个事件进行积极勇敢的报道，嘲讽政府苍白无力的解释，对斯诺登的高尚行为给予坚定支持，以及对国安局进行直截了当的谴责。而这一切恰好是牵扯到政府话题时《华盛顿邮报》所畏手畏尾的。我知道《华盛顿邮报》会尽一切可能淡化整个事件的影响。可是他们却收到一摞斯诺登收集的秘密文件，这似乎跟我想象中我们的努力方向截然相反。

像以往一样，劳拉做出的决定自有她的道理。首先，她认为将华盛顿的官方机构牵扯进此次揭秘事件对我们大有裨益，因为这样就更不容易受到攻击甚至被判有罪。如果由华盛顿官方机构青睐的报纸来报道此事，那么政府就无法轻易地将涉案人员妖魔化。

更重要的是，正如劳拉非常公允地指出的，由于我不会使用加密技术，无论是她还是斯诺登很久都无法跟我联系，因此她一开始承受着巨大的压力，因为是劳拉掌握着从斯诺登那里获得的数千份机密文件。她感到需要找一个信得过能保守住秘密的人，并且跟一个能给她提供保护的机构合作。另外，她不愿意自己一个人去香港，由于一开始没能联系到我，而她需要一个协助她报道“棱镜”计划的人，于是她便找了格尔曼。

我虽然理解,但却从没认同她把《华盛顿邮报》牵扯进来的理由。对我来说，将华盛顿官方与整个事件联系起来恰恰是我极力想要避免的规避风险而遵守潜规则的做法。我们跟《华盛顿邮报》的记者并无两样，在我看来,把机密文件交给他们以寻求保护，无异于去巩固我们希望颠覆的那些现实情况。尽管格尔曼后来在报道这次的材料时做得也很出色，但在我们最初交谈时，斯诺登却也为《华盛顿邮报》参与进来而感到遗憾，尽管最终他还是决定接受劳拉的建议，把格尔曼加入了进来。

斯诺登很不情愿，因为他感觉《华盛顿邮报》不但做事拖拖拉拉、行事不密而牵涉众多，而且从他们一次次地召集律师，而后又一遍遍地发出各种警告、提出各种要求可以看出他们很没胆量。尤其让他感到愤怒的是,由于《华盛顿邮报》律师和主编的安排，格尔曼最终拒绝到香港来与他会面一起讨论这些机密文件。

至少从斯诺登和劳拉的说法可以看出,《华盛顿邮报》的律师告诉格尔曼他不应该到香港去，也同样劝告劳拉不要去，为此还拒绝发给她差旅费。由于香港地位敏感，美国政府会认为《华盛顿邮报》草率地将消息透露给中国，从而可能导致该报和格尔曼本人都触犯了《反间谍法》。

一向淡定从容的斯诺登有些怒不可遏。他置生命于不顾，将一切置于危险之中，只为了将整个监控事件和盘托出。他个人几乎没有任何保护措施，可这样一个拥有各种法律机构支持的大型媒体却不愿意承担一丝风险，派出一名记者到香港来与他见上一面。“我冒着极大的个人风险打算将这个猛料交给他们，”他说，“可他们却连登上一架飞机都不愿意。”这种典型的唯唯诺诺、不愿冒险、唯政府之命是从的行为就是我多年来一直谴责的“敌对媒体军团”的做法。

但是事已至此，斯诺登和我都无能为力，无法挽回。不过在中国香港我与斯诺登见面的第二天晚上，我就下定决心不能让《华盛顿邮报》不辨是非、盲目支持政府的论调以及它瞻前顾后、畏首畏尾的做法来影响世人对国安局和斯诺登的认识。我很清楚，无论是谁首先报道此事，此人都将起到主导作用，并会影响到世人对这件事的看法，因此我要和《卫报》一起承担起这个任务。要让这次的报道产生应有的效果，那么新闻界旨在降低爆料影响、保护政府的潜规则就必须打破，不能继续遵守。《华盛顿邮报》畏手畏脚，而我却要大胆行动。

因此我回到房间后就写完了那4篇文章。第一篇是关于海外情报监控法庭发出的一道密令，强制美国最大的电信运营商之一威瑞森公司向国安局提交所有美国公民的电话记录。第二篇文章根据国安局监察长在2009年的一份内部机密报告的内容，讲述了布什政府的无授权非法监听项目。第三篇详细介绍了我在飞机上就读到的“无界线人”这种新型的监控工具。最后一篇描述了我在巴西的家中首次了解到的“棱镜”计划，正是这一篇敦促我尽快将稿子赶出来，因为“棱镜”计划就是《华盛顿邮报》打算爆料的内容。

为了加快进度，我需要《卫报》即刻刊登这几篇文稿。随着香港夜晚的临近——也就是纽约的凌晨时分，我心急如焚一直等到位于纽约的《卫报》的主编们都起床，每五分钟就查看简宁 · 吉布森是否登录谷歌环聊，我们平时都用这个软件聊天。一看到她登录上线，我就给她发了一条信息：“我们必须谈谈。”

到那个时候，我们已经很清楚通过电话或者谷歌环聊交流都不可能，因为这两种方法都很不安全。而我们又不会使用OTR即时加密聊天，于是简宁建议我们试试Cryptocat这种专门设计来防止监视的加密软件，这也成为我在香港期间我们之间的主要通信方式。

我告诉了她和斯诺登会面的情况，说我确信他的身份以及他所提供材料都是真实的。我说我已经写了几篇文章，简宁对有关威瑞森公司的那篇特别感兴趣。

“太好了，”我说，“稿子已经准备好了。如果还要做些小的修改，那就马上改完它。”我跟简宁强调必须尽快将其发表。“我们现在就把它捅出来吧。”

但是有一个问题，《卫报》的主编们接触过报纸聘请的律师，听到了他们提出的警告。简宁跟我重复了律师们对她说的话：哪怕是在报纸上刊登保密信息（包括疑似保密信息）都会违反《反间谍法》，被美国政府界定为犯罪。发表跟信号情报有关的文件尤其危险。过去只要媒体遵守潜规则，提前将稿件让官方审查并商讨可能会对国家安全造成的损害，政府便不会追究责任。《卫报》的律师们解释说，这样做就可能向政府表明自己刊登机密文件并无危害国家安全的意图，从而免除被控诉时需要具有的犯罪意图。

国安局的历史上从未有任何泄密事件，更不用说涉及如此重要敏感的内容了。律师们考虑，鉴于奥巴马政府处理类似案件的历史，这样做不仅可能会给斯诺登，也会对《卫报》带来严重的法律后果。就在我前往香港的几周前，司法部曾获得法庭指令，可以阅览美联社记者和编辑们的电子邮件来寻找他们新闻线索的知情人。

几乎紧接着，一则更惊人的新报道指出，司法部曾向法庭宣誓提交文书，控告美国福克斯新闻网华盛顿分部的主任詹姆斯 · 罗森（James Rosen）在某个线人所谓的罪行中是“同谋”，理由是罗森曾与该线人携手获得资料，还“协助教唆”该线人将机密材料披露出来。

记者们还注意到，几年来奥巴马政府一直在对新闻采集过程进行史无前例的打击，但是罗森的案子将此情况进一步升级恶化。把与线人的合作判为“协助教唆”之罪就等于判新闻调查有罪，因为记者如果不跟线人合作就不可能获得秘密信息。这种氛围让包括《卫报》在内所有媒体的律师都谨小慎微、诚惶诚恐。

“律师们说联邦调查局（FBI）会介入，关闭我们的报社，带走我们的所有材料。”吉布森对我说。

我觉得这太过荒谬了，美国政府要关闭像《卫报》美国版这样的主流媒体并查抄报社的想法有些多虑了，这让我开始痛恨律师给出这些毫无帮助的多余提醒。但是我知道吉布森不会也不可能轻易地将这些担忧抛诸脑后。

“那我们怎么办？”我问道，“我们何时发表呢？”

“我真不确定，格伦。”吉布森对我说，“我们需要将一切准备就绪。明天我们会再跟律师碰一次面，到时候就知道了。”

我感到了此事的严重性，但不知道《卫报》的主编们会作何反应。我在《卫报》工作期间向来独立编稿，会写一些报道类的文章，但绝不会是爆料政府机密这类的内容。也就是说，在这件事情上有无数的未知需要我去面对。主编们会受到美国政府的恐吓和威胁吗？他们会选择花数周的时间与政府谈判吗？他们会让《华盛顿邮报》爆料此事以求自保吗？

我已经做好了立刻发表有关威瑞森公司那篇报道的准备：我们手里有海外情报监控法庭的文件，而且毫无疑问是真实可信的。美国民众有权知晓政府如何对待他们的个人隐私，这是刻不容缓的。同样迫切的是我对斯诺登承担的责任。他所做出的选择展示了他的无畏、激情和勇气。我决心也用同样的精神来报道此事，不辜负他付出的牺牲。只有放开手脚大胆报道才能赋予这篇文章力量消除政府给记者和线人带来的恐惧心理。偏执的法律提醒和《卫报》的优柔寡断都是这种无畏精神的敌人。

那天晚上，我给戴维打了个电话，向他承认自己越来越担心《卫报》的事。

我也和劳拉讨论过这种担心。我们决定等到第二天，如果《卫报》仍然不发表第一篇文章，我们就另想办法。

几小时后，埃文 · 麦卡斯基尔来到我的房间了解有关斯诺登的最新情况，因为他一直没见到斯诺登。我跟他讲了自己对拖延的担心。“你不用担心，”谈到《卫报》时他说，“他们很积极。”埃文向我保证，说《卫报》在伦敦多年的主编艾伦 · 拉斯布里杰（Alan Rusbridger）“很感兴趣”，并且“承诺发表这篇文章”。

我依旧认为埃文视报社利益大过天，但是对他有了一点点好感，因为他也很急着发表这些文章。他走后，我跟斯诺登讲了埃文跟我们一起过来、担任《卫报》“看护者”的情况，说希望他第二天跟埃文见一面。我解释说让埃文参与此次会面是非常重要的一步，确保编辑们心甘情愿地发表稿子。“没问题，”斯诺登说，“但是你知道你有个‘看护者’，所以他们才派了他来。”

他们的会面十分重要。第二天上午，埃文跟我们一起去了斯诺登的旅馆，花了差不多两个小时询问他，内容跟我前一天的问题几乎相同。“我怎么知道你就是你说的那个人？”埃文最后问道，“你有什么证据吗？”斯诺登从他的手提箱里抽出一摞文件：他现在已经过期的外交护照，一张前中情局的工作身份证，驾驶执照以及其他的政府工作身份证。

我们一起离开了酒店的房间。“我彻底相信他是真的了，”埃文说，“没有丝毫的怀疑。”他认为无须再等。“我一回酒店就立刻给艾伦打电话，告诉他我们得立即将文章刊登出来。”

从那时起，埃文就完全融入了我们的团队。劳拉和斯诺登立刻对他产生了好感，不得不承认，我也有同样的感觉。我俩意识到我们之前的怀疑完全没有根据：埃文温文尔雅的外表下隐藏的是一种大无畏的精神，这种精神对于一个渴望跟进此事的记者来说是必须具备的要素。埃文没有给我们设定种种限制，而是时不时地告诉我们最新进展，并且帮助我们打破束缚。事实上我在香港期间，要数埃文表现得最为积极。在劳拉、斯诺登和我还不确定如何处理这些秘密文件的时候，他就要求一定曝光此事。我很快便意识到他支持《卫报》积极跟进此事很重要的一点是为了保证伦敦方面完全置身事外。

伦敦时间一大早，埃文和我跟艾伦通了电话。我想尽可能清楚地表达自己的观点，希望甚至可以说要求《卫报》当天就将稿件发表出来，同时明确地了解一下《卫报》的立场。那虽然仅仅是待在香港的第二天，但我内心已经决定，如果察觉报社方面还有任何的犹豫，我一定要另找出路。

我非常直接地说："我打算先刊登这篇有关威瑞森公司的稿子。我就不明白了，为什么不立刻就这样做呢？"我问艾伦，"还在等什么？"

他向我保证不会耽搁。"我同意。我们已经准备就绪。简宁今天下午需要跟律师进行最后一次会谈。会谈结束后一定会发表的。"

我提到《华盛顿邮报》手里有关于"棱镜"计划的材料，因为这让我益发感觉迫不及待。艾伦接下来的话让我大吃一惊：他不仅想要成为第一家曝光国安局监控项目的报纸，还想成为首家曝光"棱镜"计划的报纸，显然想要抢在《华盛顿邮报》前面。"我们没理由听他们的。"他说。

"那太好了。"

伦敦时间比纽约早四个小时，所以在简宁到办公室与律师会谈之前还有一些时间。于是我利用那段时间跟埃文一起最终敲定了有关"棱镜"计划的文稿，因为知道艾伦跟我们一样积极主动也就感觉放心了。

那天我们完成了关于"棱镜"计划的稿子，并且用加密的邮件把它发给了纽约的简宁和斯图尔特·米拉尔。现在我们有威瑞森公司和"棱镜"计划两颗重磅炸弹，并且已经做好了准备发布，我的耐心快消磨殆尽了。

纽约时间下午三点也就是香港时间凌晨三点的时候，简宁开始了与律师们的会谈。会谈持续了两个小时。我一直没睡，直等着了解最后的结果。当我跟简宁通话时，只想落实一件事，那就是我们要立即刊登有关威瑞森公司的那篇稿子。

可是这种情况并没出现，而且还差得很远。简宁告诉我还有"很多"法律问题要处理。她说一旦这些问题得到解决，就会进入我厌恶的环节：《卫报》向政府官员汇报我们的计划，给他们一个机会来劝阻我们。我勉强接受这种说法，即《卫报》向政府汇报是为了给后者机会解释为何不能发表，如果此举不是拖延术，而只是为了让我们延缓几周再发表以期减小其影响的话。我宁愿看到《卫报》让政府不得不出面禁止发表这些稿件。

"听起来要发表这个稿子还得等上几天甚至几周而不是几小时吧。"跟简宁网上交流时，我将满腔的怒火和烦躁一股脑儿地抛了出来。"我再重申一次，我会尽一切可能保证文章即刻发表。"这种威胁含蓄却又直白：如果不能在《卫报》上立刻刊登，那么我会另想他法。

"这点你已经说得很明白了。"她简短地答道。

这时已是纽约的深夜，我知道一切都只能等到第二天再进行。之前我很沮丧，但这一刻我变得十分忐忑，急于知道结果。《华盛顿邮报》打算刊登有关"棱镜"计划的报道，而作为署名作者的劳拉也从格尔曼那里听说他们会在周日也就是五天后刊登这篇文章。

跟劳拉和戴维商量过后，我发现我不想再等《卫报》做出行动了。我们一致同意开始另想办法，如果继续拖延我们必须有备用方案。我曾在《民族》（*The Nation*）周刊和《沙龙》网络杂志发过很多年的稿子，给他们打电话后很快便收到了回音。两家杂志都告诉我他们愿意在几小时内立刻刊登有关国安局的那篇稿子，提供我需要的一切帮助，律师已经准备好立刻审稿了。

有两家政治媒体愿意而且迫切希望把国安局的丑事昭告天下，这点让我士气大振。但是跟戴维商量之后，我们想到了一个效果更好的办法，那就是不借助任何媒体机构，直接创建一个我们自己的网站，域名就叫作"揭秘国安局"，然后在那里发布文章。一旦我们将手头大量的有关国安局监控行为的宝贝资料公开，就会很容易招募到编辑志愿者、律师、调查员和经济上的支持者，组成一个崇尚透明、坚持发布反体制新闻的团队，一起来报道这次美国史上意义最为重大的爆料事件。

从一开始，我就认为这些文件不仅给我们提供了曝光国安局秘密监控行为的机会，而且还可以曝光现有媒体腐败的运作机制。以独立的新式报道方式曝光多年来最为重大的事件，而且不借助任何大型媒体机构，这对我极具吸引力。这将极具魄力地强调宪法第一修正案对新闻自由的保障，强调重大新闻的报道能力并不依附于影响力的媒体。新闻自由不仅保护职业记者，还保护了所有从事新闻报道的人，无论他是否有工作单位。我们在没有大型媒体机构的保护下将上千份国安局机密文件公布出来，这一步所体现的大无畏精神对其他人也是一种鼓舞，鼓励大家一起进行新闻报道时不再畏首畏尾。

那天晚上我几乎又熬了一个通宵。凌晨时分我就给值得信赖的一些人打电话咨询，有朋友、律师、记者，也有曾经密切合作的同事。不出所料，他们都给出了相同的建议：单枪匹马这样做太过冒险，必须得到媒体机构的支持。我希望得到一些反对独立行事的论据，他们也的确给出了很多充分的理由。

那天上午晚些时候，在听过各种告诫之后，我在与劳拉网上联系时又再次拨通了戴维的电话。他坚定不移地表示，投靠《沙龙》网络杂志或者《民族》周刊太过谨小慎微，等于不进而退。如果《卫报》继续拖延，那么只有在一个新创建的网络平台上发布消息才可能体现大无畏的精神。他还说这样做会影响全世界的人们。尽管一开始疑虑重重，劳拉也同意大胆地迈出这一步，创建一个全球化的网络，将所有渴望公开国安局监控情况的人联系起来，这将带来深远而又重大的意义。

于是在香港时间的当天下午，我们共同决定，如果《卫报》截至美国东部时间晚上12点仍不愿意将文章发表的话，我就立刻终止与他们的合作，把有关威瑞森公司的文章帖到我们的新网站上去。虽然很清楚其中的风险，但我依然为这个决定感到令人难以置信的兴奋。我也明白，有了这个备用方案，那天我跟《卫报》商讨这件事时会更有底气：因为我感觉不再必须依靠他们才能报道此事，摆脱对他们的依赖为我增加了力量。

那天下午跟斯诺登在网上交流时，我告诉了他这个计划，他的回应是：

“相当冒险，不过很大胆，我喜欢。”

我赶紧睡了几个钟头，在香港时间下午三四点钟时醒来，发现离纽约时间周三的早晨还有几个小时。我知道按道理我得给《卫报》下最后通牒了。我想把这件事继续下去。

我一看到简宁上线就赶忙问她事情的进展。“我们今天能发表吗？”

“希望如此吧。”她回答道。她含糊其辞的答复让我有些恼火。那天早晨《卫报》仍尝试跟国安局取得联系，向他们汇报此事。她说等收到回复我们就知道时间安排了。

“我不明白我们为什么要等。”我说。此时的我对《卫报》的拖延彻底失去了耐心。“这么清楚明了的一件事，无论我们是否发表，又有谁会去在意他们怎么想啊？”

抛开这个让我嗤之以鼻的步骤不说，在决定发表内容方面，政府根本不该成为报纸的编辑伙伴。我们关于威瑞森公司的报道危害到国家安全的说法也站不住脚，虽然报道涉及一份允许国安局系统搜集美国人民电话记录的简单的法庭指令。“恐怖分子”能从这曝光的法庭指令中获益实属可笑。任何一个智力正常的恐怖分子都早已清楚政府在监听他们的通话记录。能从我们的文章里有所收获的不是那些“恐怖分子”，而是美国民众。

简宁跟我重复了《卫报》律师的话，坚持说我认为报纸会因为遭到胁迫而放弃发表曝光文章的想法是错误的。恰恰相反，法律要求他们了解美国政府官员会如何回应。但她向我保证，她不会因为将此事含含糊糊地跟国家安全联系在一起就受到压力而变卦。

我并不认为《卫报》会被胁迫，我只是不知道法律还有这条要求。我担心的是跟政府交涉最起码会耽误进程。《卫报》确实曾经发表过激进大胆的文章，这也是我一开始选择跟他们合作的原因之一。我认为他们有权利表明对于这种情况的处理方式而不是让我自己做最坏的打算。简宁一再重申他们工作的独立性，这对我来说有些宽慰。

“好吧，”我说我愿意再等等看，“但从我的角度出发，我仍认为今天就应该发表。我不想再等了。”

纽约时间中午时分，简宁告诉我他们已经将发布机密消息的计划告知了国安局和白宫，但没有收到任何回应。那天上午白宫已任命苏珊·赖斯（Susan Rice）为新任国家安全顾问。《卫报》新上任的负责国家安全问题报道的记者斯宾塞·阿克曼（Spencer Ackerman）在华盛顿有熟人朋友。他告诉简宁，官员们此刻都在“忙”苏珊·赖斯的事。

“他们现在不认为需要给我们回复，”简宁写道，“他们很快就会知道有这个必要了。”

香港时间凌晨3点，也就是纽约时间下午3点的时候，我仍没收到任何消息，简宁也没有。

“他们有最后期限，还是他们想什么时候回复就什么时候回复我们？”我用挖苦的口气问道。

她回答说《卫报》要求国安局在“晚上12点前”回复他们。

“要是他们到那时仍不回复呢？”我问。

“那时我们自己决定。”她说。

接下来简宁又告诉了我另一个让事情变得更加复杂的因素：她的老板艾伦·拉斯布里杰刚刚登上了飞机，要从伦敦飞来纽约监管有关国安局的报道。这意味着在随后的7小时左右里将联系不上他。

“不经艾伦允许你们能发表这篇文章吗？”如果答案是否定的，那么这篇文章那天就不可能发表，因为艾伦乘坐的飞机预定到达肯尼迪机场的时间是深夜时分。

“我们看看吧。”简宁说。

我发觉现在遇到的体制性障碍恰恰正是当初我选择加盟《卫报》时想要避免的：法律层面的担忧、与政府官员的协商、逐级上报、风险规避以及行事拖沓。

几分钟后，大约凌晨3点15分，简宁的副手斯图尔特·米拉尔发给我一条即时消息："政府方面回复了，简宁正在与他们通话。"

等待的时间好似没有尽头一般。大约一个小时后，简宁在电话里给我详细叙述了事情的经过。将近十几位来自国安局、司法部和白宫的高级官员跟她通了电话。一开始他们高高在上，但还算客气，说她并不理解威瑞森公司案件法庭指令的意义和"背景"。他们想约她在"下周的某个时间"安排一次会面并做出解释。

简宁告诉他们当天就要发布消息，除非得到不能这样做的确切理由。这时他们变得更加蛮横无理：他们说她不是"负责任的记者"，《卫报》也不是一家"负责任的报纸"，因为它拒绝给政府更多的时间来阻止消息的发布。

"没有哪家正规的报纸会在没有跟我们会面的情况下如此迅速地发布新闻。"他们说，显然是在为争取时间而拖延。

简宁语气中透着强烈的不满，这让我备受鼓舞。她强调说虽然她一再询问，这些官员仍没能清楚地解释发布这些新闻会如何损害国家安全。可是简宁仍不同意当天发表。通话最后她说："我看看能否联系上艾伦，然后再决定怎么做。"

我等了半小时然后直截了当地问："我就想知道今天还发不发这条新闻了？"

她避开了这个问题，说联系不到艾伦。显然她处于两难的境地：一方面，美国政府的官员们指责她不负责任；另一方面，我这里毫不妥协步步紧逼。最重要的是，报纸的总编还在飞机上，也就是说《卫报》190多年历史上最为艰巨重大的抉择要由她来做出。

我在网上跟简宁聊着的同时还一直跟戴维通着电话。戴维说："快到下午5点了，这是你给他们的最后时限。该做决定了。要么他们发表这篇文章，要么你告诉他们放弃跟他们的合作。"

他说得对，可是我却犹豫了。就在我将美国历史上最大的国家安全泄密事件曝光前一刻把《卫报》甩掉，这将成为一桩巨大的媒体丑闻。就算我做出公开解释，这仍会给《卫报》带来极大的伤害，结果反而可能会逼他们通过攻击我来为自己辩护。我们将卷入一场闹剧，一场给大家都造成伤害的闹剧。更糟的是这将让民众不再关注事件的核心——国安局丑闻。

我也不得不承认自己的担心：即使跟《卫报》这样的大型媒体合作，把几十份国安局秘密文件公布出来也是冒险之举。如果在没有机构保护的情况下单打独斗，那更是险上加险。朋友和律师们给出的明智告诫不断在我脑中回响。

我正犹豫着，戴维说道："你别无选择。如果他们不敢发表，那么他们就不适合你。你如果被恐惧操控将难成大事。这就是刚才斯诺登得出的教训。"

我们一同商量着跟简宁网上沟通的措辞："现在已经5点了，这是我给你的最后时限。如果不在30分钟内立刻刊登稿件，我将终止与《卫报》的合作。"刚要点击"发送"，我又迟疑了一下。这句话简直就是赤裸裸的威胁，仿佛是勒索信般的做派。如果我在这种情况下离开《卫报》，所有的一切都将公开，包括这句话。所以我缓和了下语气："我明白你有你的顾虑，必须做你认为正确的事情。但我要继续前行，做我认为需要做的事情。很抱歉这件事没能做成。"然后我点了"发送"。

没出15秒，我旅馆房间的电话就响了起来，是简宁打来的。"我觉得你这么做很不公平，"她说道，毫无疑问有些烦躁。如果我离开，那么没拿到任何机密文件的《卫报》将失去报道这件事的所有机会。

"我看你才不公平呢，"我答道，"我反反复复地问你准备什么时间发表，可你却不肯明确回答，只是搪塞。"

"我们今天就发表这篇文章，"简宁说，"最多再等30分钟。我们只是在做一些最后的编辑、设计标题和排版工作，5点半之前就能完成。"

"好的，如果这样安排，那没有任何问题。"我说，"我肯定愿意再等30分钟。"

下午5点40分，简宁给我发来了一个附带链接的即时信息，我已经为此等了好几天。“文章已经发表。”她告诉我。

标题是这样写的：“国家安全局每天都在收集数百万威瑞森公司用户的电话记录。”副标题是：“独家专稿：要求威瑞森电信公司呈交所有电话数据的绝密法庭指令，表明了奥巴马政府国内监控的严重程度。”

在这之后，是海外情报监控法庭授权指令的链接。我们文章的最初三段就把全部内容和盘托出：

> “威瑞森电信公司是美国最大的电信运营商之一，按照4月发布的一份绝密法庭指令要求，国家安全机构目前正在收集该公司数百万美国用户的电话通信数据。
>
> “《卫报》掌握了副本的这份法庭指令要求威瑞森公司‘每天持续不断地’向国安局提交系统内所有电话通信的数据，无论是美国本土通话还是本土与海外的通话均是如此。
>
> “这份文件史无前例地表明，在奥巴马政府的统治下，数百万美国民众的通信记录正在被不加区别地大规模收集起来，无论他们是否有任何不当行为的嫌疑。”

这篇文章立刻激起了很大反响，远远超乎我的预期。那天晚上它成了所有全国性新闻的头条，主导了政治和媒体领域的讨论。几乎各家全国性的电视台都要求采访我，让我感觉应接不暇，包括美国有线电视新闻网（CNN）、微软全国有线广播电视公司（MSNBC）、全国广播公司（NBC），包括著名节目《今日秀》（*Today Show*）、《早安美国》（*Good Morning America*），等等。我在香港花了很多时间接受众多关心此事的电视节目主持人采访，他们都认为这次报道的内容是重大事件，是真正的丑闻。尽管我经常与体制内媒体立场迥异，这也堪称是我在政治领域撰写报道的职业生涯中一次不同寻常的经历。

不出所料，白宫的发言人立刻为大规模收集通信数据做了辩解，说这样做是“保护国家免于恐怖分子威胁的关键措施”。参议员情报委员会主席、民主

党人戴安娜 · 范因斯坦（Dianne Feinstein）是国家安全监控政策的忠诚拥趸，她告诉记者们说这一计划是很有必要的，因为“民众希望保持本土安全”，这让人不由再次想到“9 · 11”事件之后的恐慌情绪。

但大家对这些说法似乎都不以为然。亲奥巴马的《纽约时报》在社论版发表了一篇文章，强烈谴责政府的做法。在题为“奥巴马总统的天罗地网”的这篇文章中，该报指出：“奥巴马政府的这种说法意味着行政部门将行使被赋予的任何权力，而且很可能将其滥用。”在嘲讽政府生搬硬套地以“恐怖主义”为由来为监听计划辩护时，社论宣称，“政府已无任何公信力”（因为由此引发了一些争议，文章发表几小时后，《纽约时报》悄悄地软化了一下这种谴责的程度，在前边加上了“在此问题上”这几个词）。

民主党参议员马克 · 尤德尔发表声明指出，“这种大规模的监控应该引起所有人的警惕，我曾经说过，民众应该为政府行为的这种僭越感到震惊。”美国民权联盟说，“从民权的角度来看，这一计划可以说令人无比惊恐……它超越了奥威尔小说中描述的那种恐怖情况，进一步证明了在多大程度上基本的民主权利已经秘密地受到了不负责任的情报机构的压制。”前副总统阿尔 · 戈尔（Al Gore）登录推特转载了我们的文章，写道：“只有我这么看吗？无所不在的监控难道不是极为令人愤慨吗？”文章发表不久，美联社就从一位不愿透露姓名的参议员那里证实了我们一直极为怀疑的内容：大规模的电话记录收集计划已经持续数年之久，而且面对的是所有美国大型电信公司的用户，不仅仅局限于威瑞森公司。

在针对国安局写作和发表言论的这 7 年里，我从没见过任何爆料引发如此程度的公众兴趣和激情。不过现在并没有时间来分析反响何以如此巨大，为何会引发这样大规模的公众兴趣和激愤；当前我的想法是乘势而上，而不是努力去搞清楚背后的原因。

香港时间中午时分，电视采访最终结束后，我直接去了斯诺登住的旅馆房间。我进去的时候，他正在看有线电视新闻网的节目。嘉宾们在讨论国安局的问题，为监控计划的范围感到震惊，令主持人愤怒的是这一切都是秘密进行的。几乎每一位嘉宾都对国内大规模的监控进行了谴责。

“监控无处不在，”斯诺登说道，显然很是激动，“我看了你的所有采访节目，看来大家都明白了这一点。”

这个时候，我切实体会到了一种成就感。在文章发表的第一天，事实就已经证明斯诺登昔日最大的担忧——他舍命爆料却没有人会关注——是没有根据的，因为我们没看到一丝一毫的漠不关心。我和劳拉一起，帮助他发起了我俩一致认为极为迫切的那场辩论，而现在我看到他在关注事态的进一步发展。

“大家都以为只有这一篇报道，以为这是单独的一次爆料，”斯诺登说道，“谁也不知道这仅仅是冰山的一角，后面还有更多的内容。”他转身看着我问道，“下一篇要写什么？什么时间发表？”

“‘棱镜’计划，”我答道，“明天。”

我回到了旅馆的房间。尽管已经接近6个晚上没合眼，但却怎么也睡不着，我太兴奋了。下午4点半，作为唯一的短暂休息的希望，我服下了一片安眠药，把闹钟定在了下午7点半，因为我知道，那个时间纽约的《卫报》主编们会上线。

那天简宁上线很早。我们互相祝贺了一番，都对文章引发的反应感到惊讶。显而易见，我们交流的口气立刻就发生了重大变化。我们刚刚一起应对了一次重大新闻的挑战。简宁为文章感到自豪，我则为她坚持抵制政府恐吓、决定发表文章感到骄傲。《卫报》已经无所畏惧而又令人钦佩地渡过了这个关口。

尽管当时看起来拖延了很久，但现在回想一下，《卫报》显然动作麻利而又果断，我敢肯定，比任何同类媒体都要迅速快捷。简宁现在也很清楚，报纸方面绝不会就此打住。她告诉我，“艾伦坚决要求今天发表关于‘棱镜’计划的文章。”我当然是乐不可支了。

“棱镜”计划遭到爆料之所以影响如此重大，是因为这个计划使得国安局几乎可以从互联网公司得到他们需要的任何信息，而世界各地的亿万民众都把互联网作为他们的主要通信手段。他们之所以能这样做，是因为“9 · 11”事件后，美国政府通过的法律允许国安局开展大规模的监控，几乎可以为所欲为、不加甄别地监控任何人。

能够约束国安局监控活动的是2008年的海外情报监控法案修正案。那是在布什时代国安局无法无天的监控丑闻之后两党控制的国会通过的，其关键内容在于有效地把布什的非法计划赋予了合法地位。丑闻被披露后，布什曾经秘密授权国安局监控美国人和在美国的外国人，因为他们需要探寻恐怖分子的行动。该法案废止了国内监控原本需要的法庭授权，导致成百上千名在美国国土上的人受到了秘密监控。

尽管有人抗议说这项计划违法，但2008年的海外情报监控法案还是授权其实施，而不是予以终止。这条法律的基础是“美国人（美国公民和合法居留者）”和其他人是有区别的。如果要监控美国人的电话或电子邮件，那么国安局就必须得到海外情报监控法庭的单独授权。

但对其他人来说，不管身处何处，国安局进行监控时都不需要申请法庭授权，哪怕他们跟美国人通信也无关紧要。根据2008年法律的第702条，对国安局的要求只是每年向海外情报监控法庭提交一次他们决定监控目标的指导方针，然后就可以得到授权开展工作，而标准则是监控只要“有助于合法地收集外国情报”即可。得到海外情报监控法庭的授权后，国安局就有权确定任何外国人作为监控目标，可以强制要求电信公司和互联网公司提供任何非美公民的通信情况，包括脸书聊天、雅虎邮件、谷歌搜索情况等。没有必要向法庭证明此人犯有罪行，或者提交此人可疑的理由，也没有必要把监控过程中涉及的美国公民过滤出去。

《卫报》编辑首先要做的还是通知政府方面我们的意图——发表关于“棱镜”计划的报道。一如既往，我们将在纽约时间那天的最后时间告诉他们。这意味着他们不会有足够多的时间来提出反对意见，尽管难免抱怨，但也没有办法，因为他们没有足够的时间来应对。但同样重要的是，我们要了解一下国安局文件中提到的提供信息的那些互联网公司是如何评价此事的，比如脸书、谷歌、苹果、Youtube、Skype，等等。

因为还要等几个小时，我就回到了斯诺登所住旅馆的房间，当时劳拉在那里跟他探讨一些问题。到了这个时候，因为已经迈过重要的门槛发表了第一篇爆料文章，斯诺登明显开始担心自己的安全问题了。我进去后，他在门边又放了几个枕头。有几次，在想要让我看电脑中的一些文件时，他甚至在头顶盖上了一床毯子，以免天花板上的摄像头拍摄到他的密码。电话响的时候，我们都惊呆了：谁会打电话呢？响了几声后，斯诺登试探性地接了起来，原来是旅馆的主管看到门上挂着“请勿打扰”的标牌后询问是否需要整理房间。“不用了，谢谢。”他简短地答道。

我们在斯诺登的房间里碰面时气氛总是非常紧张，而当文章发表后氛围就更加紧张了。我们不清楚国安局是否已经判断出了泄露机密的知情人是谁。如果他们已经查明情况，那么他们会知道斯诺登的住处吗？随时都很可能有人敲响斯诺登房间的门，让我们的合作非常不愉快地瞬间终止。

我们交流的时候，电视一直开着，似乎一直有人在谈论国安局的问题。关于威瑞森公司的新闻播出后，新闻节目基本上一直在谈论“不加区分地大量收集”、“当地的电话记录”和“滥用监控权”。在讨论后续报道的过程中，我和劳拉看到斯诺登一直在关注他引发的这股狂潮。

香港时间下午 2 点的时候，我接到了简宁打来的电话。

“发生了非常怪异的事情，”她说，“各家电信公司都极力否认国安局文件的内容。他们坚持说从没听说过‘棱镜’计划。”

我们分析了他们否认这件事的各种可能原因。要么是国安局的文件夸大了这家机构的本事；要么电信公司根本就是在撒谎，或者接受采访的人不清楚他们公司跟国安局之间的安排；要么“棱镜”计划只是国安局的一个内部编号，从未跟这些公司提及。

不管原因何在，我们必须重写新闻稿，不仅要把他们的否认包括进去，还要把报道的核心改为国安局文件和电信公司姿态之间奇怪的分歧。

“我们把这种分歧公开出去，让公众评判吧。”我建议说。这篇报道将会推动公众公开讨论互联网行业针对用户的通信信息采取的手段；如果电信公司的说法跟国安局不一致，那么他们就需要在世人面前做出说明，这正是我们所期待的。

简宁同意了我的提议，两小时后给我发来了关于“棱镜”计划的新版本文稿。标题如下：

> 国安局的“棱镜”计划利用了一些公司的用户数据
>
> • 绝密的“棱镜”计划宣称可以直接利用包括谷歌、苹果和脸书等公司的服务器数据
>
> • 这些公司都宣称不知道2007年以来就在执行该计划

引用了国安局描述“棱镜”计划的文件后，这篇文章指出，“尽管文件中提到该计划得到了各家电信公司的帮助，但在《卫报》要求发表评价时，所有做出回应的公司都否认知悉这一计划。”我感觉这篇文章写得很棒，而简宁也承诺说半小时内就将其发表。

在百无聊赖地耗时间的过程中，我听到了聊天信息弹出时发出的声音。我以为是简宁发给我的确认信息，告诉我关于“棱镜”计划的文章已经发表。信息虽然是简宁发来的，但内容却出乎我的意料。

“《华盛顿邮报》刚刚发表了他们关于‘棱镜’计划的文章！”她告诉我。

什么？怎么会这样呢？我很纳闷，难道《华盛顿邮报》突然改变了发表的时间安排，要提前几天发表关于“棱镜”计划的报道文章？

劳拉很快就从巴顿·格尔曼那里了解到，那天上午美国政府的官员接触《卫报》商讨“棱镜”计划的问题时，《华盛顿邮报》听说了我们的意图。那是因为其中一名政府官员知道《华盛顿邮报》也在进行类似的报道，就给他们通风报信了，结果他们为了防止我们抢先就加快了速度。

这时候我更加痛恨这个工作流程了：一位政府官员已经利用了这种出版前的流程安排来确保他偏爱的报纸首先发表文章，可这个流程原本是为了保护国家安全而设计的。

得知这条信息后，我留意到了推特网站出现了关于《华盛顿邮报》"棱镜"计划文章的爆发性讨论。可是等我仔细一看，却发现文章少了什么，其中没有提到国安局版本的官方声明和互联网公司声明之间的分歧。

《华盛顿邮报》文章的标题是"美英情报机构通过范围广泛的秘密计划从9家美国互联网公司收集数据"，文章指出，"国安局和联邦调查局都在直接利用美国9家大型互联网公司的中心处理器，获取音频和视频交流、照片、电子邮件、文件以及连接日志方面的资料，帮助分析师们追踪国外的目标。"最重要的是，文章宣称这9家公司"在知晓内情的前提下参与了'棱镜'计划的运作。"

我们关于"棱镜"计划的报道是10分钟后发表的，关注的中心略微有些不同,用词更加谨慎一些，但是特别渲染了一下互联网公司的竭力否认。

一如既往，民众的反应是爆炸性的，而且是国际性的。跟通常位于一个国家内部的威瑞森公司这种电话服务商不同，互联网巨头们都是跨国大公司。世界各地几十亿的民众，无论位于哪个大洲，都以脸书、Gmail和雅虎作为基本的通信方式。得知这些公司已经秘密地跟美国国安局合作，把客户的通信信息提供给他们，全球各地的民众都感到震惊。

现在人们开始推测，或许先前关于威瑞森公司的报道并非孤立事件，因为这两篇文章表明国安局出现了严重的泄密。

关于"棱镜"计划的文章发表后，我再也无法像先前那样读完收到的全部邮件，更不要说回复了。略微浏览一下收件箱，我就发现几乎世界上的所有主要媒体都希望采访我：斯诺登引发的世界性讨论已经如火如荼，尽管文章发表只有两天的时间。我不由想到了我们仍然还要报道的众多文件，想到了这件事对我的人生的意义，想到了这件事对世界的影响，想到了美国政府意识到当前情况后会如何回应。

跟此前一天一样，随后一天的上午早些时候，我在为美国电视台的黄金时间录制节目。这样我在香港那段时间的时间安排模式就固定了下来：夜间通宵跟《卫报》工作人员一起撰写报道文章；白天接受媒体的采访，然后到斯诺登旅馆的房间去找他和劳拉。

我频频在早晨三四点钟的时候乘出租车去香港的电视演播室，不过始终记着斯诺登给我的“安全行动”指南：为了防止遭到篡改或偷窃，永远跟自己的计算机和装满文件的U盘不离不弃。我在香港行人稀少的街上走动时，背上始终背着自己沉重的双肩包，无论何时何地。我走过的每一步都紧张兮兮的，经常扭头看自己的背包，每当有人靠近，就更加用力地抓紧背包。

参加完一系列的电视访谈节目后，我就回斯诺登的房间，跟他和劳拉一起继续我们的工作，有时候埃文也会参加进来，只是偶尔瞄一眼电视时才停顿一下。我们都很惊讶，因为反应都是正面的，媒体参与爆料的积极性也很高，而且多数评论员都很激愤：不是冲着爆料者，而是因为我们揭发出的国家监控程度居然如此严重。

现在我感觉可以实施预定的一项战略了，政府方面把“9 · 11”事件作为进行监控活动的理由，我们可以公然充满蔑视地做出回应。我开始谴责预料之中的那些对我们的指责：他们说我们让国家安全陷入危险，说我们帮助恐怖分子，说我们因为泄露国家机密而犯罪。我感觉很有底气，要勇于辩解，告诉世人那些指责是政府官员的操控策略，他们做了让自己蒙羞、毁坏名声的事情被人发现。这样的攻击不会阻止我们，我们要写出更多关于那些文件的报道，要无视威胁履行作为记者的职责。我要让他们明白：通常采用的恐吓和妖魔化手段是徒劳无效的。无论如何我们都会继续报道。尽管我们摆出了这种挑衅的姿态，但在最初那段时间里，多数媒体都支持我们的工作。

这种情况很让我吃惊，因为尤其从“9 · 11”事件以来（尽管先前也是如此），美国的媒体总体而言还是极为强硬、对政府忠心耿耿的，往往对爆料者持敌对态度，而且有时候甚至做得相当过分。

当维基解密公开跟伊拉克、阿富汗战争有关，尤其是跟外交电报有关的机密文件时，号召起诉维基解密网站的领头人就是美国的记者们，这本身就足以令人吃惊。媒体存在的目的原本就是让执政者的行为更加透明，结果他们却不尽谴责之责，甚至还想要把多年来意义最为重大的透明化行动予以定罪。维基解密的作为实质上就是媒体一直以来的做法——从政府内部的线人那里拿到机密文件然后公之于世。

我本来以为美国的媒体会对我满怀敌意，因为我们仍然在继续报道，而且史无前例的揭秘范围已经非常清晰。按照我的想法，作为体制内记者和其中许多头面人物的尖锐批评者，我很容易招致这种敌意。我在传统媒体并没有几个伙伴。传统媒体的多数人所做的工作都曾经被我经常而又毫不宽恕地公开抨击。因此我以为他们一有机会就会攻击我，然而自我在媒体露面后的整整第一个星期里，舆论却从未把攻击的矛头指向我，相反却把我捧了起来。

周四，也就是在香港的第五天，我去斯诺登的房间时他立刻告诉我，说有“有点让人担心”的消息。他在夏威夷跟相识多年的女友共住的房间里安装了连接互联网的安全设备，设备监控到国安局的两名员工——一个是人力资源部的，一个是国安局的“警官”——到他们的房间找过他。

斯诺登几乎可以肯定，这说明国安局已经认为他可能就是爆料人，但我有些怀疑。“如果他们认为是你做的，他们可能会派出大批中情局特工带着搜查令过去，甚至可能动用特种武器和战术小组，而不是仅仅派国安局的警官和人力资源部的人。”我猜这只是例行的常规检查，因为他作为国安局雇员已经无缘无故地旷工几个星期。但斯诺登却提出，他们可能是刻意低调，以免引起媒体的注意或者导致爆料者消灭证据。

无论这条消息意味着什么，它都表明我们必须迅速准备文章和录像材料，公开斯诺登作为爆料者的身份。我们决心要让世人从斯诺登本人那里了解他，了解他的行动和动机，而不是通过美国政府在他隐身或被拘禁后无法发声时采取的妖魔化宣传运动。

我们的计划是再发表两篇文章，一篇在一天后的周五，另一篇在周六。到星期天的时候，我们将发表一篇关于斯诺登的长篇文章，附加一份录像访谈和埃文设计的对斯诺登的提问稿。

在过去的48个小时里，劳拉一直在编辑我第一次跟斯诺登访谈的录像，但她说那些录像过于详尽冗长、支离破碎，不便使用。她想要重新录一次访谈，要做到更简明扼要，于是她设计了二十来个焦点式问题来让我提问。劳拉支起摄像机、安排我俩就座的过程中，我又加上了自己想到的几个问题。

“嗯，我的名字是爱德华 · 斯诺登，”如今已经成为众所周知的这段视频是这样开始的。“我今年29岁，在夏威夷的博思艾伦公司工作，是国安局的基础架构分析员。”

随后，斯诺登干净利索而又坦然地对每一个问题都给出了理性的回答：他为什么要披露那些文件？这样做为什么值得他牺牲自己的自由？意义最为重大的爆料是什么？这些文件是否表明存在犯罪或非法行为？他是否对自己的将来有所预料？

举例说明那些普遍存在的非法监控时，他逐渐变得充满了激情。只是在被问及是否预料会有反响时，他才变得忧郁起来，担心美国政府会针对他的家人和女朋友展开报复。他说为了降低风险会避免跟他们接触，但他也很清楚自己没法彻底保护他们。“晚上让我难以入睡的，就是出于对他们的担心。”说这番话时他的眼中满含泪水，据我所知这是第一次，也是唯一的一次见到他如此动容。

劳拉编辑这份视频录像时，我和埃文把后面的两篇文章定了稿。第三篇文章曝光了奥巴马总统2012年11月签署的一份绝密总统令，命令五角大楼和相关机构准备在世界各地发起一系列激进的攻击性网络行动。文章在第一段指出，“《卫报》获悉的一份绝密总统令表明”，“高级国家安全和情报官员”已经接到要求，“准备一份美国网络战的潜在海外目标名单”。

按照预定计划在周六发表的第四篇文章是关于国安局的数据追踪计划“无界线人”。文章描述的报告表明国安局在收集、分析和储存美国人接收和发送的几十亿份电话记录和电子邮件。文章也提出了国安局官员是否对国会撒谎的问题，因为他们拒绝回答参议员提出的关于监听美国国内通信的数量问题，称其没有这方面的记录，无法整理出相应的数据。

关于“无界线人”的文章发表后，我和劳拉计划到斯诺登住的旅馆碰面。但就在我离开自己的房间前，坐在床上，莫名其妙地，我想起了辛辛纳图斯，6个月前匿名给我发送电子邮件、一直让我安装PGP通信软件的那位联系人。虽然我们最近做的事情十分令人激动，可是会不会他也有重要的内容要向我爆料？因为记不起他的电子邮箱地址，我最后通过关键词查找到了他先前发来的一封邮件。

“嗨，好消息，”我写道，“我知道我花了一些时间，不过我现在开始使用加密邮件了。如果你还感兴趣，我随时可以跟你谈谈。”然后点击了“发送”。

进入斯诺登的房间不久，他就语带嘲讽地对我说，“顺便说一下，你刚刚发邮件的那位辛辛纳图斯就是我。”

我大吃一惊，好久才恢复平静。好几个月前就拼命联系我、劝我使用加密邮件的那个人居然就是斯诺登。我最早跟他接触并不是在一个月前的5月，而是好几个月前。在接触劳拉并爆料，甚至接触任何知情人之前，他就已经在跟我联系了。

随着日子的流逝，我们三人在一起度过的时间使得我们关系更加密切了。最初见面时的尴尬和紧张已经迅速转变成了合作互信、共同努力的关系。我们都很明白，大家已经一起开始了人生最重要的一段历程。

准备好关于“无界线人”的那篇文章后，我们之间先前那种相对放松的氛围开始明显变得有些紧张，因为不到24小时后，我们就要披露斯诺登的身份，而这将改变一切，尤其是跟他相关的一切。我们仨刚刚经历了一个短暂但却内容丰富、令人满意的过程。斯诺登作为我们中的一员很快就将离开，有可能要在监狱度过漫长的时光。至少对我来说，这个情况从一开始就若隐若现，令人压抑，让气氛变得沉闷。不过斯诺登却似乎不受影响。我们的交往过程中似乎掺杂着让人高兴的情绪。

“我给关塔那摩监狱打个电话好了。”斯诺登在考虑我们的未来发展时开玩笑说。我们讨论下一步要写的文章时，他有时候这样说：“这事可能要写到起诉书上。唯一的问题是写在你的起诉书还是我的起诉书上。”在多数时候，他都是不可思议地平静。尽管到现在他的自由时间似乎越来越少，斯诺登仍然是 10 点半睡觉，就像香港期间他每天晚上所做的那样。虽然我每次睡觉都不超过 2 小时，他却一直很有规律。每天晚上回去睡 7.5 个小时前，他都会轻松随意地说，“好了，我要回去睡觉了。”然后第二天再精神饱满地露面。

我们问他在这种情况下为什么还能睡得这么香时，斯诺登说他对自己的所作所为感觉非常泰然，所以可以轻松入睡。他开玩笑说，“我猜安稳觉可能没几天了，所以还是好好享受这几天吧。”

香港时间星期天的下午，我和埃文最后润色了一下介绍斯诺登的那篇文章，劳拉也完成了视频的编辑工作。纽约时间的早晨上网跟我们交流的简宁很清楚认真处理这条新闻的重要性，也很理解我对于公平对待斯诺登的个人选择承担的责任。我已经变得越来越信任《卫报》的同事，不管是编辑方面还是勇气方面。但在把斯诺登介绍给全世界这篇文章上，我想要亲自审校大大小小每一项编辑内容。

香港时间当天下午的晚些时候，劳拉来到了我的房间给我和埃文看剪辑好的录像。我们三个人在一起静静地看了看。劳拉的工作做得很出色，拍摄编辑都很完美，但视频的主要力量体现在斯诺登自己的讲述。他生动地描述了推动他这样做的信念、激情和献身精神。我很清楚，他公开承担责任所体现出的勇敢和责任心以及对躲藏的抗拒将会鼓舞数百万人。

我最希望世人看到的是斯诺登的无所畏惧。此前 10 年间，美国政府一直在展示其无限的权力。它发起了战争，不经控诉就折磨、关押犯人，还在司法程序之外用炸弹轰炸目标。所有泄露相关信息的人都无一幸免：爆料者遭到虐待和控告，记者也被关进监狱、受到威胁。对于那些企图对其发起挑战的人，政府通过精心设计并展示其恐吓手段，努力向民众表明它的权力不受法律、伦理、道德甚至宪法的约束：看看阻碍我们行事的那些人将会有什么下场吧。

而斯诺登不但无视这些恐吓，还表现得极其直接。勇气是可以传染的，我知道他会鼓舞许多人做同样的事情。

6月9日星期天，美国东部时间下午2点，《卫报》发表文章把斯诺登介绍给了全世界："爱德华·斯诺登：国安局检控爆料背后的告密者。"文章的第一部分重点推出了劳拉拍摄的12分钟视频，第一行写道："美国政治史上意义最为深远的爆料的责任人是爱德华·斯诺登，中情局29岁的前技术助理、国防项目承包商博思艾伦公司的现任员工。"文章讲述了斯诺登的故事，描述了他的动机，并指出，"跟丹尼尔·艾尔斯伯格和布拉德利·曼宁一样，斯诺登将作为美国历史上影响最为深远的告密者名垂青史。"我引用了斯诺登先前说过的一句话："我知道自己会因为此举遭受惩罚……但即使只有瞬间，只要统治我深爱的这个世界的那个联盟能被揭露，那么我就会感到满足，因为它是由秘密法律、不公平的赦免和不可抗拒的行政权力组成的。"

民众对文章和视频的反应是我前所未见的。艾尔斯伯格第二天也在《卫报》撰文称，"美国历史上从未有过比爱德华·斯诺登爆料国安局更加重大的检举事件——这其中自然也包括40年前的五角大楼文件事件。"

仅仅在最初的几天里，就有几十万人把视频的链接发布到了他们的脸书网页上。接近300万人在YouTube网站观看了访谈，还有许多人通过《卫报》的网络版知道了这件事。如此强烈的反响不但令人震惊，同时也是对斯诺登勇气的鼓励和肯定。

劳拉、斯诺登和我一起注视着他的身份曝光后引发的反应，在此期间我和跟《卫报》的两位媒体策略师商讨了该接受哪些电视台周一的采访。最后我们选择了微软全国有线广播电视公司的《早安乔》，此后再接受全国广播公司

《今日秀》节目的采访。这是我们最早接受的两场访谈，将会影响到那天媒体对斯诺登的报道。

可是还没等去接受采访，我们就被早晨5点打来的一个电话转移了注意力，当时离发表那篇文章只有几个小时的时间。电话是长期以来一直阅读我文章的一位读者打来的，他居住在香港，那个星期我一直在跟他联系。他说很快全世界的人都会在香港寻找斯诺登，说斯诺登迫切需要香港人脉良好的律师的帮助。他身边有两位出色的人权律师愿意代理斯诺登的事务。他问他们三人能否立刻来我住的旅馆。

我们约定晚些时候再谈。于是我睡了几个小时，到早晨7点左右，他就又打来了电话。

“我们已经来了，”他告诉我，“在你们酒店的楼下。我跟两位律师一起。你们住的酒店大堂里到处是照相机和记者。媒体都在搜寻斯诺登住的酒店，很快就会找到，律师说关键是在媒体找到他之前跟斯诺登见面。”

半梦半醒地，我抓起身边的衣服穿上就来到门边。一开门，各色照相机的闪光灯就照到了我的脸上。媒体记者显然买通酒店员工而得知了我的房间号码。两位女性记者自称是《华尔街日报》香港分部的人，包括带着一架大型照相机的人在内，其他人都是美联社的员工。

他们不停地问我问题，组成一个半圆跟着我走向电梯，然后跟我一起涌进电梯，不停地问问题，我就简单随便地做了些回答。

进入酒店大堂后，另一堆记者也加入了进来。我想找那位读者和律师，但身边挤满了记者，难以自由活动。

我尤其担心记者们会跟着我，导致律师们无法见到斯诺登。最后我决定在大堂里举行一次即兴的记者招待会，回答他们的问题后让记者离开。15分钟后，多数记者都离开了酒店。

随后我碰到了《卫报》的首席律师吉尔 · 菲利普斯（Gill Phillips），这让我放松了下来。她是从澳大利亚去伦敦的路上，在香港留了下来给我和埃文提供法律咨询的。她说打算想尽办法让《卫报》来保护斯诺登："艾伦坚持认为，我们应提供给他全面的法律支持。"我们想多谈一下，但因为还有几位记者没走，因此我们没法不受干扰地继续谈话。

最后我找到了那位读者和他带来的两位香港律师。我们计划了一下怎样谈话才不会被跟踪，最后一起逃到了吉尔的房间。虽然还有一批记者在尾随，我们还是当着他们的面关上了房门。

我们立刻开始行动。律师们希望立刻见到斯诺登得到为他代理的正式授权，以便他们代表他采取措施。

把斯诺登交给他们前，吉尔利用手机疯狂查找关于这两位律师的信息，因为我们刚刚见面，根本不了解他们的底细。她通过找到的信息得知，这两位律师的确在维护人权和帮助政治避难者方面颇有建树，也与香港当地的政治圈子有着密切联系。我登录了聊天软件，发现斯诺登和劳拉都在线。

如今住在斯诺登所在酒店的劳拉十分确定，那些记者用不了多久就会找到他们的位置。斯诺登显然急于离开。我告诉了他律师的情况，说他们准备去他的酒店房间。斯诺登说他们最好来接他，然后带他去安全的地方。他说现在是该"按照计划向全世界寻求保护和公正了"。

"但是我需要避开记者离开酒店，"他说，"否则他们会一路跟踪我。"

我把他的这些担心告诉了记者。

"他有什么办法能防范跟踪吗？"一位律师问道。

我向斯诺登转达了这个问题。

"我正在易容，"他说，显然他先前已经考虑过这个问题，"我可以把自己装扮得别人认不出来。"

到了这个时候，我想律师们应该直接跟他对话了。在此之前，他们需要斯诺登重复一句程序性的话表明请律师代理他。我给斯诺登发去了那句话，他又给我发送回来。律师们然后就开始通过计算机跟他交流。

10分钟后，两位律师宣称他们要立刻赶去斯诺登的酒店接他，因为他准备悄悄地离开酒店。

我问道，“那之后你们准备拿他怎么办？”

他们可能会把他带到联合国在香港的机构，正式寻求联合国的保护，以免受到美国政府的迫害，理由是斯诺登是寻求庇护的难民。或者，他们说，他们会安排一处“藏身之所”。

可是怎样才能让律师走出旅馆又不被追踪呢？我们想出了一个主意：我和吉尔一起走出旅馆的房间去到大堂里面，吸引仍然候在外面的记者跟着我。两位律师稍等几分钟再离开旅馆，这样可能就不会被记者发现。

这种策略很有效果。跟吉尔在与酒店相连的一处购物中心聊了30分钟后，我回到自己的房间，心急火燎地拨通了其中一位律师的手机。

“我们在记者蜂拥而出之前把他弄了出来，”他说，“我们去他的酒店碰头，就是那个有鳄鱼的房间。然后我们穿过一座桥进入了邻近的购物中心，跑回了在外面等候的汽车。现在他跟我们在一起了。”我后来才醒悟到，那里就是我和劳拉跟他第一次见面的地方。

他们要带他去哪里？

“电话上最好不要说这个，”律师答道，“总之他现在安全了。”

得知斯诺登现在安全了，我长出了一口气，但我们也知道，很可能我们会再也见不到他或者跟他讲话了，至少他再也不会以自由人的身份这样做。我想，很可能下次我们见他是在电视上，穿着橘红的监狱套装，戴着手铐，坐在美国的法庭里接受间谍罪指控。

我正在思考这条消息的时候，有人敲响了房间的门。来的是酒店的总经理，他是来告诉我拨打我房间电话的人络绎不绝（我已经告诉前台不要接入任何电话），大厅里还有成群的记者、摄影师和摄像师在等着我出现。

“如果你愿意，”他说，“我们可以带你从一部不起眼的电梯下去，从大家都不知道的出口离开这里。《卫报》的律师已经在另一家酒店用别的名字给你订了一个房间，如果你愿意的话。”

显然这是酒店经理的典型做法：我们希望你离开这里，因为你引起了骚动。我知道，不管怎么说，这是个好主意：我希望继续不受干扰地工作，仍然希望跟斯诺登保持接触。于是我收拾好行李，跟着经理从后门离开，在候在外面的出租车上跟埃文会合，然后以《卫报》律师的名义入住了另一家酒店。

我做的第一件事就是上网，希望能收到斯诺登的消息。几分钟后，他也上线了。

“我很好，”他告诉我，“目前在一处安全的地方。但我不知道这地方有多安全，也不知道要待多久。我必须不停地换地方，也不能稳定地利用网络，所以我既不知道何时可以上网，也不知道是不是可以经常上网。”

显然他不愿意提供关于位置的任何细节，而我也不想了解这些。我知道自己的能力有限，没法帮他藏身。他现在是世界上最强大的政府最迫切希望捉拿归案的人。美国政府已经要求香港特区政府逮捕斯诺登并引渡给美国。

因此我们只是简单而又含糊地交流了一下，两人都说希望能保持联系。我让他注意安全。

* * *

最终赶到演播室接受《早安乔》和《今日秀》节目的采访时，我马上发现采访的氛围已经发生了明显变化。主持人不再理会我这名记者，而是倾向于攻击实实在在的目标——如今躲藏在香港的斯诺登本人。许多美国记者也恢复了他们习以为常的身份，担任美国政府的帮凶。谈论的话题不再是记者揭发了国安局严重的滥用权力，而是围绕着一位为政府工作的美国人：他“背叛”了自己的责任，犯了罪，然后“逃到了中国”。

米卡 · 布热津斯基（Mika Brzezinski）和塞瓦娜 · 格斯里（Savannah Guthrie）两位主持人对我的采访都很尖酸刻薄。因为已经一个多星期缺少睡眠，我对他们的问题中暗含的对斯诺登的批评很不耐烦。在我看来，对于一位多年来首次让国家安全方面的行动变得更加透明的人士来说，记者应该为此庆祝，而不是将其妖魔化。

又接受了几天采访后，我决定离开香港。显然这时候跟斯诺登见面是不可能的，更别提在这个地方能给他提供什么帮助了。而且到了那个时候我已经极度疲惫，无论是体力、精神，还是心理方面都是如此。我很想尽快返回里约热内卢。

我考虑过乘飞机经由纽约回家，在那里停留一天接受采访——主要想表明自己可以做到这一点而且愿意这样做。但一位律师建议我不要这样做，说冒这样的法律风险没有多大意义，因为我们不清楚政府方面准备如何回应此事。“你刚刚促成了美国历史上最为重大的国家安全爆料，而且在电视上到处宣扬最具挑战性的信息，”他说，“只有了解了司法部会做出何种反应，计划到美国的旅程才有意义。”

我不同意他的观点，因为我认为奥巴马政府绝对不会在如此高调的报道过程中采取极端措施逮捕一名记者。但因为已经精疲力竭，我没有争辩，也没有去冒这个危险，就让《卫报》帮我预订了经由与美国相距十万八千里的迪拜返回里约热内卢的航班。我的感觉是：就当前来说，我做得已经够多了。

NO PLACE

Edward Snowden

TO HIDE

the NSA

第3章

and the U.S.

收集一切

Surveillance State

“为什么我们无法每时每刻都收集全部信号呢？”

——美国国家安全局局长

基思·亚历山大（Keith Alexander）将军

爱德华·斯诺登收集的文档资料数量之多、涉及范围之广相当惊人。尽管过去的几年里我一直在报道美国秘密监视行为所带来的危害，但这套监视体系的规模之大仍然令我瞠目，它的实施过程完全不透明，不需要承担任何责任也不受任何限制。

文档中包括数千个监控项目，而实施这些项目的人却从未打算将它们公布于众。很多项目旨在监控美国大众，但还有几十个国家包括把美国视为同盟国的一些民主国家，比如法国、巴西、印度以及德国也是这种大规模监控的目标。

斯诺登将所有文档仔细地分类整理过，但因其数量太大内容错综复杂使得整个理解过程难以进行。数以万计的美国国安局资料由国安局内部各个单位和分支部门处理，在某些情况下，还会由关系密切的国外情报机构处理。令人惊讶的是这些文件都很“新鲜”，大多数来自2011年和2012年，还有不少来自

2013 年，甚至有些文件的标注日期是 2013 年 3 月和 4 月，也就是我们在香港与斯诺登见面的两个多月前。

大部分的文件标有“绝密”字样，虽然其中有些文件仅限美国内部，但大多数是可以传播给美国国安局四个关系最密切的监控同盟：英国、加拿大、澳大利亚和新西兰。这四国与美国组成了英语世界的“五眼”情报联盟（Five Eyes Alliance）。关于美国国外情报监视法庭下令准许收集美国公民通话记录以及有关奥巴马总统授意的网络恣意妄为的消息都是仅限于美国政府内部的高度机密。

解密这些文件以及国安局的语言需要大量快速的学习。国安局有一套自己独特的语言来进行内部以及与盟友之间交流，这种语言带着官腔，生硬做作，有时也会自吹自擂甚至尖酸刻薄。大多数的文件与技术相关，充斥着生僻的缩略语和代码名称；有些则需要在阅读其他文件之后才能够理解。但是斯诺登早就预料到了这一点，于是他提供了这些缩略语和项目名称的注释表，以及针对国安局内部专业术语的一些词典。有些文件在读第一遍、第二遍甚至第三遍的时候仍晦涩难懂。只有在将其他不同部分材料整合起来，并且向相关领域的一流专家咨询了有关监控、密码学、黑客、国安局历史以及合法的美国监视体系的信息之后，我才知晓这些文件的重要性。

我所面临的困难还在于成堆的文件通常并不是按照主题分类，而是以它所来自的不同分支部门分类，并且跟大量索然无味或高科技方面的信息材料混合在一起。《卫报》安装的一个软件确实很有帮助，可以通过关键词搜索全部文件，但这仍不够全面系统。消化整理这些材料需要仔细谨慎的态度，因而进程缓慢。在文件初次曝光数月之后，仍有一些术语和项目名称需等待进一步的报道，才能得到条理清晰的披露。

尽管如此，斯诺登披露的却是一张错综复杂的大网，各种监控技术和监控目标在其中纵横交错。这张网以美国公民和非美国公民为目标（前者显然不是国安局的基本目标）。这些文件揭露了通过互联网服务器、卫星、水下光纤电缆、国内外电话系统以及个人电脑拦截通信交流的技术方法。文件称所有人都有可能成为间谍，从疑似恐怖分子、嫌疑犯到美国同盟国家内民主选举产生的领导人甚至到普通的美国民众无所不包。

斯诺登把关键的核心文件放在最前面，而且做上了尤其重要的标记：这些文件披露了国安局影响所及的范围，以及他们的欺诈面孔和犯罪行为。“无界线人”项目就属于此类内容，该项目表明国安局每天都会准确地计算搜集到的全世界范围内的所有电话和电子邮件数量。

斯诺登特别强调这些文件不仅仅因为它们记录了国安局搜集和储存的数百万计的电话记录和电子邮件，还因为国安局局长基斯 · 亚历山大跟其他领导没有对国会说实话，他们一再声称国安局没有能力提供“无界线人”项目搜集的确切数据。

比如说，一幅将各国以不同颜色标注来反映其受监控程度的全球地图表明，自 2013 年 3 月 8 日起的一个月内，国安局的下属部门之一就搜集了超过 30 亿份通过美国电信系统的电子邮件数据，超过了在俄罗斯、墨西哥搜集的数据量，事实上甚至超过了在欧洲所有国家搜集的数据量总和，基本与来自中国的搜集数据持平。

在仅仅 30 天中，该部门从世界各国收集到了多达 970 亿封的电子邮件和 1240 亿通电话。另一份 “无界线人”文件详细记录了 30 天内收集到的全球范围内的数据，其中来自德国的数据有 5 亿份、巴西 23 亿份、印度 13 亿

5000万份。另外一些文件夹还包含了与其他国家合作收集到的元数据，其中法国7000万份、西班牙6000万份、意大利4700万份、荷兰180万份、挪威3300万份、丹麦2300万份。

尽管文件表明国安局关注的是“外国情报”，但秘密监控计划还有一个非常重要的目标，那就是美国民众。这一点毫无疑问，国外情报监视法庭在2013年4月25日下达了一份绝密指令，强制威瑞森公司向国安局递交有关美国民众的所有电话通话信息。这份密令标有“禁止向联盟外方成员展示”的字样，提出的要求清晰明确：

> 兹下令：记录保管人在命令有效期内须每日向国安局提交下列事物的电子备份：1）由威瑞森公司提供的美国与他国之间国际长途的所有通话详细记录或通话元数据。2）由威瑞森公司提供的美国境内的所有通话详细记录和通话元数据，包括本地通话记录。
>
> ……
>
> 通话元数据包括综合通话常规信息，包括但不仅限于会话识别信息（例如通话双方的号码、国际移动用户识别码、移动设备国际识别码、中继线标识符、电话卡号、每一次通话的时间和时长。

大规模通话采集项目是在充斥着在各种隐蔽监控项目中最有意义的发现之一。这些秘密监控项目有从世界上最大的互联网公司的服务器上搜集信息的大规模的“棱镜”计划；有国安局和它的英国同行合作努力破解保障网上行为最常见加密技术的“奔牛”计划；还有一些计划规模虽小但名字中却透露着嚣张狂妄，比如针对能提供网络匿名浏览的洋葱浏览器的“任性的长颈鹿”计划；可以入侵谷歌和雅虎私人网络的“肌肉发达”计划；还有加拿大对巴西能源部的实施监控的“奥林匹亚”项目。

有些监控计划表面上是为了防止恐怖主义，但是大量项目明显与国家安全丝毫不相干。毫无疑问这些文件表明国安局同样参与了经济间谍活动、外交间谍活动以及针对全世界人民的监控活动。

总体来讲，从斯诺登的材料里可以得出一个基本定论：美国政府建立了一个旨在全世界范围内消除网络隐私的体系。毫不夸张地说，监控计划最直接的目标就是：保证国安局可以收集、储存、监视并分析全球范围内人们进行的电子通信信息。国安局工作的首要任务就是全面掌握所有的电子通信信息。

这个目标的实现需要无限扩大国安局的管辖范围。基于此，国安局的员工每天都要找出尚未被收集储存的电子通信信息，然后研发新技术新方法填补此漏洞。他们不需要确切的理由来收集特定的电子通信信息，因而可以毫无根据地怀疑其监控目标。国安局内部所说的“SIGINT”指的是所有信号情报都是其监控对象。国安局这样做的另一个原因是因为它自身就有能力收集所有的通信信息。

* * *

作为五角大楼里一个军事部门，国安局是世界上最大的情报组织，其大多数情报工作都是通过“五眼”情报联盟完成。直到 2014 年春有关斯诺登事件的争论愈演愈烈之前，国安局一直处于四星上将基斯 · B · 亚历山大的领导之下。亚历山大自 2005 年起出任国安局局长，如今已经 9 个年头，在他任职期间国安局不断膨胀，大肆扩张自己的影响。记者詹姆斯 · 班福特（James Bamford）把亚历山大称为“美国历史上的情报沙皇”。

《外交政策》记者肖恩 · 哈里斯（Shane Harris）指出，国安局“在亚历山大上任时已经是大型的数据库”，“在他的监管下，国安局的工作管辖范围之宽、机密程度层次之高是历任国安局领导者所无法想象的。”历史上从未“有任何政府部门有能力并且合理合法地收集并存储如此之多的电子信息。”一位曾与亚历山大共事过的前雇员告诉哈里斯“亚历山大政策”十分明确：“我要所有的数据。”哈里斯还说：“他想要尽可能地将此政策长期坚持下去。”

“收集一切” 是亚历山大的座右铭，它完美地传达了国安局工作的中心目标。这个座右铭是他 2005 年在伊拉克占领期间收集信号情报时想到的。《华盛顿邮报》在2013年曾报道说，亚历山大对美国军事情报关注的范围十分不满，他认为只关注可疑恐怖分子和对美国实力的威胁行为太过束手束脚。“他想要掌握一切：包括国安局的强大电脑可以收集到的伊拉克人的每条短信、每次通话以及每封电子邮件。”于是政府便研发了各种技术手段收集全世界人民的所有通信信息数据。

亚历山大回到美国后，便开始构思这套全面监控系统，此举的初衷是保护战争地区的美国公民。《华盛顿邮报》对此报道说：“就像他在伊拉克时一样，亚历山大对一切要求十分严格，包括收集并存储大量美国公民和外国公民未经处理的原通话信息的工具、资源和法律依据。在他执掌美国电子情报机构的8年里，61岁的亚历山大以维护国家安全之名秘密地掀起了一场提高政府挖掘信息能力的革命。”

亚历山大对于情报工作的痴迷在很多报刊上都有记载。《外交政策》把他称为“国安局的牛仔”，说他“不顾法律约束拼尽全力建立终极间谍机器”。即使曾亲自参与布什非法监听计划、因为激进的军国主义思想而臭名昭著的前中情局及国安局局长迈克尔·海登（Michael Hayden）也常常难以忍受亚历山大大胆的行事风格。一位前情报官员表示，亚历山大常说：“别管法律，只管好好完成任务。”《华盛顿邮报》也有相似的观点，认为“即使亚历山大的拥护者也会说他的激进做法有时使他游移在法律的边缘”。

由于斯诺登对国安局事件的曝光引发出一些亚历山大更为极端的言论，比如据说在2008年访问英国的情报机构——国家通信情报局（Government Communications Headquarters，GCHQ）时，他曾提出过这样的问题：“为什么我们无法每时每刻都收集全部信号呢？”这些言论虽然已经被国安局发言人以插科打诨的方式一带而过，但对于国安局工作最为明目张胆的表述却来自国安局内部资料。“五眼”情报联盟在2010年年会上的一份机密报告表明美国国安局已经做出明示，将亚历山大的座右铭奉为其核心目标。

英国国家通信情报局在2010年向“五眼”情报联盟提交的一份文件中提

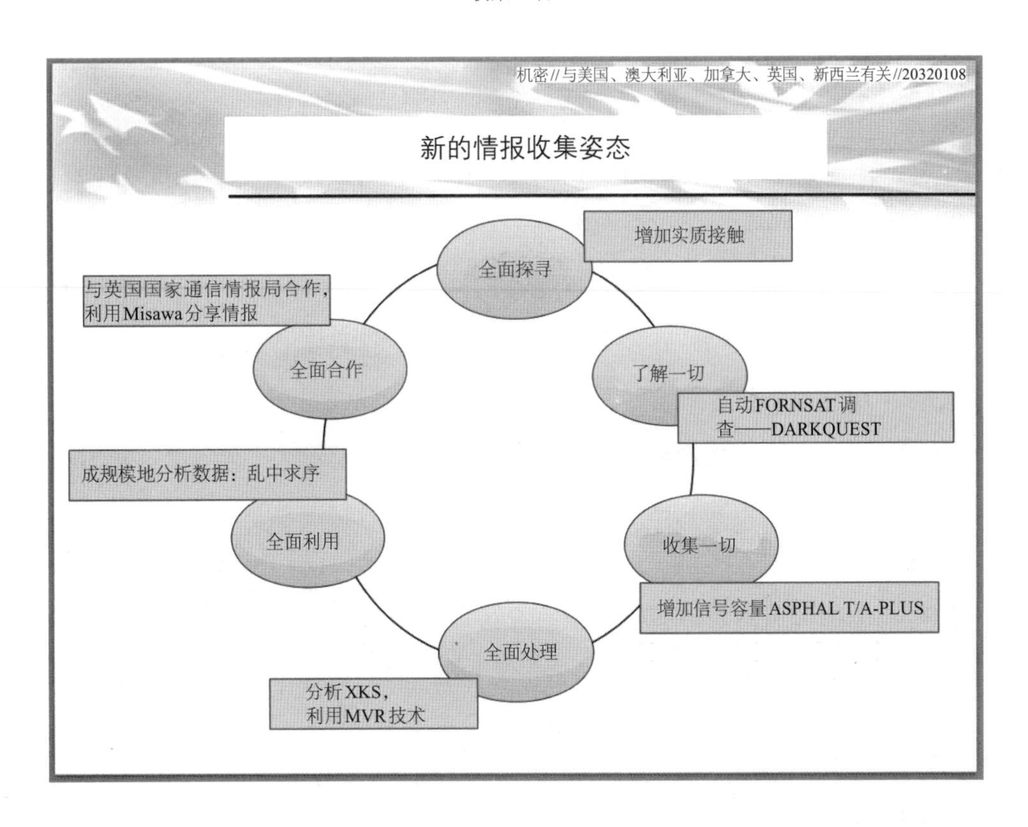

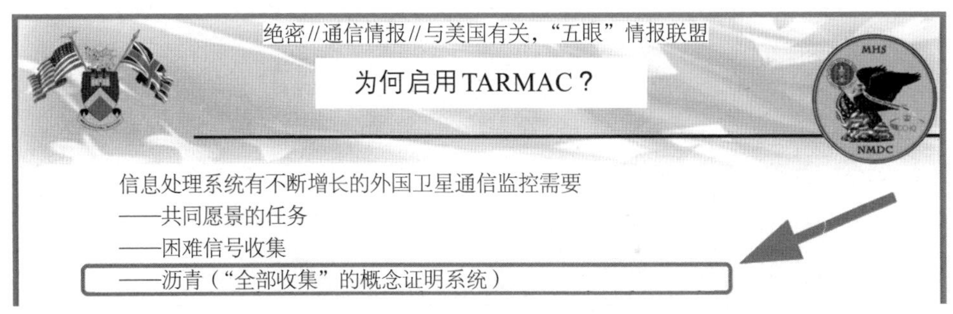

到一项代号为TARMAC的卫星通信拦截项目，这表明英国的间谍机构也在使用这套模式执行任务：

即使国安局内部备忘录也援引“收集一切”这个口号来解释国安局权利的日益扩大。国安局任务执行部门的技术总监在2009年的一则备忘录里向位于日本三泽市的情报收集基地吹嘘近期的工作进展：

未来计划：

（绝密//敏感信息//相关信息）将来海军陆战队特战司令部希望可以增加WORDGOPHER平台的数量以解调上万份多余的低率载体。

这些目标理论上适合软件解调技术。另外，海军陆战队特战司令部已经研发了一种新技术能够自动扫描并解调卫星上的活跃信号，极有可能使我们的事业进一步靠近"收集一切"的目标。

"收集一切"并不是一句无关痛痒的玩笑话，它阐释了国安局的精神，是国安局不断努力想要达到的目标。国安局收集的电话、电子邮件、网络聊天、网络活动以及电讯元数据数量之多令人震惊。可事实上，国安局也频繁引用2012年的一份文件中的表述："收集到的内容大多对分析员的常规分析并没有用。"仅仅单日收集的数据总量就可以充分地说明这一点。国安局计算了其在全球范围内每天保留、转移或者删除的网络和电话通信信息（DNR指的是电话数量，DNI指的是基于网络的通信，比如电子邮件和网上聊天）。2012年中

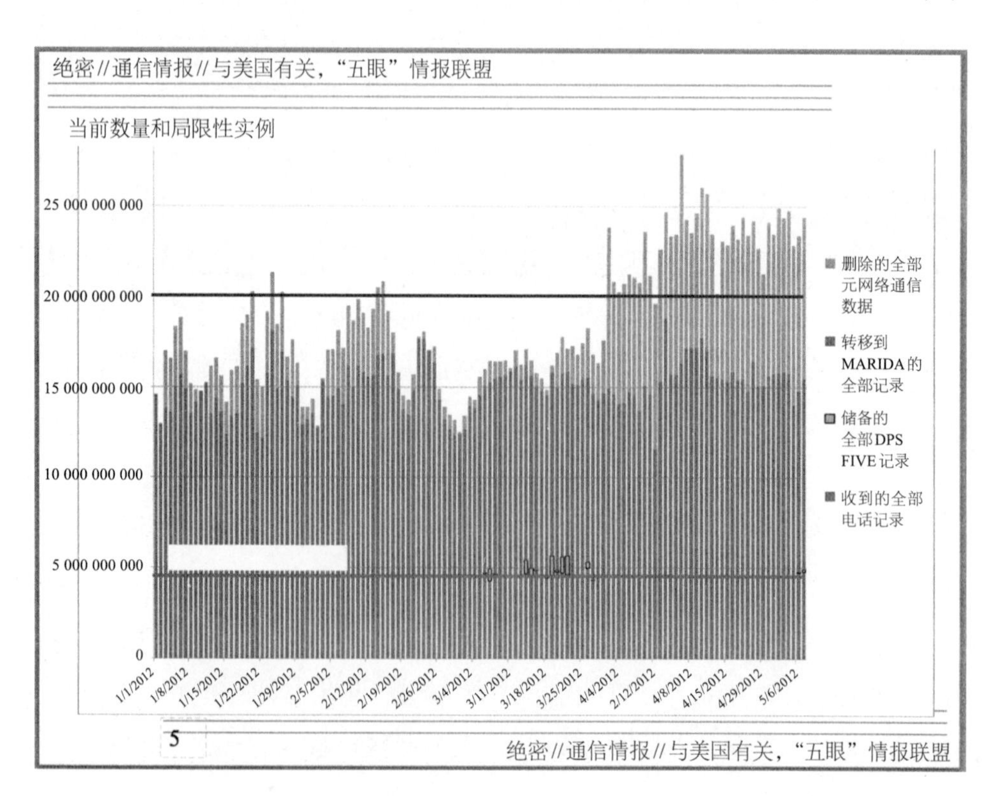

期日总量超过了200亿。

国安局每天会对其他国家的通信系统制造一次人为故障，以便统计、收集获取的电话和电子邮件。如下图所示，在某些天波兰国内电话数量超过300万，30天电话总数可达7100万：

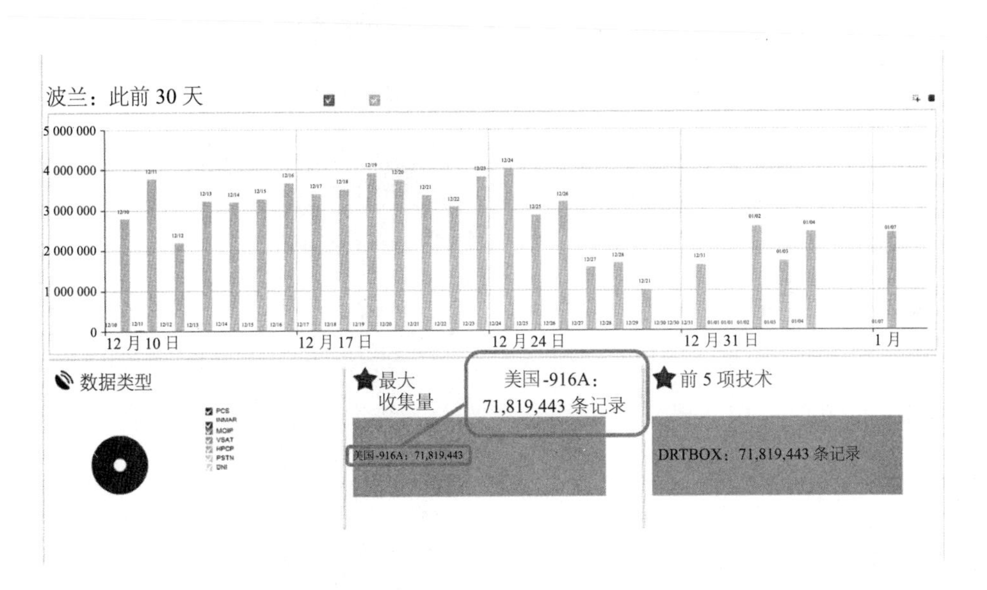

国安局收集的国内数据数量同样惊人。在斯诺登泄密之前，《华盛顿邮报》就曾在2010年报道称："国安局的数据收集系统每天都会拦截并储存17亿份美国人民的邮件、电话以及其他形式的通信信息。"数学家威廉·宾尼（William Binney）曾在国安局任职30年，因反对国安局日益扩大国内监视范围于2001年"9·11"事件后退休，他曾多次提到过国安局所收集数据的数量问题。2012年他在接受《立即民主》（*Democracy Now*）节目采访时说："他们已经收集了大约20万亿份美国公民间的通信信息。"

斯诺登爆料事件发生后，《华尔街日报》指出，国安局的整个拦截系统"尽管外国人和美国人都有众多通信手段可以选择，但追踪外国情报时仍能覆盖美国互联网约75%的流量"。国安局一些不愿透露姓名的前任和现任官员告诉《华尔街日报》，在某些情况下，国安局"会留存美国公民发送的电子邮件，也会过滤他们利用互联网技术拨打的国内电话”。

英国国家通信总局同样也收集了大量的通信数据，这给数据的储存工作带来了很大困难。英国 2011 年的一份文件部分内容如下：

英国机密 第一条“五眼”情报联盟内部通信情报

明确我们的任务——指导方针

*国家通信总局可以大规模使用国际互联网通信信息。

*我们每日事件接收量高达 500 亿件（并持续增长）。

国安局一心扑在通信数据的收集工作上，所以专门有一个档案来记录各种庆祝性的内部备忘录，以此来纪念一个又一个的数据收集里程碑。比如，2012 年 12 月，在国安局下属特殊来源行动部入口的内部公告栏上就写着：“小螺号”（SHELLTRUMPET）计划创下了第一万亿个纪录，除此之外什么也没有。

（机密//敏感信息//与美国有关，“五眼”情报联盟）“小螺号”计划创下了其第一万亿个元数据纪录。

作者 姓名已隐匿 2012 年 12 月 21 日 07：38

（机密//敏感信息//仅限美国及五眼联盟国）2012 年 12 月 21 日，“小螺号”计划处理了其第一万亿个元数据记录。“小螺号”计划始于 2007 年 12 月 8 日，旨在服务于传统数据收集系统，是一个近乎实时的数据分析系统。在 5 年的历史里，国安局内部其他系统也开始使用“小螺号”的数据处理功能实施监控、直接发出电子邮件警告、流量盗窃警告以及实时过滤处理区域网关。尽管“小螺号”计划用了 5 年时间才创下 1 万亿纪录，但近一半数据是在今年完成的，而且一半数据是来自特殊来源行动部的“舞蹈的绿洲”项目。目前“小螺号”每天会处理 200 万份来自秘密“特殊来源行动部”、“火枪手”计划和第二方系统的通话信息数据。2013 年，我们还会将其影响力扩展到特殊来源行动部的其他部门。处理过的一万亿项信息记录已对 3500 多万次流量窃取发出警告。

国安局借助多样化的方法来收集海量通信信息，包括直接切断用于传送信息的国际光纤电缆（包括海底光纤电缆）；或者当信号流经美国系统时（多数世界范围的通信信号都会途经美国），改变线路将其导入国安局的数据库；或者与不同国家的情报机构合作。但是越来越常见的一个方法就是国安局倚靠互联网公司和电信公司的帮助来获取信息。

从法律上来说，国安局是一家公立机构，可它却与私营企业间有着千丝万缕的联系，它的很多核心业务都通过外包完成。国安局自身有员工大约3万人，另外还有超过6万名为国安局提供服务但就职于私营企业的合同工。尽管斯诺登受雇于戴尔公司和大型国防项目承包商博思·艾伦·汉密尔顿（Booz Allen Hamilton），但他像其他私人合同工一样，在国安局内部为其效力，处理其核心职能工作，掌握其机密信息。

在长期以来一直记录美国国安局企业关系发展的提姆·肖罗克（Tim Shorrock）看来，“美国国家情报部门预算的70%以上被外包给了私营企业”。当迈克尔·海登提到“这个世界上电力网络最为密集的地方就是马里兰州巴尔的摩至华盛顿的495号高速公路和23号高速公路的交会十字路口”时，肖罗克称：“他说的并不是国安局本身，而是沿着位于米德堡的国安局总部的巨型黑色大厦向南一英里的商业园区，国安局所有主要的合同承包商包括博思艾伦公司、科学应用国际公司和诺斯罗普·格鲁曼公司都在那里为国安局执行监控和情报工作。”

这些与企业间的合作关系不仅局限于情报和国防信息外包，还延伸到世界上最大最重要的互联网公司和电讯公司，尤其是那些传输世界上大部分通信信息的公司。事实上，国安局与这些公司合作的最重要的目的就是能轻易获得私人通信信息。在国安局的一份机密文档中，除了描述其“防御”（保护美国电讯和电脑系统不受他国利用）和“攻击”（拦截并利用外国通信信号）两大职能外，还列举了其从这些互联网和电讯公司中获得的其他一些服务：

这些与私营企业的合作关系由国安局监管私企合作的绝密部门——特殊来源行动部（Special Sources Operations，SSO）掌握，为国安局实施监控提供了所需的体系和条件。斯诺登将特别来源行动部称为国安局“皇冠上的宝石”。

BLARNEY、FAIRVIEW、OAKSTAR、STOMBREW就是特殊来源行动部监管的几个“企业合作通道”（Corporate Partner Access，CPA）。

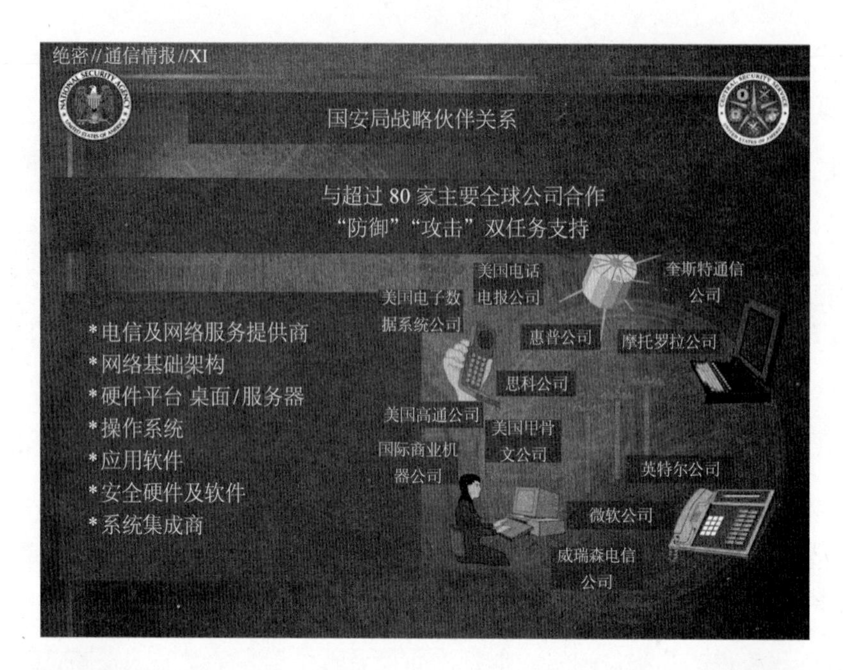

作为这些计划的一部分，某些电讯公司可以通过与外国电讯公司签约来建立、维护并且升级他们的系统，进而接触国际电讯系统，那么上述的各个美

国电讯公司便可以利用这个机会将该国的电讯数据转移到国安局的数据资源库里。

国安局的一份简报中描述了BLARNEY计划的核心目标：

绝密//通信情报//禁止向联盟外方成员展示//20291130

关系与权力

与关键的私企合作以接触世界范围内的国际光纤电缆、转换器以及（或者）路由器。

据《华尔街日报》报道，BLARNEY计划的实施尤其依赖于国安局与美国电话电报公司的长期合作。从国安局的内部文件看，BLARNEY计划2012年的监控目标包括巴西、法国、德国、希腊、以色列、意大利、日本、墨西哥、韩国、委内瑞拉以及欧盟和联合国。

国安局的全面拦截体系包括BLARNEY和FAIRVIEW计划。《华尔街日报》称其“在搜寻外国情报的同时能够接触到大约70%的全美网络通信量，包括一大批国际通信信息”。此外，“国安局还保留了美国国内民众之间发送电子邮件的文本内容，并且对通过互联网技术拨打的国内电话内容进行过滤。”

FAIRVIEW计划同样在全世界范围内收集国安局所谓的“大规模数据”，并且该计划也主要依靠一个单独的“私企合作伙伴”，尤其是通过接触外国的电讯系统获得情报。国安局的一份内部总结简明扼要地说明了这一点：

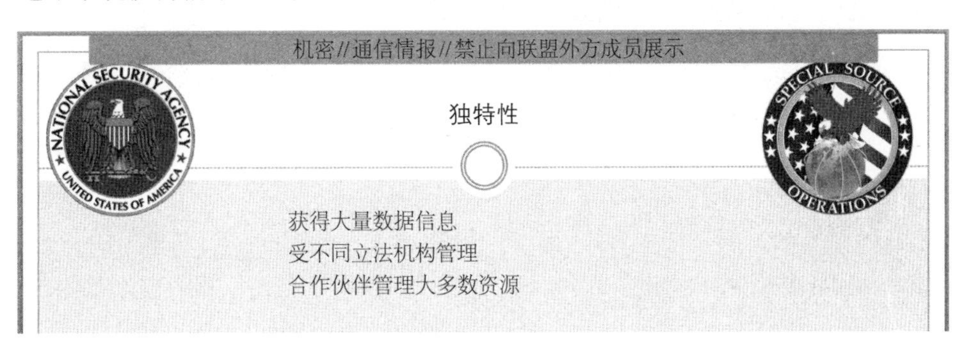

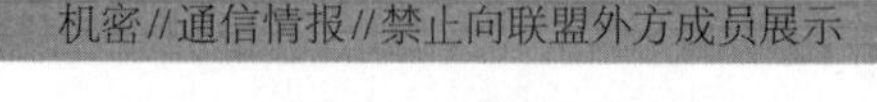
机密//通信情报//禁止向联盟外方成员展示

美国 990 号 FAIRVIEW 计划

（绝密/敏感信息）——使用国际电缆、路由器以及转换器的重要私企合作伙伴

关键目标：全球

国安局的文件表明，FAIRVIEW 计划是“国安局为持续作业，也就是为进行中的监控行为收集信息的前五项计划之一，是最大的元数据提供者之一”。国安局认为该计划主要依赖单一电讯公司，“大约 75% 的报告是单源信息，这反映了该计划在处理大规模多样性目标通信信息时的独特性。”尽管报告中并没有明确指出该电讯公司的具体名称，一份对 FAIRVIEW 计划合作者的描述透露了其想要跟国安局合作的迫切渴求：

> FAIRVIEW 计划——该私企合作伙伴自 1985 年起接触国际电缆、路由器和转换器。该合作伙伴虽在美国境内运营，但能拦截途经美国的通信信息，并且通过其与国安局的私企合作关系向其他的电讯公司和互联网服务提供商提供独一无二的服务并积极参与统计信息流量。

FAIRVIEW 计划本身就提供了大量的电话通信信息。自 2012 年 12 月 10 日起 30 天内在波兰收集的数据信息图表清晰地说明仅这一项计划每天就可以收集 2 亿份数据，30 天总共可以收集超过 60 亿数据。（浅色条块是收集到的电话数量而深色条块是网络活动数据）

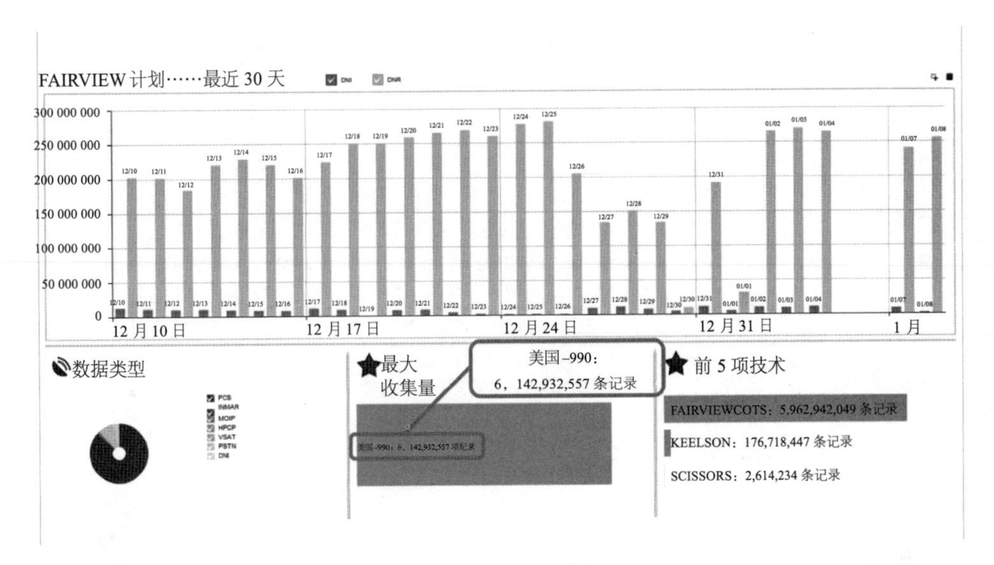

在上述图表中，特殊来源行动部展示了它每天是如何与波兰的情报机构以及国安局的私企合作伙伴携手收集上亿份电话数据的。

ORANGECRUSH计划开始元数据信息和内容的传送

ORANGECRUSH，作为特殊来源行动部私企合作项目OAKSTAR计划的一部分，在3月3日和3月25日前分别将元数据信息和内容信息从第三方合作基地（波兰）传送至国安局数据库。该计划是由特殊来源行动部、国家计算机安全中心、ETC、外事委员会、国安局私企合作伙伴以及波兰政府下属部门合作完成的，不过对波兰人来说，该计划的名称是BUFFALOGREEN（水牛绿色）。这项多方合作计划始于2009年5月，以后会纳入ORANGEBLOSSOM项目下的OAKSTAR（栎树明星）计划，进行电话数据收集。新计划将会从国安局私企合作伙伴管理的广告链接中收集情报信息，并有望应用于阿富汗国家军队、中东地区、非洲大陆有限地区以及欧洲国家。

同样，OAKSTAR计划内容是国安局私企合作“伙伴”之一（代号“钢铁骑士”，STEELKNIGHT）利用外国电讯系统将数据拦截并转送到国安局数据库中。该合作伙伴曾以拉丁美洲（代号“银风”，SILVERZEPHYR）为目标， 在2009年11月11日的一份文件中称从巴西和哥伦比亚获得了“内部通信信息”。

STORMBREW计划是“在与联邦调查局的机密合作”下完成的，该计划旨在改变通过美国国内各个“关卡”的互联网和电话信息流量，因为在某一时

银风 FAA DNI-利用 启动于NSAW（绝密//敏感信息//不得向国外透露）

作者姓名 已隐匿 2009-11-06 0918

（绝密//敏感信息//NF）2009年11月5日，SSO-OAKSTAR SILVERZEPHYR利用项目开始想NSAW发送DNI纪录，途径是借助合作伙伴网站安装的FAA WealthyCluster/Tellurian系统。SSO与数据流办公室协调，发送了大量数据来检验分区的有效性，结果发现极为成功。SSO将会继续监控数据的流量和收集，以保证随时发现异常并纠正。SILVERZEPHYR将继续向客户提供得到授权的DNI收集。当前SSI正在与合作伙伴一起利用另外的80G数量的DNI数据，这些数据是以10G为单位储存在网络上的。在NSAT和GNDA的支持下，OAKSTAR团队刚刚完成了一份为期12天的通信情报在线测试，发现了超过200个新链接。调查期间，GNDA跟合作伙伴一起检验了他们的自动控制系统的工作强度。OAKSTAR也在跟NSAT合作检验巴西和哥伦比亚的合作伙伴拍摄的快照，因为其中都可能含有那些国家的内部通信信息。

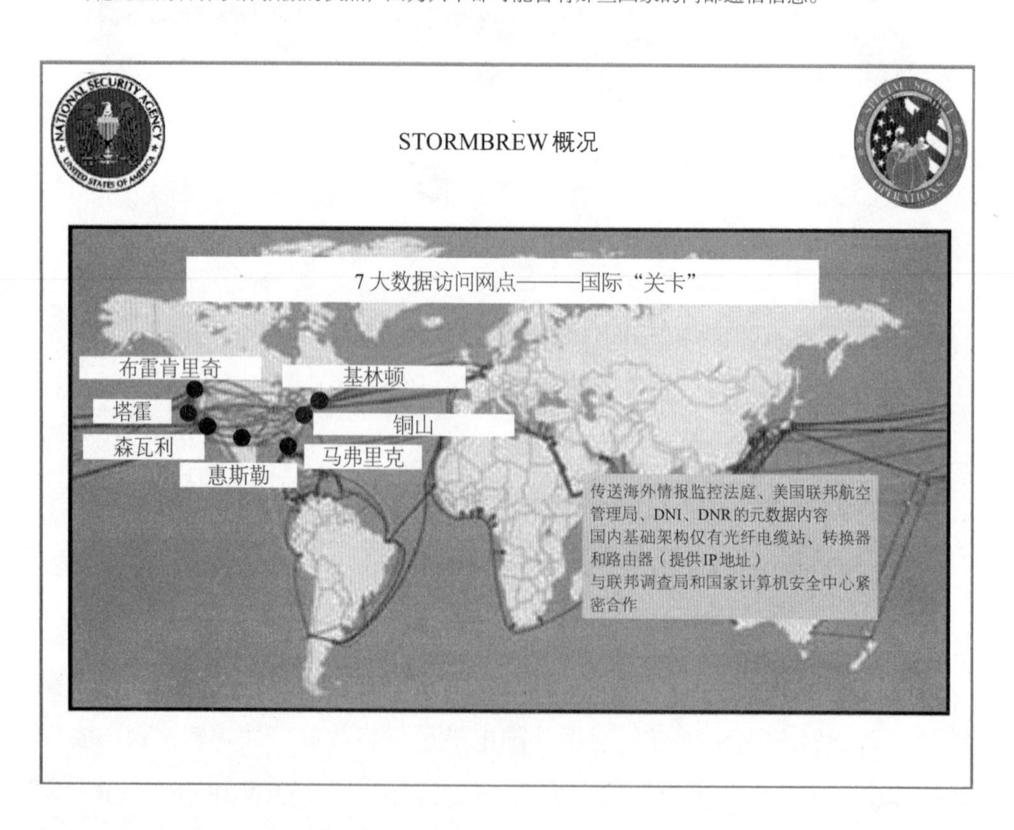

刻世界上主要的互联网信息流量都会进入美国的通信基础架构，这是美国在建设互联网的主要目的外残留的副产品。有些“关卡”的名字实为虚构：

国安局称：“这个话题十分敏感，但现阶段暴风酝酿计划是由两家代号为ARTIFICE和WOLFPOINT的美国电讯服务商在执行。”除了控制美国本土的通信信息流动“关卡”,“暴风酝酿计划还掌握这两条通往数据网点的海下电缆，一条位于美国西海岸，代号为布雷肯里奇；一条位于美国东海岸，代号为奎尔奎克。”

之所以给这些数据网点起代号名称是因为私企合作伙伴的身份是国安局最需要严密保守的机密之一，包含这些代码关键信息的文件都在国安局被严格保密，斯诺登也无法取得这些文件。即使如此，斯诺登的泄密还是暴露了部分合作企业的身份，最有名的就是有关“棱镜”计划的文件中详细记录了国安局和世界上最大的互联网公司——脸书、雅虎、苹果、谷歌签订的秘密协议，并与微软公司展开大范围合作以便进入其通信平台，比如Skype和Outlook。

“棱镜”计划跟BLARNEY、FAIRVIEW、OAKSTAR和STOMBREW不同之处在于；后者是在通信信息通过光纤电缆和其他基础通信设施时对其进行收集（国安局称为“上游”监控计划）；而前者则允许国安局从9家大型互

联网公司的服务器上直接收集数据信息。

但是，这张关于“棱镜”计划的幻灯片中提到的九大互联网公司均否认允许国安局进入他们的服务器后台。脸书和谷歌公司辩称他们只向国安局提供其获得授权范围内的信息，他们对于“棱镜”计划的理解只是技术上微不足道的一点小调整，一个公司向国安局合法提供数据的微升级版信息传送系统。

但是大量的事实表明他们在说谎。第一，雅虎公司在法庭上极力辩驳，称国安局使用各种手段强迫他们参与“棱镜”计划。如果这个项目仅仅是一场微不足道的变革，一个升级版的信息传送系统的话，国安局不会下这么大气力。（国外情报监视法庭驳回了雅虎公司的申诉，命令其参与“棱镜”计划。）

第二，《华盛顿邮报》的记者巴顿·格尔曼因为“夸大”“棱镜”计划而遭受严厉指责之后，再次深入调查该计划，依然坚持《华盛顿邮报》的中心立场：“专门负责‘棱镜’计划的政府雇员可以在他们遍布世界各地的工作站内

Gmail facebook Hotmail msn YAHOO! Google skype paltalk.com YouTube AOL mail

SPECIAL SOURCE OPERATIONS

PRISM

FAA 修订法 702 号实施意见

同时使用“棱镜”计划和“上游”计划的原因

	“棱镜”计划	上游计划
DNI 选择器	√9 家本土数据提供者	√全球资源
DNR 选择器	× 即将推出	√全球资源
（搜寻）储存通信信息	√	×
实时数据收集（监控）	√	√
主题信息收集	×	√
语音信息收集	√数字化模拟信号	√
与通信信息提供者的直接关系	× 只通过联邦调查局	√

执行任务，他们不需要跟互联网公司的员工打交道就可以获得想要的信息。”

第三，这些互联网公司针对“棱镜”计划做出的否认显然是经过商量的，言语间字斟句酌、闪烁其词。美国民权联盟的技术专家克里斯·索菲安（Chris Soghoian）告诉《外交政策》杂志：否认为国安局开“后门”的谷歌公司使用高科技术语告诉国安局获取信息的具体方法。这些公司最终并没有否认他们与国安局合作建立了一套系统，使得国安局可以直接获取公司数据。

最后，国安局反复强调“棱镜”计划在日益扩大的监控项目中至关重要，它特有的数据收集能力是其他项目所不具备的。一张国安局内部的幻灯片详细展示了“棱镜”计划特殊的监控能力。

另一张幻灯片，则详细记录了国安局通过“棱镜”计划获得的通信信息范围。

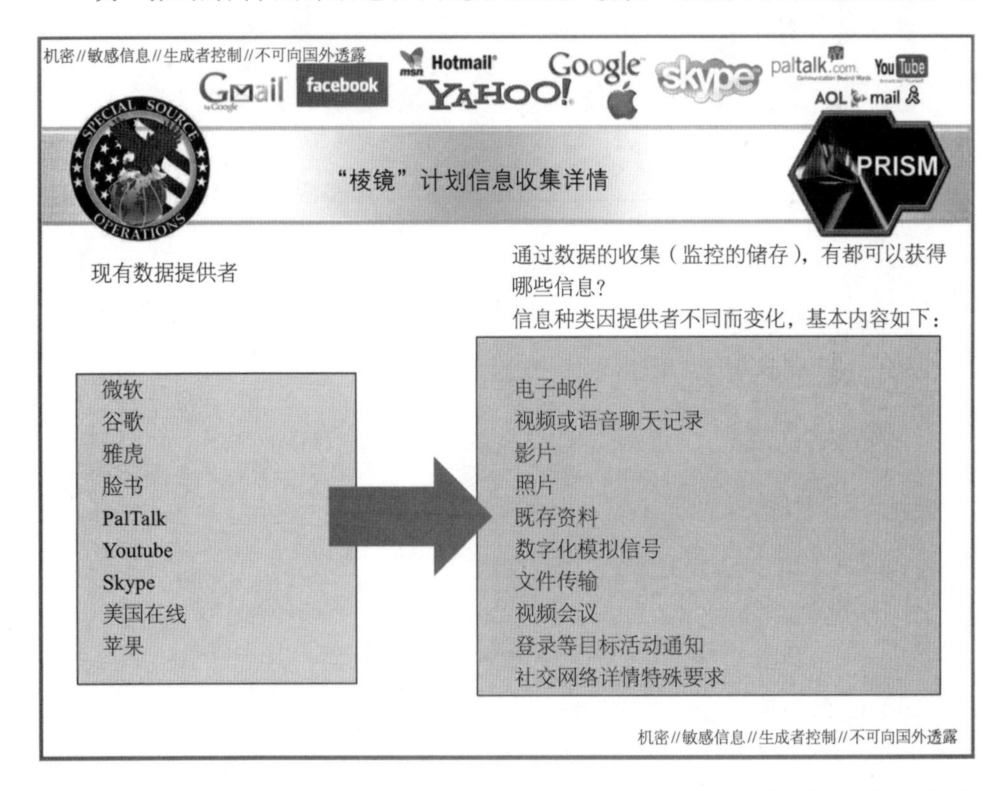

又另一张国安局内部幻灯片详细展示了“棱镜”项目是如何一步步帮助扩大国安局的数据收集量的。

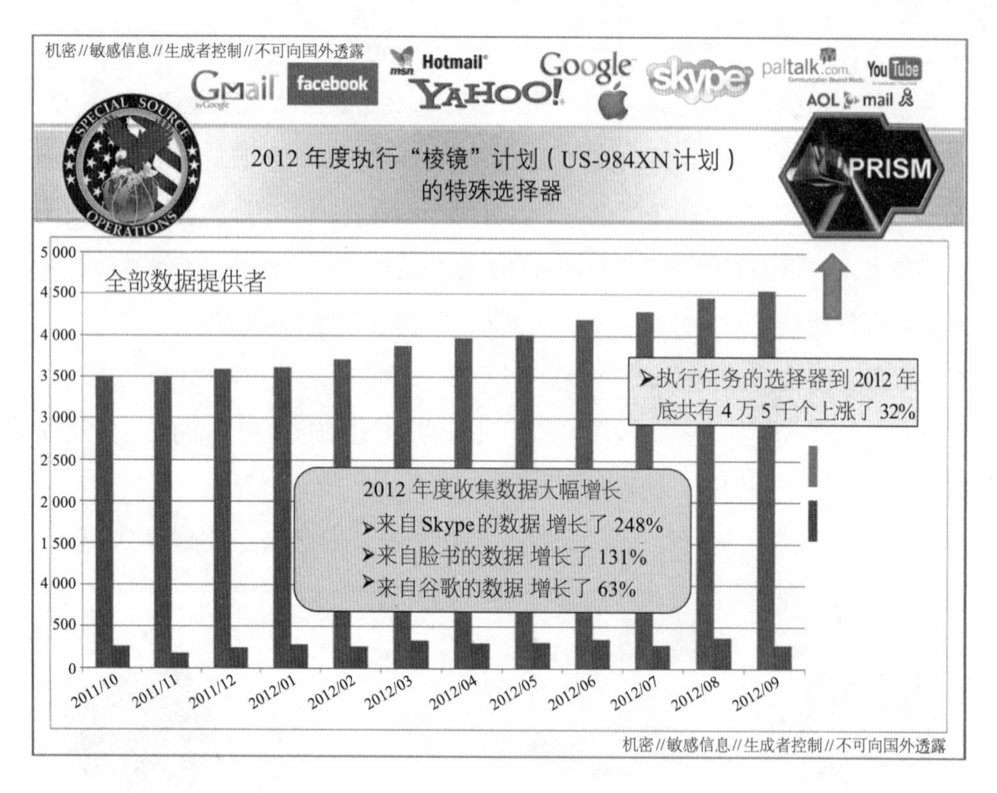

特别来源行动部经常在其内部公告栏上对“棱镜”计划提供的大量数据价值提出表扬。2012 年 11 月 19 日的一则公告标题就是“‘棱镜’计划影响力的扩大：2012 财政年度各项指标”。

（绝密//敏感信息//生成者控制//不可向国外透露）在 2012 财政年度，“棱镜”计划（美国-984XW）通过增加工作量、加强信息收集和运作改善，扩展了其对国安局监控方面的影响力。下面是在 2012 财政年度“棱镜”计划取得的几项亮点成绩：

- “棱镜”计划是国安局提交报告时引用最大的情报来源。在 2012 年，主要根据“棱镜”计划内容完成的报告数量在国安局列第一位，占到 15.1%（2011 年是 14%）。以“棱镜”计划情报作为次要信息来源完成的报告占到 13.4%（2011 年是 11.9%），同样位于前列
- 2012 年“棱镜”计划情报形成的报告数量是 24096 个，比 2011 年增加 27%
- 2011 年和 2012 年作为单一情报来源形成报告的比例是 74%
- 2012 年总统在每天的情报通气会上引用“棱镜”计划情报的次数是 1477 次（是国安局各项计划引用最多的，占到 18%）；在 2011 年是 1152 次（占 15%，同样居于前列）
- 2012 年提供的信息基本元素数量：4186（占所有信息需要的 32%）；单纯由“棱镜”计划完成的就有 220 种；截至 2012 年 9 月，选择的数量比例就上升了 32%，达到 45406 项
- 在 Skype 的信息收集和处理方面取得巨大成功，实现了对高级目标的监控
- 能够监控的电子邮件域名从 40 个增加到 22000 个

这种祝贺性的公告并不足以让人信服棱镜计划只会带来改变这种说法，也让人难以相信硅谷方面对合作的否认。斯诺登泄密事件之后，《纽约时报》在报道有关“棱镜”计划时还提到了国安局与硅谷之间的大量秘密协议，这些协议使得国安局不受任何限制自由进入硅谷的网络科技公司的内部系统。《纽约时报》称：“当政府官员来到硅谷，要求世界上最大的互联网公司以更简便的方式将用户数据移交给他们用作秘密监控计划时，这些公司十分恼火。不过，最后很多公司都多多少少与国安局进行了合作。”

推特公司拒绝为政府提供便利。但是据有关知情人士透露，有些公司非常愿意这么做。他们与国家安全部门官员讨论如何提高技术手段可以在法律许可的范围内更有效、更安全地共享国外用户的个人数据资料。有些时候，他们会改变公司的电脑系统来完成任务。

《纽约时报》报道说这些协议“表明了政府与科技公司之间合作的复杂程度以及他们幕后交易的深度”。对于这些公司只向国安局提供合法帮助的说法，文章同时也予以了反驳：“尽管应海外情报监控法庭要求提交数据信息是合法的，但是为政府提供便利收集信息却不是合法的，这也就是为什么推特公司拒绝这样做的理由。”

这些互联网公司只向国安局提供法律要求的数据信息这种说法也是不成立的。因为如果要锁定并获取一名美国国民的通信信息，国安局仅需获得个人授权即可。要想获得美国本土外的任何一名非美国公民的通信数据是不需要任何特殊许可的，即使他（她）交流的对象是美国公民。同样地，政府依据对《爱国者法案》笼统宽泛的解读，没有对国安局大量的数据信息收集进行任何检查或者限制，这使得该法案的原作者听闻都不禁咋舌。

国安局和私企之间的密切合作也许在涉及微软公司的一些文件里得以最好的体现，文件表明微软公司积极地创造条件，帮助国安局从该公司旗下几个最常用的在线服务SkyDrive、Skype和Outlook上收集信息。

SkyDrive全球用户超过2.5亿，使用者可以在线存储文件，然后利用各种设备访问这些文件。微软公司的SkyDrive网站宣称："我们相信，非常重要的一点在于你能控制哪些人可以接触你在线存储的数据。"然而正如国安局的一份文件详细描述的，微软公司花费了"数月时间"来研究如何让政府更轻松地利用这些数据：

（绝密//敏感信息//不可向国外透露）

微软网盘存储已经成为"棱镜"计划标准存储通信收集的一部分

作者姓名 已隐匿 2013-03-08 1500

（绝密//敏感信息//不可向国外透露）自2013年3月7日起，"棱镜"计划已经开始收集微软网盘存储的信息，用于海外情报监控方面的工作。这意味着分析师不再需要向特别行动小组提交申请，尽管许多分析师可能都了解这个程序。这种新的能力使得国安局可以更及时更全面地收集情报。这要归功于联邦调查局花费数月时间来与微软公司沟通以建立这种渠道。"云储存技术可以让用户通过多种方式储存利用他们的文件。这种功能还包括支持微软程序的免费网络应用程序，这样一来，用户即使手头的设备没安装微软办公软件也可以创建、编辑和查看各种办公文件。（来源：维基百科S314）

2011年底，微软公司收购了Skype，该软件具有网络电话和聊天功能，在全球有多达6亿6300万人使用。微软公司向Skype用户保证"Skype承诺尊重您的隐私,并对您的个人资料、流量资料和通信内容予以保密"。可事实上政府获取这些数据非常容易。到2013年初，国安局系统内部诸多信息就表明他们对Skype用户通信的监控程度取得了稳定进展：

（绝密//敏感信息//不可向国外透露）

"棱镜"计划具备了收集Skype存储通信信息情报的新能力

作者姓名 已隐匿 2013-04-03 0631

（绝密//敏感信息//不可向国外透露）"棱镜"计划具备了一项新的情报收集能力：Skype存储的通信情报。此类情报具有不同于实时监控所收集情报的特点。特别行动小组期望能够获取好友名单、信用卡信息、通话数据记录、用户账户信息等资料。2013年3月29日，特别行动小组向SV41和联邦调查局的电子通信监控处提交了约2000个Skype存储数据选择参数由其裁定。SV41先前就在开展相关工作，已选取了约100个最优先采用的选择参数供电子通信监控处评估。SV41可能需要几周时间才能完成2000个参数的裁定，电子通信监控处则可能需要更长的时间才能核准。截至4月2日，电子通信监控处已经核准了30个选择参数用于Skype的情报收集。用不到两年时间，"棱镜"计划在国安局的情报收集方面独树一帜，主要目标则包括恐怖主义、叙利亚政权及其反对派、以及情报方面的系列特别报告。2011年4月至今，根据"棱镜"计划从Skype收集的情报已经发布了2800多份报告，其中76%的报告是纯粹基于此类情报。

（绝密//敏感信息//不可向国外透露）

特别行动小组扩展了“棱镜”计划在Skype方面的目标监控能力

作者姓名 已隐匿 2013-04-03 0629

（绝密//敏感信息//不可向国外透露）2013年3月15日，特别行动小组开始把用于微软公司的各种“棱镜”选择器用于Skype，因为该软件允许用户利用不同的账户身份登录。在此之前，“棱镜”计划并不收集利用Skype之外的账号登录的用户的信息，结果导致信息有遗漏。这一举措将改变原有的不足。实际上，用户可以利用任何电子邮箱来创建Skype账户。当前情况下UTT并不允许分析师利用“棱镜”计划监控非微软公司邮箱创建的账户，不过却准备在今年夏天这样做。与此同时，国安局、联邦调查局和司法部在过去的6个月里一直在协调，希望扩展“棱镜”计划的微软方面用途到Skype。由此导致约9800个选择器被交给Skype公司，从而使得原本未必收集到的信息也得到了收集。

微软公司与国安局的合作过程不仅非透明化，而且有悖Skype的公开声明。美国民权联盟（或美国公民自由联盟）的技术专家克里斯·索菲安说，斯诺登的泄密让许多Skype的客户感到震惊：“Skype曾经信誓旦旦地向用户保证其没有能力实施监听，可是现如今微软公司一方面与国安局进行秘密合作，一方面高调地与谷歌公司就隐私保护问题进行竞争，这很难让其自圆其说。”

2013年，微软将其电子邮件门户Outlook升级，将包括广泛使用的hotmail.com在内的所有通信服务合并为一个核心项目。该公司宣称，新Outlook拥有高级别加密措施保护隐私，并提出“保护您的隐私是我们的头等大事”的宣传语。然而，国安局的文件表明其担心微软向Outlook用户提供的加密技术会对他们接触用户通信信息造成困难。特别来源行动部在2012年8月22日的备忘录中提出了如下担忧，“使用此网站意味着新生成的电子邮件将默认加密设置”，并且“如果双方使用微软加密聊天客户端时进行交流，网站上的聊天内容也会被加密”。

但在仅仅几个月中，当这两大实体走到一起，携手为国安局提供方法来规避微软公司标榜的对于隐私保护至关重要的加密技术时，问题便迎刃而解了。

另一个文件写道，联邦调查局也和微软公司进行了进一步的合作，帮助国安局规避新版Outlook的加密设置以达到其监视目的，“联邦调查局的数据拦截技术小组（Data Intercept Technology Unit，DITU）正在与微软公司共同研究Outlook.com的一个附加功能，即允许用户以别名创建电子邮件，这给我

（绝密//敏感信息//不可向国外透露）微软发布新的服务项目，
影响到FAA702 的情报收集

作者姓名（已隐匿）2012-12-26 0811

（绝密//敏感信息//不可向国外透露）7 月 31 日，微软公司开始引入新的Outlook服务为网络聊天加密。这种新的安全套接层加密方式切断了情报圈常用的FAA702 式信息收集，甚至可能影响到FAA12333。微软公司跟联邦调查局合作，开发了处理这种新式安全套接层的监控手段。2012 年 12 月 12 日，这些方案通过检验、开始使用。新的解决方案被用到了全部海外情报监控和“棱镜”计划内容，但并没有改变UTT的任务安排。新式安全套接层并不收集基于服务器的声音/图像或文件传递。微软公司传统的收集系统仍然被用于声音/图像或文件传递过程中的情报收集。这样一来，就会因为两种途径的存在而出现情报收集的某些重复，但这个问题将来会加以解决。CES 发现由于新方案的采用，情报收集的数量有了增长。

们的信息收集带来了影响。现在正在使用跟其他的方法和手段解决这个问题。”

斯诺登的文件中提及了联邦调查局，这绝非偶然。其实情报圈各路人马都能利用国安局收集的庞大数据，因为他们定期跟中情局和联邦调查局等机构分享这些数据。国安局之所以如此大规模的收集原始通信数据，一个主要目的就在于推动这些信息的共享。事实上，跟各种通信数据收集方案相关的几乎每一份文件都提到还涉及另外一些情报机构。国安局下属的特殊来源行动组 2012 年时关于分享“棱镜”计划数据的这段文字就宣称“‘棱镜’计划是一项多方参与的工作”！

（绝密//敏感信息//不可向国外透露）
加大跟联邦调查局和中情局共享“棱镜”计划的力度

作者姓名（已隐匿）2012-08-31，0947

（绝密//敏感信息//不可向国外透露）最近以来，特殊来源行动组通过两个项目加大了与联邦调查局和中情局共享“棱镜”计划的力度。通过上述努力，特殊来源行动组已经创造出在情报圈共享信息、团队合作的环境。特殊来源行动组的PRINTAURA团队为通信信号情报理事会解决了一个问题，途径是编写一个软件，每两周自动收集关于“棱镜”计划选择的一批对象的资料提交给联邦调查局和中情局。这就使得我们的合作伙伴可以得悉国安局安排“棱镜”计划监控了哪些人。联邦调查局和中情局从而就可以索取“棱镜”计划收集的资料，因为这是 2008 年通过的海外情报监控法修正案允许的。PRINTAURA团队开展这项工作前，通信信号情报理事会给联邦调查局和中情局提供的一直是不完整、不准确的数据，导致我们的合作伙伴无法充分利用“棱镜”计划获取的情报。PRINTAURA团队主动去从多个来源收集关于监控对象的详细数据并将其加以整理。在第二个项目中，“棱镜”计划的项目主管最近开始给联邦调查局和中情局提供关于“棱镜”计划的运作信息和指导方针，这样他们的分析人员就可以恰当地为“棱镜”计划安排任务，了解运行情况和变化，最大化地发挥它的效用。项目主管协调后通信信号情报理事会的海外情报监控法修正案团队统一每周共享这种信息，而这种做法也受到了好评。从这两个方面不难看出，“棱镜”计划是一项多方参与的工作！

除了“上游”计划（来自光纤电缆）和从互联网公司的服务器上直接收集数据信息（“棱镜”计划）外，国安局还实施了一个名为“计算机网络利用”的计划，将恶意软件植入用户电脑进行监视。用国安局的内部术语来说，只有当国安局将这样的恶意软件成功安装之后，它才能够“拥有”这台电脑：监视敲击键盘输入的每一个字符和浏览过的每一个页面。获取特定情报行动办公室（Tailored Access Operations，TAO）负责这些任务的执行。实际上，TAO是国安局的绝密黑客小组。

根据国安局内部文件记载，这项计划实施范围非常广，国安局至少给5万台私人电脑安装了一种叫作“量子注入”的恶意软件。下图展示了这些应用软件的使用地区和成功植入的数量：

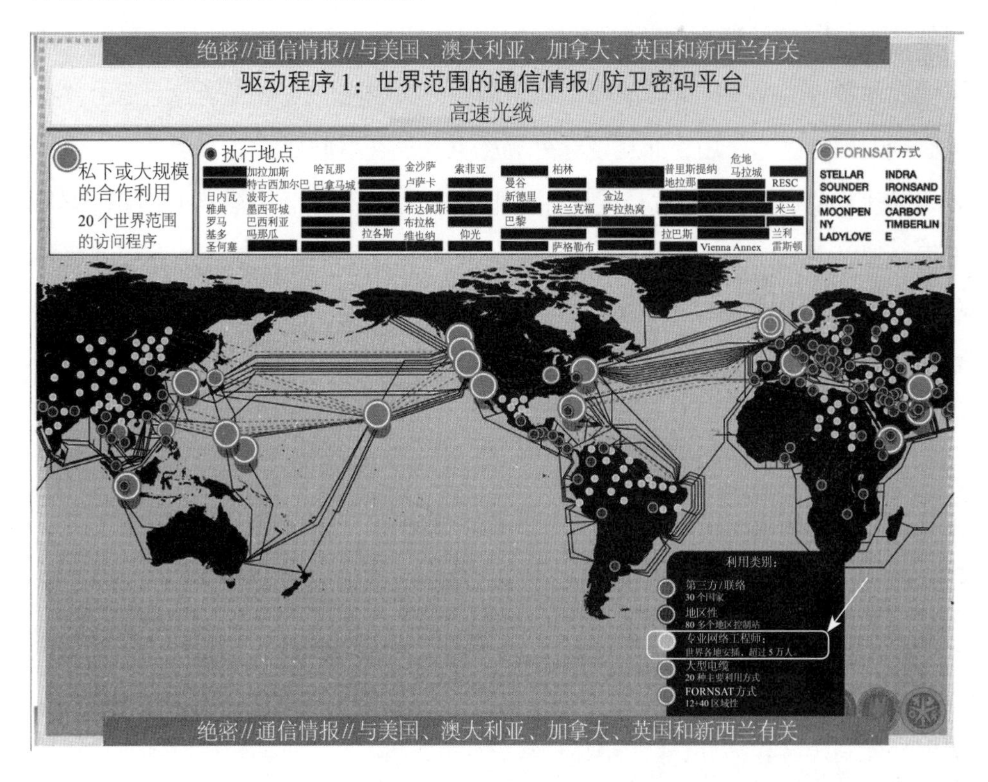

分析了斯诺登提供的文件后，《纽约时报》报道指出，国安局实际上“在世界各地近10万台计算机上”安装了软件。尽管安装这种恶意软件时借助的

是“计算机网络，但国安局却在利用一种秘密技术，即使计算机不连接互联网，也能侵入系统并修改其中的数据”。

除其他情报机构外，国安局还跟别国政府合作来打造监控系统。大致说来，国安局与其他国家有3类不同的关系：第一类是“五眼”情报联盟国家，美国跟这些国家共享情报，但却很少针对他们进行监控；针对第二类国家，国安局则与它们合作，通过特定的监控项目共同收集情报，但同时也针对它们进行广泛监控；第三类国家包括的是美国密集监控但却几乎从不开展合作的国家。

在“五眼”情报联盟内部，美国最亲密的盟友是英国的国家通信情报局。根据斯诺登提供的文件，《卫报》曾经报道说：“在过去3年间，为了能够利用并对英国的情报收集计划施加影响，美国政府先后向英国的间谍机构国家通信情报局支付了至少1亿英镑。”这些投入也推动着国家通信情报局来支持国安局的各种监控安排。国家通信情报局在一次秘密的战略通气会上指出，“我们必须发挥自己的作用，而且要让外界感觉我们在尽职尽责”。

“五眼”情报联盟的成员彼此知悉他们的大部分监控内容，每年都在信号发展会议上交流情况，宣扬他们的进展和先前一年取得的成绩。国安局副局长约翰·英格里斯（John Inglis）曾经这样评论“五眼”情报联盟：我们的“情报工作从许多方面看是协助努力的结果——本质上是确保为了共同利益充分发挥彼此的能力。”

涉及范围广泛的许多监控方案都是“五眼”情报联盟的成员开展的，而这其中又有许多涉及英国国家通信情报局这个组织。需要特别注意的是，这家机构跟美国国安局一直在合作破解保护网银和病理检索这类个人互联网交易安全方面的常用加密技术。这两家机构成功地在那些加密系统安装了后门程序，从而可以窥探私人的交易情况，更糟糕的是还让这些系统变得更加脆弱，更容易受到黑客和另外一些外国情报机构的侵袭。

英国国家通信情报局还对世界上的水下光纤电缆通信数据进行了大规模的拦截。据《卫报》报道，通过实施Tempora计划，国家通信情报局具备了“接入光纤电缆并存取其中大量数据的能力，时间长达30天，从而可以对其进行甄别分析”，这样一来，“英国国家通信情报局和美国国安局就能接触并分析无辜平民之间通信的大量数据”。截取的数据包罗万象，“有电话的通话记录，电子邮件的通信内容，脸书的条目，以及互联网用户浏览网站的历史记录，不一而足。”

国家通信情报局的监控活动跟美国国安局的工作一样广泛全面而又不需要解释：

> 这家机构的远大目标单从其两项主要任务的名称就可见一斑：“掌控互联网”和“利用全球电信”，目的在于掌控尽可能多的网络和电话通信信息。这一切都是在公众毫不知情的情况下开展的。

加拿大跟美国国安局的合作也非常积极，而且本身也具备强悍的监控实力。在2012年的信号发展会议上，加拿大通信安全局（Communications Security Establishment Canada，CSEC）吹嘘说他们瞄准了巴西矿产和能源部，因为巴西的这家机构掌控着对加拿大公司来说利益攸关的一个行业：

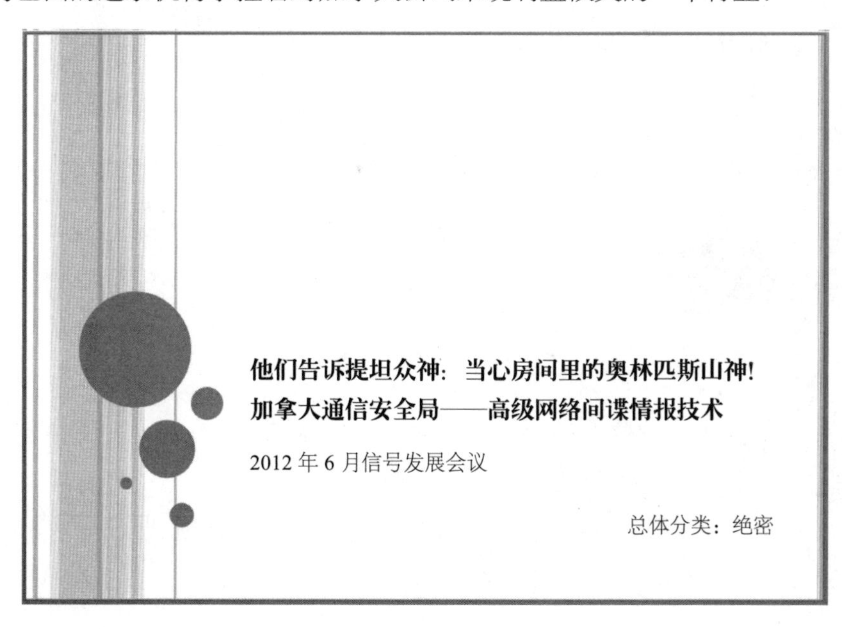

奥林匹亚与个案研究

加拿大通信安全局的网络知识引擎

多样化的数据来源
链式扩充方式
自动分析

巴西矿产和能源部

开发新的目标
受限使用/目标信息

加拿大通信安全局　　绝密//敏感信息

证据表明，加拿大通信安全局和美国国安局存在广泛合作，为了国安局的利益，在他们的请求下，加拿大在世界各地为通信监控安排的间谍岗位，还针对国安局确定的贸易伙伴对象开展间谍活动。

绝密//敏感信息//与美国相关，
"五眼"情报联盟

国家安全局/
中央安全局

资料文件

2013 年
4 月 3 日

主题：（U//仅用于公务）国安局与加拿大通信安全局的情报关系

（U）美国国安局向合作方提供：

（S//敏感信息//与美国相关，加拿大）信号情报：国安局与加拿大通信安全局合作确定了大约20个高优先级的国家。国安局与之分享技术进展、加密能力、用于当前情报收集的软件和资源、处理分析方面的工作，以及情报保障能力。跟通信安全局的情报交换包括世界范围内全国性和跨国性的目标。国安局并没有向通信安全局拨付统一密码程序资金，但有时候却为跟通信安全局合作的一些研发和技术支出提供经费。

（U）合作方向美国国安局提供：

（绝密//敏感信息//与美国相关，加拿大）加拿大通信安全局提供高级情报收集、处理和分析的资源，而且在美国国安局的要求下设立了隐秘的工作场所。加拿大通信安全局跟美国国安局共享他们因为地理位置方便而特有的一些监控条件，同时还提供加密产品、密码分析、技术和软件。通信安全局已经增加了涉及共同利益的一些研发项目的投入。

"五眼"情报联盟成员国家的关系非常密切，他们不仅允许，甚至有时候还要求美国国安局监控本国国民。《卫报》报道的一份2007年的备忘录中提到一份协议，"允许国安局'公开'并坚持对先前界定为受到限制的一些英国人进行信息监控"。另外，2007年时还将规定改为"允许国安局分析并保存他们通过自己的手段获取的英国公民的移动电话和传真号码、电子邮箱和IP地址"。

2011年，澳大利亚政府曾请求美国国安局加大对其国民的监控。2月21日，澳大利亚国防情报信号指挥部的副主任给国安局通信信号情报理事会去信，说澳大利亚"确定无疑地面临'国内土生土长的'极端分子的邪恶威胁，他们在澳大利亚国内外都很活跃"。他请求对澳大利亚政府认定为可疑的一些澳大利亚国民的通信情况加强监控：

尽管我们为了监控他们的通信情况已经付出了不懈努力，但在获取可靠的常规通信情报方面仍然面临困难，从而制约了我们发现并克制恐怖分子的能力，限制了我们保护澳大利亚公民以及我们的亲密盟友的生命和安全的能力。

长期以来，我们一直与美国国安局存在富有成效的合作，获取了美国收集的关于在印尼的恐怖分子方面的重要情报。这些情报对国防情报信号指挥部克制恐怖分子在我国的行动极为关键，最近巴厘岛爆炸案的逃犯乌玛尔·帕特克（Umar Patek）被捕就是实例。

我们非常乐意加大与美国国安局的合作力度，监控范围会涉及国际恐怖活动的日益扩大的澳大利亚人，尤其是那些参加阿拉伯半岛基地组织的澳大利亚人更是如此。

下一个层次的合作是跟国安局的另一个层面的盟友：那些跟国安局进行有限合作而因为过度监控成为被监控目标的国家。国安局显然已经明确划分了这两个层次的盟友关系：

机密//禁止向联盟外方成员展示//20201123

A层次 全面合作	澳大利亚 加拿大 新西兰 英国
B层次 重点合作	奥地利 比利时 捷克 丹麦 德国 希腊 匈牙利 冰岛 意大利 日本 卢森堡 荷兰 挪威 波兰 葡萄牙 韩国 西班牙 瑞典 瑞士 土耳其

利用与此不同的名称（把B层次称为“第三方”），时间更近的一份2013财政年度国安局文件“外国合作方评估”中透露，国安局的合作伙伴一直有增无减，甚至包括了北约这样的国际组织。

跟英国国家通信情报局的情况一样，美国国安局也经常通过向合作伙伴支付技术研发和监控经费而维持这些合作关系，因此他们可以对监控的方式进行指导。2012财政年度的“外国合作方评估”显示，许多国家和地区收到了此类经费，其中包括加拿大、以色列、日本、巴基斯坦、中国台湾和泰国。

绝密//通信情报//涉及美国、澳大利亚、加拿大、英国和新西兰

获准的信号情报合作方

第二方

澳大利亚
加拿大
新西兰
英国

联盟机构/多方

空军系统司令部
北约
SSEUR
SSPAC

第三方

阿尔及利亚
奥地利
比利时
克罗地亚
捷克
丹麦
埃塞俄比亚
芬兰
法国
德国
希腊
匈牙利
印度
以色列
意大利
日本
约旦
韩国
马其顿
荷兰
挪威
巴基斯坦
波兰
罗马尼亚
沙特阿拉伯
新加坡
西班牙
瑞典
中国台湾
泰国
突尼斯
土耳其
阿联酋

绝密//通信情报//涉及美国、澳大利亚、加拿大、英国和新西兰

尤其值得指出的是，国安局与以色列也有监控方面的合作，即使不能说关系更密切的话，其密切程度甚至经常会与“五眼”情报联盟成员之间的关系不相上下。国安局和以色列情报机构之间达成的一份谅解备忘录详细地描述了美国方面是如何通过不同寻常的安排，定期与对方分享涉及美国公民通信情况的原始情报。共享这些情报时甚至都没有经过“最小化”过程，尽管这个过程是从法律角度要求实施、旨在把关于美国民众的通信数据最小化。提供给以色列的数据中包括“未经评估、没有进行最小化处理的转录材料、主旨内容、复印件、电传材料、语音信息以及数字化网络情报方面的原始数据和材料。”

让人尤其感觉这种情报分享实属过分的是相关材料交付以色列一方时，都没经过法律上明确要求的“最小化处理”过程。“最小化”处理这一程序的宗旨在于，如果美国国安局的大规模监控发现的某些通信数据超过了他们的权限范围，就应该立即将其销毁，不再让其进一步传播。正如其他法律一样，“最

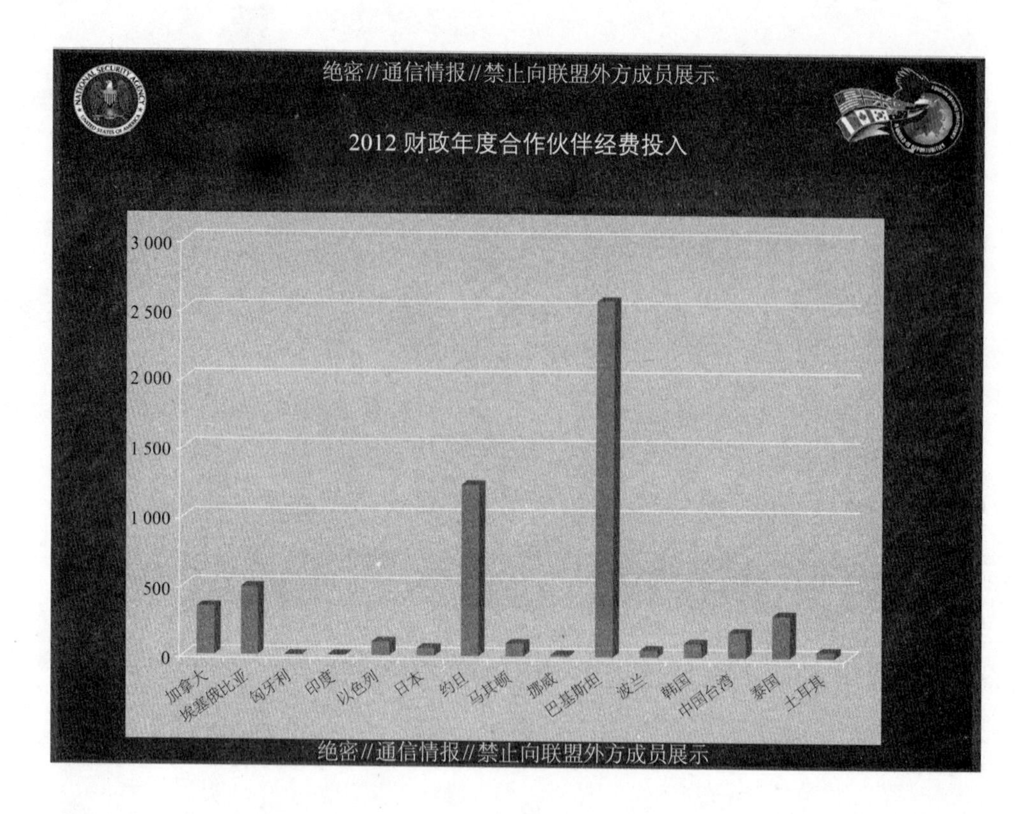

小化”的要求已经存在众多漏洞，比如在涉及“重要海外情报信息”或“存在犯罪证据时”都可以得到豁免。但在向以色列情报机构提供数据这件事上，美国国安局显然已经彻底抛开了有关的规定。

备忘录直截了当地指出，“美国国安局固定为以色列国家通信情报局提供经过最小化处理和没有处理的原始情报。”

强调了有些国家可以既是监控合作伙伴又是监控目标后，国安局介绍以色列合作历史的一份文件提到了“围绕先前的ISR运作存在的互信问题”，认为以色列是对美国监控最下气力的国家之一：

> 也有一些出人意料的地方……法国通过技术方面的情报收集瞄准了美国国防部，以色列也以美国为目标。一方面，以色列人是我们通信情报收集方面杰出的合作伙伴；但另一方面，他们也以我们为目标，希望了解我们在中东问题上的立场。有一份国家情报评估方面的材料认为以色列在监控美国情报方面排名第三。

这份报告还指出，尽管两个国家的情报机构存在密切的合作关系，但美国方面提供的大量情报并没有收到多少回报。以色列情报人员只对收集对他们有帮助的数据感兴趣。正如国安局所抱怨的，推动双方合作的原因“几乎完全”是出于以色列的需要。

> 平衡美国和以色列在通信情报方面的需求一直是个挑战。在过去10年间，毋庸置疑这方面更加有利于以色列方面的安全需求。“9 · 11”事件发生后，美国国安局的唯一第三方合作伙伴关系却几乎一直是受到合作方需要的驱动。

第三个层面是那些经常成为美国监控目标、绝非合作伙伴的国家。不难想象，这里面包括被美方视为对手的一些国家，比如中国、俄罗斯、伊朗、委内瑞拉以及叙利亚，但其中也包括通常比较友好以及持中立立场的国家，比如巴西、墨西哥、阿根廷、印度尼西亚、肯尼亚和南非。

作为对国安局爆料事件的回应，美国政府努力辩解，说跟外国人不同，美国民众并没有受到国安局无所不在的监控。2013年6月18日，奥巴马总统告诉查理 · 罗斯（Charlie Rose）：“我可以非常明确地告诉你，如果你是美国公民，那么国安局就不能监听你的电话……这是法律规定，除非他们……申请得到法庭批准，找到恰当的理由，就像以往的情况那样。”共和党国会情报委员会主席迈克 · 罗杰斯（Mike Rogers）告诉美国有线电视新闻网的记者，国安局“没有监控美国民众的电话。如果他们这样做，那就是非法的，是在违反法律”。

这是一种相当奇怪的策略：切切实实地告诉其他国家的民众美国国安局只侵犯非美国公民的隐私。全世界的人都非常清晰地听到了这个信息：隐私保护只针对美国公民。这个信息激发了强烈的国际性愤怒，甚至就连脸书的首席执行官马克 · 扎克伯格（Mark Zuckerberg），这位并不以强烈支持隐私保护出名的人，都抱怨说美国政府针对国安局丑闻的回应“搞砸了”，让国际性互联网公司的利益陷入危险：“政府方面说‘不要担心，我们没有监控美国民众’。不错，这对希望跟世界各地民众合作的公司来说确实有‘帮助’。谢谢他们表达得如此直白，但我认为这样做确实糟糕透顶。”

除让人感觉奇怪外，这种说法也显然存在问题。跟奥巴马总统与高官们的反复否认相反，国安局一直在没有合理依据的情况下监控美国民众的通信情况。正如先前提到的，2008 年的《海外情报监控法案》允许国安局在没有授权的情况下监控美国人的通信内容，只要通信的另一方是被确定为目标的外国人。国安局将这种情况称为“附带的”收集信息，就好像他们在未经允许的情况下监控美国人是某种计划外的事件一样。但其中的含义很具欺骗性。正像美国民权联盟的法律副总监贾米勒·贾法尔（Jameel Jaffer）所解释的：

> 政府方面经常说对美国民众的这种监控是“偶然的”，给人的感觉是国安局对美国民众电话和电子邮件的监控是无意之举，甚至从政府的角度看也是令人遗憾的。
>
> 但布什政府的官员向国会申请这种监控权时，他们明确申明说美国民众的通信对他们是利益攸关的。比如，在国会 2006 年的海外情报监控法案第 109 次司法听证会上，迈克尔·海登提到，“一方在美国”的某些通信“对我们来说是最重要的”。
>
> 2008 年这项立法的主要目的就是授权政府收集美国民众的国际通信，而且是在没有明确通信哪一方有违法之举的情况下进行收集。政府的支持方有很多人希望掩盖这个事实，但这却事关重大：为了收集大量的通信内容，政府不需要首先把某些每个人“定为目标”。

耶鲁法学院教授杰克·巴尔金（Jack Balkin）也同意，《海外情报监控法案》确实赋予了总统——目前是奥巴马总统——权力推出监控方案，“实质上类似小布什时代私下实施的那种未授权监控方案”。“这些监控方案可能就难免要包括许多涉及美国人的电话通话，这些人可能跟恐怖主义和基地组织完全没有关联”。

让奥巴马做出的保证越发显得不可信的是，海外情报监控法庭对国安局奴颜婢膝、有求必应。国安局的辩护者们经常说海外情报监控法庭的允许是他们监控的依据，但设立这一法庭只是装点门面，并没有真正制约政府的权力，只是做出改革的姿态来平息20世纪70年代披露的监控权滥用所引发的众怒。

这家机构在制约滥用监控权方面的毫无建树是显而易见的，因为海外情报监控法庭几乎达不到我们的社会通常认为的司法体制元素应具备的任何特点。法庭的活动绝对保密，裁决内容自动被列为“绝密”，而且只有政府一方获准出庭陈词。多年来，法庭都设在司法部内部，这意味着它是行政分支的一处机构，而不是真正发挥监管作用的独立法庭。

结果自然不言而喻：该法庭几乎从未拒绝过国安局监控美国公民的具体申请。从一开始，海外情报监控法庭就成了真正的橡皮图章，从1978到2002年的24年间，它拒绝政府申请的总数是零，而批准的数量则是数以千计。再截至2012年的随后10年间，该法庭只拒绝了11次政府申请，批准的申请数量却超过2万次。

2008年海外情报监控法案的条款之一是要求行政部门每年向国会公开法庭收到并批准或要求调整或拒绝的监听申请数量。2012年披露的数据显示，该法庭批准了1788项申请，对40项申请“要求调整”，也就是缩小范围，只占3%。

2012年向海外情报监控法庭提交的申请（法案第107款，美国国会1807号）

2012年，政府向海外情报监控法庭提交了1856项授权申请，意在为外国情报开展电子监控和/或人工搜索。1856项申请中包括单纯的电子监控、单纯的人工搜索以及二者兼具的授权申请，其中有1789项申请涉及电子监控方面的授权。
这1789项申请中，政府撤回了1项，其他申请全部得到了海外情报监控法庭的批准。

2011的情况也是如此。国安局提交了1676项申请，海外情报监控法庭对30项提出了调整要求，“但却没有否决任何一项”。

从另外一些统计数据也可以看出该法庭对国安局是多么顺从。下面列举的是在过去6年间海外情报监控法庭对国安局依据《爱国者法案》提交的各种申请的回应，他们申请的目的是获取美国公民的商业记录，包括电话、财务和医疗等方面。

政府向海外情报监控法庭提交的申请

年度	政府提交的申请数量	海外情报监控法庭否决的数量
2005	155	0
2006	43	0
2007	17	0
2008	13	0
2009	21	0
2010	96	0
2011	205	0

数据来源：国家情报总监办公室发布的文件，2013 年 11 月 18 日

因此，即使是在数量有限的向海外情报监控法庭申请授权的情况下，这个流程更多的是监管方面的一种遮掩，而不是对国安局真正的制约。

另一层监管表面上是源自国会两院的情报委员会，这两个机构也是 20 世纪 70 年代的监控丑闻余波后设立的，但它们比海外情报监控法案还要消极。成立旨在对情报圈发挥“警惕的法律监控”的情报委员会负责人是华盛顿最支持国安局的那些人，如参议院情报委员会的民主党人戴安娜 · 范因斯坦以及众议院情报委员会的共和党人迈克 · 罗杰斯。范因斯坦和罗杰斯领衔的两委员会不仅对国安局的运作没有发挥任何制约作用，而且还把主要精力放在为国安局的所作所为进行辩护上。

正像《纽约客》杂志的莱恩 · 利兹（Ryan Lizza）在 2013 年 12 月的文章中所说的，这两个委员会“往往……把高级情报官员像偶像一样对待”。列席过参议院委员会关于国安局活动听证会的人看到参议员“质询”国安局官员的场面时经常会感到震惊。质询的过程中往往是参议员们长篇大论地讲述对“9 · 11”事件的回忆，以及防范将来的袭击有多么重要。他们放弃了讯问那些官员、履行监管职责的机会，而是为国安局辩护。这就是过去 10 年间情报委员会发挥的真正作用。

实际上，监管委员会的主席们有时候为国安局提供的保护甚至比国安局官员本人还要更积极。2013 年 8 月的有一段时间，两位国会议员——福罗里达州的民主党人艾伦 · 格雷森（Alan Grayson）和弗吉尼亚州的共和党人摩根 · 格里菲斯（Morgan Griffith）——都曾单独找我，抱怨说情报委员会阻碍他们和另外一些国会成员了解关于国安局的一些最基本的信息，以免他们真正受到监管。他们都给我看过各自写给主席罗杰斯手下要求提供关于媒体报道的监控方案信息的信件，说受到了百般阻挠。

斯诺登爆料后参议院出现关于改革国安局的讨论时，民主党和共和党内长期以来一直为监控权滥用问题而忧虑的一批参议员开始起草法案，希望真正对国安局的权力予以制约。以俄勒冈州民主党参议员罗恩 · 怀登为首的这些改革派人士立刻就碰到了麻烦：参议院的国安局拥趸伺机开倒车，希望立法做出表面上的改革，而实际上增加国安局的权力。“假改革”派的领导者是戴安娜 · 范因斯坦——那位最应该对国安局行使“监管权”的参议员。11 月间《石板》（*Slate*）杂志的戴夫 · 威格尔（Dave Weigel）曾这样报道：

> 国安局海量数据收集和监控方案的批评者们从未对国会的无所作为担心过。他们原本期待国会采取一些看起来像改革但实质上却为曝光的做法辩解的措施。其实这就是一直以来出现的情况，针对 2001 年《爱国者法案》的每一项修正案或修订都是留出更多的活动余地，而不是加以制约。
>
> “我们面对的是一个‘情况一如既往的团队’——他们包括政府情报圈里有影响的人物、智库和学界的盟友、退休的政府官员，以及持支持态度的立法者，”上个月俄勒冈州民主党参议员罗恩 · 怀登警告说，“他们的终结目的是确保监控方面的任何改革都只是表面的……没有真正保护隐私的隐私保护根本不值一提。”

戴安娜 · 范因斯坦原本是主要负责监控国安局的参议员，但一直以来就是美国国家安全利益方面的忠实拥趸，她坚定地支持伊拉克战争，毫不动摇地维护布什时代国安局的监控方案。嫁给千万富翁军火承包商的范因斯坦，非常适合担任宣称要监督情报圈的委员会的主席，尽管该委员会多年来一直发挥的是相反的作用。

虽然政府方面一再否认，但国安局并没在监控对象和方式方面受到任何实质性的限制。即使存在有名无实的限制时——也就是监控目标为美国人的时候——申请授权的流程基本上也是流于形式。国安局无疑是一家流氓机构：它能在没有多少制约、不需要承担什么责任的情况下为所欲为。

大致说来，国安局收集两种类型的信息：通信内容和元数据。“通信内容”指的是通过监听电话、阅读电子邮件和网上聊天的内容了解到的信息，以及浏览网页和搜索这类普通的上网信息。“元数据”（Metadata）指的是收集关于这些通信内容的数据。国安局将这些称为“信息和内容（但却不指内容本身）”。

关于电子邮件的元数据会记录电子邮件的收发方、主题以及发送者的位置。至于电话通话，这方面的信息包括通话双方的身份、时长、通常还包括他们的位置和使用的通话器材。在关于电话通话的一份文件中，国安局列举了他

秘密//通信情报//不可向国外透露//20320108

ICRREACH领域的通信元数据字段

（秘密//不可向国外透露）国安局在这些领域有监控数据：

• 主叫/被叫号码，日期、时间和通话时长

（秘密//敏感信息//相关信息）ICREACH领域的用户可以看到下列领域的电话元数据：

日期及时间
通话时长
被叫号码
主叫号码
接收传真方
发送传真方
国际移动用户识别码
临时移动用户识别码

国际移动设备标识码
移动用户综合服务数据网络
移动拨打号码
呼叫线路识别（主叫ID）
目标短消息实体
发送短消息实体
异地注册

秘密//通信情报//不可向国外透露//20320108

们收集存储的元数据。

美国政府一直坚称斯诺登档案中披露的多数监控情况涉及的都是收集“元数据，而不是通话内容”，努力暗示这种监控并不侵犯隐私，至少达不到拦截通话内容那种程度。戴安娜·范因斯坦曾经在《今日美国》非常明确地论证说对所有美国人电话记录元数据的收集根本“不是监控”，因为这“并没有收集通话的具体内容”。

这些了无诚意的言辞掩盖了下面的事实：元数据监控往往比拦截内容还要容易造成侵扰。如果政府知道你的全部通话对象、所有电子邮件通信，以及电话通话的时间长度，那他们就可以非常全面地描绘出你的生活、你的各种联系和活动，甚至包括你最密切、最私密的一些个人信息。

美国民权协会提交过一份宣誓书质疑国安局元数据收集方案的合法性，普林斯顿大学计算机科学和公共事务方面的教授爱德华·菲尔顿（Edward Felten）在其中解释了为什么元数据监控可能尤其会泄露信息：

> 考虑一下这个假设的例子：一位年轻女子给妇科医生打电话，然后又接着给母亲打电话，然后又给过去几个月里晚上11点后经常联系的一位男士打电话，最后给提供堕胎服务的计生中心打电话。这样下来，就可能围绕着这些通话勾画出一个故事，尽管单纯看一次通话的记录情况并不这么明显。

哪怕只有一次电话，元数据的内容可能也要比通话内容提供更多的信息。以一名女性给堕胎诊所打电话为例。单纯监听她的电话或许会发现她泛泛地预约或跟诊所确认预约情况（“东区诊所”或“琼斯医生的诊室”），但元数据透露的信息不止如此，它还会透露被联系者的身份。如果有人给婚恋机构、同性恋中心、戒毒诊所、艾滋病专家、同性恋中心或自杀热线打电话，情况同样如此。类似的，元数据也能披露人权主义者跟高压政权下知情人的接触，或者持有机密情报的知情人给记者打电话爆料高层不法之举的情况。如果你在夜深时分经常给配偶之外的人打电话，元数据也会透露出这些内容。它不仅记录你联系的对象和频率，而且记录你的朋友和同事的所有联系人，从而可以勾画出你的联系网络的全景图。

的确，正如菲尔顿教授所指出的，由于语言的差异、俚语的使用、谈话中的跑题、密码的运用，以及其他有意无意的原因造成的意义混乱，监听电话是很困难的。在他看来，"由于本质上结构无序，通话的内容要自动分析要困难得多"。相比之下，元数据就很准确了：简单明了、容易分析，往往是"通话内容的替代"。

> ……电话元数据可以……透露出关于我们习惯和社会关系方面的大量信息。从拨打电话的模式可以看出我们的作息规律，如果有人在安息日有规律地打电话或者在圣诞节的时候频频联系别人，从中也可以看出他的宗教信仰情况，还能看出我们的工作习惯、社交能力、朋友数量，甚至能看出我们的民事和政治关系。

菲尔顿教授写道，总而言之，单纯通过分析具体目标的细节情况，"大量收集的数据就可以让政府不仅了解关于更多人的情况，而且使得政府可以知悉原本了解不到的私密信息"。

跟奥巴马总统和国安局一贯的说法相反，该机构的很大一部分工作跟反恐或国家安全根本无关。斯诺登提供的档案中披露的大部分内容都只能称作经济间谍活动：针对巴西石油巨头巴西石油公司（Petrobras）、美洲国家组织、拉美经济会议、委内瑞拉和墨西哥的能源公司的监听和电子邮件拦截，国安局的盟友（包括加拿大、挪威和瑞典在内）针对巴西矿产和能源部以及另外几个国家能源公司开展的监控活动。

美国国安局和英国国家通信情报局提供的一份重要文件详细列举了主要涉及经济方面的一些监控目标：巴西石油公司、谷歌的基础设施、环球银行金融电信协会（SWIFT）的银行系统，以及俄罗斯天然气公司（Gazprom）和俄

绝密//敏感信息//与美国有关，“五眼”情报联盟

专用网络非常重要

- 许多目标使用专用网络

谷歌基础设施	环球银行金融电信协会银行系统
法国外长	俄罗斯天然气公司
（机构名称已隐匿）	（机构名称已隐匿）
（机构名称已隐匿）	（机构名称已隐匿）
	（机构名称已隐匿）
俄罗斯航空公司	（机构名称已隐匿）
Warid电信公司	（机构名称已隐匿）
巴西石油公司	（机构名称已隐匿）

- 调查得知：黑珍珠系统30%~40%的通信流量至少有一处专有终端。

绝密//敏感信息//与美国有关，“五眼”情报联盟

罗斯航空公司（Aeroflot）。

这些年来，奥巴马总统和手下高官一直在强烈谴责中国将监控能力用于经济目的，坚称美国和盟友国家从没做过这样的事情。然而《华盛顿邮报》却援引国安局发言人的话，说该局隶属的国防部“确实在开展计算机网络利用方面的工作”，但他们却“**没有**在任何领域开展经济方面的谍报活动，包括‘网络’在内”（着重号为原文所加）。

国安局自己的文件也证明了他们尽管不肯承认，但确实在从事经济方面的谍报活动。这家机构是效力于他们所谓的“客户”，其中不仅包括白宫、国务院和中情局，而且包括单纯的经济机构，比如美国贸易代表办公室、农业部、财政部和商务部：

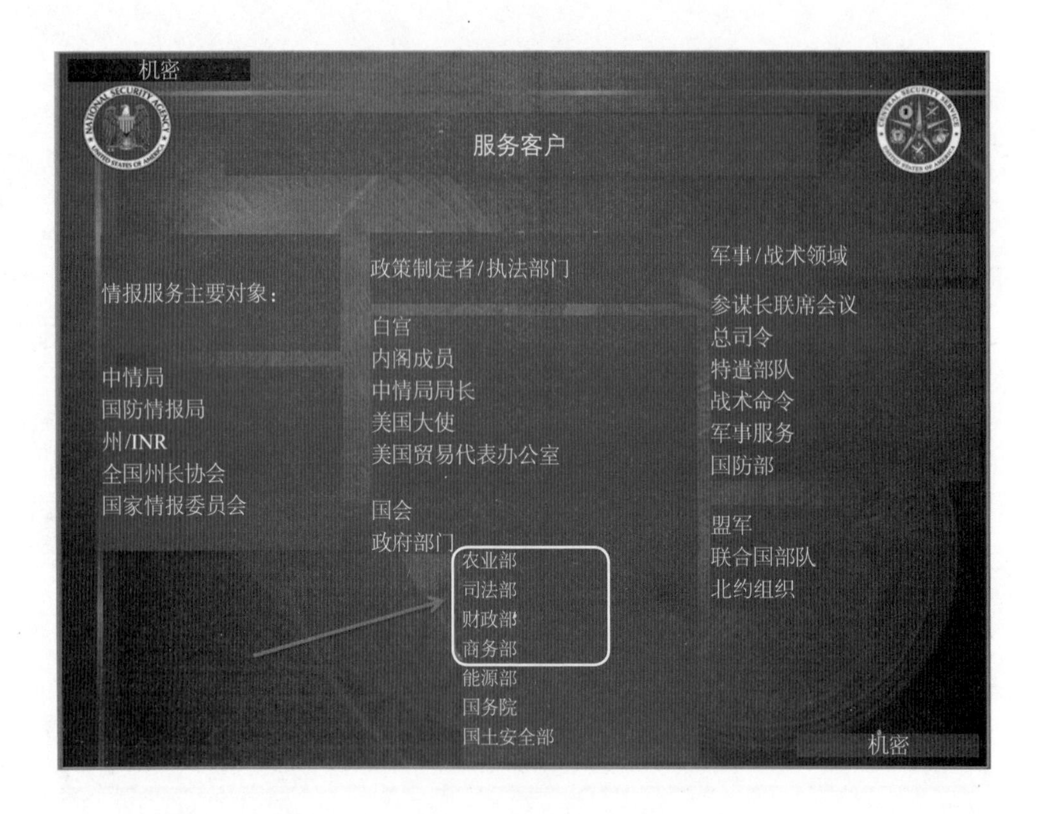

在对BLARNEY方案的介绍中，国安局列举了他们受命去给“客户”提供的信息类型，分别是“反恐”、“外交”以及“经济”。

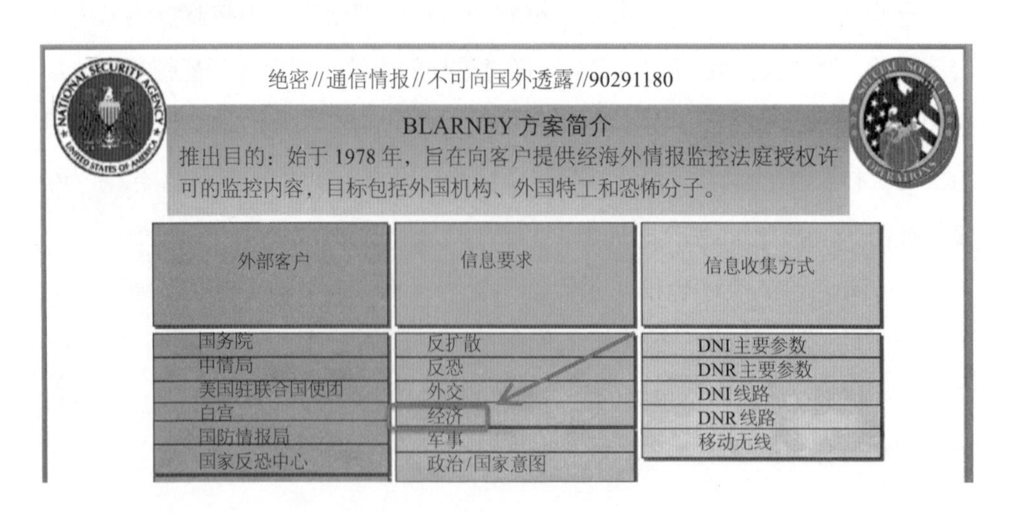

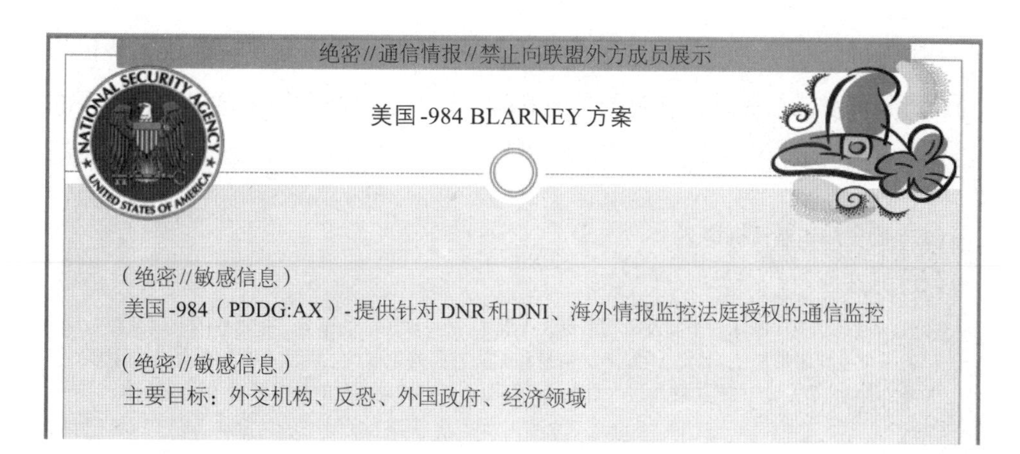

关于国安局在经济方面兴趣的进一步证据也在2013年2月2-8日那一周的一份关于“棱镜”计划的文件中有所体现,文件透露了该周要“汇报话题”的一个“样本”。从各国收集的信息类型的清单清清楚楚地包含了经济和金融类别,其中有“能源”、“贸易”和“石油”。

墨西哥

毒品
能源
国内安全
政治

日本

贸易
以色列

委内瑞拉

国防采购
石油

国安局国际安全问题机构掌控情况 2006 年的一份备忘录中描述了该机构的经济和贸易谍报活动，针对的是比利时、日本、巴西和德国这样各种类型的国家，用词可谓直言不讳：

> （U）国安局华盛顿机构
>
> （U）地区性
>
> （绝密//敏感信息）国际安全问题机构负责 3 大洲 13 个民族国际的事务。把这些国家联系在一起的一个重要纽带是他们对美国经济、贸易和国防方面的重要性。西欧和战略合作分部主要关注比利时、法国、德国、意大利、西班牙、巴西、日本和墨西哥的外交政策和贸易活动。
>
> （绝密//敏感信息）能源和资源分部提供影响世界经济关键国家的能源生产和开发方面的专门情报。当前的重点目标是下列国家：（已隐匿）。情报报告的内容包括对目标国家能源部门国际投资的监控、电气和检测控制和数据采集方面的升级、以及远期能源项目的计算机辅助设计。

报道斯诺登披露的一批关于英国国家通信情报局的文件时，《纽约时报》指出，监控的目标往往包括金融机构和“国际救援机构和外国能源公司的负责人，还包括参与反对美国技术行业倾销的一名欧盟官员”。文章进一步指出，美国和英国的情报机构“监控各类人员的通信情况，包括欧盟官员、非洲领导人在内的外国领袖、有时候还监控他们的家人，再就是联合国和其他救助项目（比如联合国儿童基金会）的负责人，以及监管石油和财政部的官员。”

开展经济谍报工作的原因是显而易见的。美国政府在贸易和经济谈判过程中利用国安局监听其他国家的战略计划后就可以为本国的相应行业赢得丰厚的回报。2009 年，助理国务卿托马斯 · 香农（Thomas Shannon）致信基思 · 亚历山大，为在第五届美洲峰会期间国务院得到的“杰出通信情报支持表达谢意，祝贺他们取得的成绩”，而那次会议就是商谈经济方面协定的。在信中他特别提到监控活动让美方在谈判中占得了先机：

> 国安局提供的 100 多份报告让我们可以深入了解其他参会方的计划和意图，确保了我们的外交官能够精心准备，为奥巴马总统和希拉里 · 克林顿国务卿提出解决争议问题的意见，比如古巴问题，让他们可以有效应对身份对等的谈判对象，比如委内瑞拉总统查韦斯。

正如前面的文件提到“政治领域”时所指的，国安局同样也开展外交领域的谍报活动。举个极端的例子，国安局曾经把巴西现任总统迪尔马·罗塞夫（Dilma Rousseff）和“她的主要顾问”确定为目标，还曾经把2011年时处于领先地位的墨西哥总统候选人（现任总统）恩里克·佩尼亚·涅托（Enrique Peña Nieto）以及他的“9个关系密切的同事”确定为目标，进行全面监控。文件中甚至还列举了截获的涅托和一位“关系密切的同事”之间发送的短信息。

绝密//通信情报//与美国、英国、澳大利亚、加拿大和新西兰有关

（U//仅用于公事）SRC42 加大努力

（U）目标

（绝密//敏感信息//相关信息）进一步增进了对巴西总统迪尔马·罗塞夫与主要顾问之间通信手段和方式的了解

绝密//通信情报//与美国、英国、澳大利亚、加拿大和新西兰有关

S

不难分析为什么巴西和墨西哥的政治领袖会成为美国国安局的目标。这两个国家都有丰富的石油资源，而且是影响力深厚的区域大国。尽管远远算不上敌对国家，但他们也不是美国关系最密切、最值得信赖的盟友。国安局的一份计划方面的文件题为“明确挑战：2014~2019地缘政治走势”，该文件把上述两个国家列入的类别是“朋友、敌人，还是麻烦？”列入其中的国家还有埃及、

绝密//通信情报//与美国、英国、澳大利亚、加拿大和新西兰有关

（U//仅用于公事）SRC41 加大努力

（绝密//敏感信息//相关信息）国安局的墨西哥领导人小组（S2C41）针对墨西哥的主要总统候选人恩里克·佩尼亚·涅托以及他9个关系密切的同事开展了一次为期两周的目标监控增强。多数政治评论员都认为涅托可能赢得2012年7月举行的总统大选。该小组在此过程中进行了图解分析。

绝密//通信情报//与美国、英国、澳大利亚、加拿大和新西兰有关

S

绝密//通信情报//与美国、英国、澳大利亚、加拿大和新西兰有关

（U）结果

- （机密//敏感信息//相关信息）85489 文本信息

有意思的信息

Me dice Jorge Corona Srio de EPN que el escucho que BPR se iba con Moreira no es asi? Y pues va soka salvo que le digas a alguien,,Assoc ID not requested,not requested,not requested,,,

- （绝密//敏感信息//相关信息）涅托关系密切的同事：豪尔赫·科罗纳
- （绝密//敏感信息//相关信息）同行者数量

,Mi Querido Alex el nuevo titular de Com. Social es Juan Ramon Flores su cel es el ID Nuevo Srio. Part. Es Lic. Miguel Angel Gonzalez Cel el Nuevo ID de JORGE CORONA es un abrazo y seguimos en contacto avisame si llego el msj. por favor.....,

S 绝密//通信情报//与美国、英国、澳大利亚、加拿大和新西兰有关

绝密//通信情报//与美国、英国、澳大利亚、加拿大和新西兰有关

（U）结论

- （机密//相关信息）对接触对象进行增强图解过滤是一种简单有效的技术，可以帮你发现先前难以获取的结果，增强分析能力。

- （绝密//敏感信息//相关信息）跟S2C团队合作，SATC团队可以将这种技术成功地用于影响面广的巴西和墨西哥目标。

绝密//通信情报//与美国、英国、澳大利亚、加拿大和新西兰有关

印度、伊朗、沙特阿拉伯、索马里、苏丹、土耳其和也门。

但归根结底，不管是这个例子还是多数其他实例，关于确定具体目标的问题都是以一个错误的前提为基础的。国安局并不需要任何具体的理由或理论依据来监控私人的通信。这家机构存在的目的就是收集全部信息。

总之，关于国安局监控外国首脑的爆料并不像他们无法无天地监控全体民众那么反响重大。多少世纪以来，国家之间都针对彼此的首脑开展谍报工作，连盟国的首脑都包括在内。这并没有什么了不起的，尽管世人在得悉国安局多年来一直监控德国总理安吉拉·默克尔（Angela Merkel）的手机后也提出了强烈抗议。

更值得警惕的是，尽管爆料指出国安局监控了他们的数百万民众，但一个又一个国家的政治领袖们却只不过发出了温和的反对声音。只有当那些领导人搞清楚不仅仅是他们的国民，就连他们自己也成为监控目标的时候，真正意

义上的愤慨才得以大量表现出来。

尽管如此，达到国安局那种程度的外交监控仍然是不同寻常、引人注目的。比如，美国一直对联合国这样的国际组织全面监控以获取外交优势。SSO在2013年4月的一份简报就很典型，它解释了是如何利用监控手段在联合国秘书长跟奥巴马总统见面前就获取了他的谈话要点：

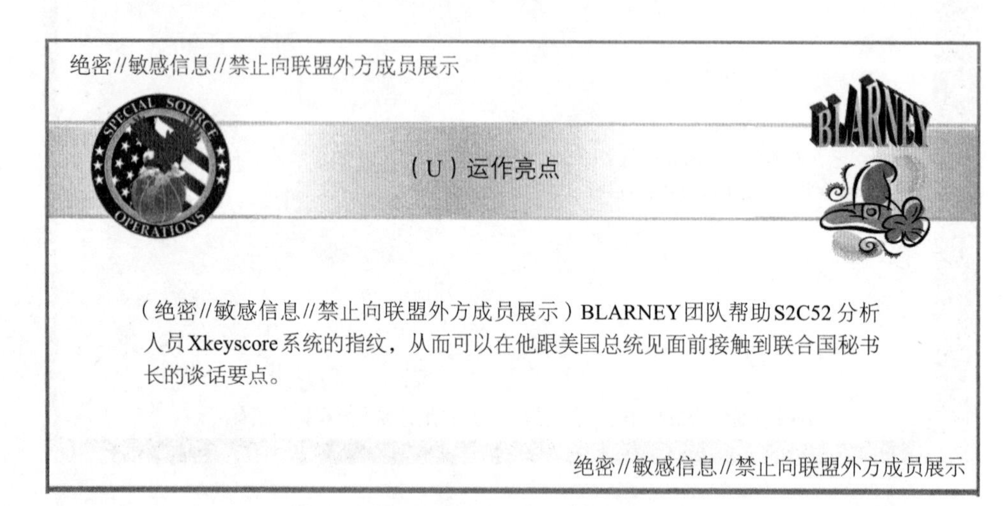

数量众多的文件中详细描述了当时担任驻联合国大使、目前担任奥巴马总统国家安全顾问的苏珊·赖斯一遍遍地要求国安局监控联合国主要成员国的内部讨论，希望知晓他们的谈判策略从而取得优势。SSO在2010年的一份报告描述了跟联合国安理会辩论的一项决议相关的此类监控过程，因为当时美国支持通过该项决议对伊朗实施新的制裁。

2010年8月一份类似的监控文件披露，针对随后关于制裁伊朗的一份联合国决议，美国对联合国安理会的8个成员国进行了监控，包括法国、巴西、日本和墨西哥，而这些都是友好国家。这些谍报活动给美国提供了他们投票意图方面的重要信息，从而使得华盛顿方面跟安理会其他成员国谈判时可以占优势。

（机密/敏感信息）BLARNEY团队在收集联合国安理会情报方面提供了出色支持

作者姓名 已隐匿 2010-05-28 1430

（绝密//敏感信息//不可向国外透露）由于联合国准备反对制裁伊朗，而且还有几个国家仍在犹豫不决，赖斯大使向国安局要求提供关于这些国家的通信情报，以便她制定战略。因为任务紧迫，而且不能超越法律权限，BLARNEY项目组就急切地与国安局内部及外部的合作伙伴一起迅速展开了工作。

（绝密//敏感信息//不可向国外透露）在OGC、SV，以及TOPIs团队急切地准备关于申请针对加蓬、乌干达、尼日利亚和波斯尼亚四个国家的国外情报监视法庭授权监控文件过程中，BLARNEY项目组的运作人员就已经在幕后收集数据，确定从长期合作的联邦调查局那边能获取或者可以获取何种情报。在他们努力收集关于在纽约的联合国人员和华盛顿的各国大使馆情报过程中，负责确定目标的人员也在通过数据分析，做好了各种准备工作，以保证尽快获取数据。包括法律组和目标确定组的几位人员还在5月22日周六那天被叫来辅助演练一下法律方面的文书申请，确保到5月24日周一那天国安局局长能够在文件上签名。

（机密/敏感信息）OGC和SV组成员积极申请授权的过程中，他们以打破纪录的速度拿到了国安局局长的签字、到国防部找国防部长签了字，然后到司法部找国外情报监视法庭的法官签了字。到5月26日周三那天所有四个授权文件都签了字！得到授权后，BLARNEY方案法律组的人就在同一天开始研究这四个授权文件和另一个“正常的”续期文件。同一天分析研究5个授权文件，这是BLARNEY的历史纪录！他们繁忙地开展工作的过程中，BLARNEY方案访问管理组的人向联邦调查局传递了任务信息，协调了与通信合作方的工作安排。

绝密//通信情报//禁止向联盟外方成员展示

2010年8月

（U//仅用于公务）：默默的成功：通信情报协同影响美国外交政策

从那些漫长的谈判过程的开端，国安局就在收集关于法国、日本、墨西哥和巴西的情报。

2010年春末，国安局5家机构、11个分部的业务人员一起向美国驻联合国大使和其他客户提供关于安理会成员国会如何诊断制裁伊朗的决议投票的最新准确信息。注意到伊朗继续在核武器方面对联合国决议持不合作态度后，联合国在2010年6月9日实施了进一步制裁。在帮助美国驻联合国大使掌握安理会其他成员国的投票意图方面，通信情报极为关键。

该项决议最后以12票支持、2票反对（巴西和土耳其）、黎巴嫩1票弃权获得了通过。据美国驻联合国大使讲，通信情报“帮我了解了另外哪些常任理事国没有撒谎……暴露了他们在制裁方面的真实立场……让我们在谈判中处于上风……还提供了不同国家关于谈判底线的信息”。

国安局已经能通过各种不同的渠道掌控美国许多关系最密切的盟国的大使馆和领事馆的情况。2010 年的一份文件——这里针对某些具体国家做了编辑——列举了设在美国的外交机构被国安局渗透的一些国家，随后的术语表显示了监控的不同类型。

2010 年 9 月 10 日

密切监控目标

所有密切监视的国内目标都是用的美国—3136 系列标识，每一个目标位置和任务都有一个特定的两个字母的后缀。密切监视的国外目标都是用的美国—3137 系列标识加一个两个字母的后缀。

（注：带有星号的目标要么是已经放弃，要么准备将来放弃。当局确定的地位请参看 TAO/RTD/ROS（961-1578s））

后缀	US-3136 目标/国家	位置	代号	任务
BE	巴西/大使馆	华盛顿	KATEEL	LIFESAVER
SI	巴西/大使馆	华盛顿	KATEEL	HIGHLANDS
VQ	巴西/联合国	纽约	POCOMOKE	HIGHLANDS
HN	巴西/联合国	纽约	POCOMOKE	VAGRANT
LJ	巴西/联合国	纽约	POCOMOKE	LIFESAVER
YL *	保加利亚/联合国	华盛顿	MERCED	LIGHLANDS
QX *	哥伦比亚/贸易局	纽约	BANISTER	LIFESAVER
DJ	欧盟/联合国	纽约	PERDIDO	HIGHLANDS
SS	欧盟/联合国	纽约	PERDIDO	LIFESAVER
KD	欧盟/大使馆	华盛顿	MAGOTHY	HIGHLANDS
IO	欧盟/大使馆	华盛顿	MAGOTHY	MINERALIZ
XJ	欧盟/大使馆	华盛顿	MAGOTHY	DROPMIRE
OF	法国/联合国	纽约	BLACKFOOT	HIGHANDS
VC	法国/联合国	纽约	BLACKFOOT	VAGRANT
UC	法国/大使馆	华盛顿	WABASH	HIGHLANDS
LO	法国/大使馆	华盛顿	WABASH	PBX
NK *	格鲁吉亚/大使馆	华盛顿	NAVARRO	HIGHLANDS
BY *	格鲁吉亚/大使馆	华盛顿	NAVARRO	VAGRANT
RX	希腊/联合国	纽约	POWELL	HIGHLANDS
HB	希腊/联合国	纽约	POWELL	LIFESAVER
CD	希腊/大使馆	华盛顿	KLONDIKE	HIGHLANDS
PJ	希腊/大使馆	华盛顿	KLONDIKE	LIFESAVER
JN	希腊/大使馆	华盛顿	KLONDIKE	PBX
MO *	印度/联合国	纽约	NASHUA	HIGHLANDS
QL *	印度/联合国	纽约	NASHUA	MAGNETIC
ON *	印度/联合国	纽约	NASHUA	VAGRANT

（续）

后缀	US-3136 目标/国家	位置	代号	任务
IS *	印度/联合国	纽约	NASHUA	LIFESAVER
OX *	印度/大使馆	华盛顿	OSAGE	LIFESAVER
CQ *	印度/大使馆	华盛顿	OSAGE	HIGHLANDS
TQ *	印度/大使馆	华盛顿	OSAGE	VAGRANT
CU *	印度/大使馆	华盛顿	OSWAYO	VAGRANT
DS *	印度/大使馆	华盛顿	OSWAYO	HIGHLANDS
SU *	意大利/大使馆	华盛顿	BRUNEAU	LIFESAVER
MV *	意大利/大使馆	华盛顿	HEMLOCK	HIGHLANDS
IP *	日本/联合国	纽约	MULBERRY	MINERALIZ
HF *	日本/联合国	纽约	MULBERRY	HIGHLANDS
BT *	日本/联合国	纽约	MULBERRY	MAGNETIC
RU *	日本/联合国	纽约	MULBERRY	VAGRANT
LM *	墨西哥/联合国	纽约	ALAMITO	LIFESAVER
UX *	斯洛文尼亚/大使馆	华盛顿	FLEMING	HIGHLANDS
SA *	斯洛文尼亚/大使馆	华盛顿	FLEMING	VAGRANT
XR *	南非/联合国和领事馆	纽约	DOBIE	HIGHLANNDS
RJ *	南非/联合国和领事馆	纽约	DOBIE	VAGRANT
YR *	韩国/联合国	纽约	SULPHUR	VAGRANT
TZ *	中国台湾/台北经济文化办事处	纽约	REQUETTE	VAGRANT
VN *	委内瑞拉/大使馆	华盛顿	YUKON	LIFESAVER
UR *	委内瑞拉/联合国	纽约	WESTPORT	LIFESAVER
NO *	越南/联合国	纽约	NAVAJO	HIGHLANDS
OU *	越南/联合国	纽约	NAVAJO	VAGRANT
GV *	越南/大使馆	华盛顿	PANTHER	HIGHLANDS

SIGAD US-3137
一般术语描述：
HIGHLANDS: 利用植入工具收集
VAGRANT: 屏幕信息收集
MINERALIZE: 磁散发的传感器收集
OCEAN: 栅格电脑屏幕的光学收集
LIFESAVER: 硬盘镜像
GENIE: 多级操作；跨越气隙等手段
BLACKHEART: 通过联邦调查局植入的工具收集
PBX: 公共部门交换开关
CRYPTO ENABLED: 通过AO的加密手段收集
DROPMIRE: 通过使用天线时的信号散发收集
CUSTOMS: 海关收集（非硬盘镜像）
DROPMIRE:激光打印机收集，纯属近端访问（非植入手段）
DEWSWEEPER: USB无线网桥
RADON: 以太网包双向注入工具

国安局的某些手段是可以用于各个领域的，比如经济、外交、安全等领域，能够获取一致有效的优势地位，这些手段是该机构运用范围最广、最具欺骗性的。多年来，美国政府就一直在警告说中国制造的路由器和其他互联网设施带来“威胁”，因为它们都带有后门监控装置，使得中国政府可以监控这些产品的用户。从国安局的文件可以看出，美国人一直在做的，恰恰是众议院情报委员会指责中国人在做的那种事情。

美国方面对中国互联网设备制造商的指责一直毫不留情。比如在2012年，迈克·罗杰斯担任主席的众议院情报委员会提交了一份报告，宣称中国的两大电信设备制造商华为和中兴通信“可能违反了美国法律”，说他们“没有遵循美国的法律义务或商业行为的国际标准”。该委员会建议“美国政府应该审慎地评估中国电信公司对美国电信市场的持续渗透”。

该委员会说担心这两家公司助长了中国政府的监控，尽管委员会也承认说没有实际证据证明他们在路由器和其他系统植入了监控设施。尽管如此，情报委员会还是说这两家公司不肯合作，建议美国公司避免购买他们的产品：

> 我们强烈建议美国的私营实体考虑一下购买华为和中兴通信公司产品或服务带来的长期安全风险。强烈建议美国网络供应商和系统开发商为他们的项目寻找供应商。根据现有的机密和非机密信息判断，我们不能确定华为和中兴没有受到外国政府的影响，因此他们会给美国和我们的系统造成安全方面的威胁。

无休止的指责造成了巨大的压力，2013年11月，华为公司69岁的创始人和总裁任正非宣布该公司准备放弃美国市场。据《外交政策》杂志报道，任正非在接受一家法国报纸的采访时说：“如果华为集团牵扯进中美关系并引起外交问题，那就不值得了。”

但是，尽管美国公司受到警告不要购买所谓不值得信赖的中国路由器，如果其他国家的机构能对美国制造的路由器警惕些，那么他们也就算得上行事谨慎了。2010 年 6 月间国安局监控和目标确定部的一份报告描述得清清楚楚、令人吃惊。报告指出，国安局在路由器、服务器和其他计算机网络设施出口发货前，都有规律地将其接收或拦截下来，安装后门监控工具，然后再加入厂家标识重新包装发货。这样一来，国安局就可以监控到世界各地的所有网络和用户。文件幸灾乐祸地评论说，有些“通信情报方面的谍报技术……实际上是手动操作的（就是字面上那个意思！）”。

2010 年 6 月

（U）隐身技术可以追踪一些通信情报方面最困难的目标

作者：（U//仅用于公务）姓名已删去，监控和目标确定部主任（S3261）

（绝密//敏感信息//不可向国外透漏）并非所有的通信情报谍报技术都涉及从几千英里外处理信号和网络……事实上，有时候是实际动手操作的（就是字面上那个意思！）。原理如下：即将发货到世界各地的网络设备（服务器、路由器等）被拦截下来，然后转运到一个秘密地点，由专门接入行动小组/接入行动小组的员工在远程操作中心的支持下，直接在目标对象购买的电子设备中植入信标。这些设备然后再重新包装，发送到原定的目的地。所有这一切都是在情报圈合伙人和专门接入行动小组的技术奇才支持下才得以完成。

（绝密//敏感信息//不可向国外透露）涉及供应链封锁的这种操作模式是专门接入行动小组最有效的操作手段之一，因为他们在世界各地的目标网络中预置了接入点。

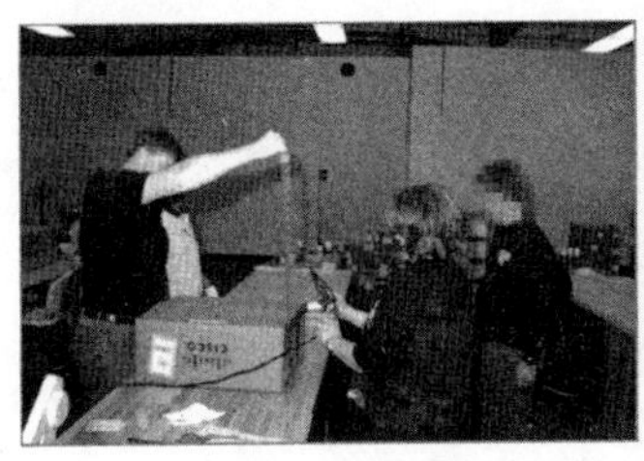

（绝密//敏感信息//不可向国外透漏）左：小心翼翼地打开截获的产品包装；右：在“装载台”上植入信标。

到最后，植入的设备将会重新连接到国安局的基础设施中：

（绝密//敏感信息//不可向国外透漏）最近又一次，通过供应链封锁途径植入的信标在几个月后跟国安局秘密的基础设施取得了联系，这样就使得我们可以进一步利用该装置来监控对方的网络情况。

除其他设备外，国安局还拦截处理思科公司生产的路由器和服务器，从而收集到庞大的互联网流量。文件中没有任何证据表明思科公司知晓或容忍了这些拦截举动。2013 年 4 月，国安局因为拦截到的思科公司网络交换机出现技术问题，导致BLARNEY、FAIRVIEW、OAKSTAR、STORMBREW等计划都出现了停滞：

绝密//通信情报//与美国相关，"五眼"情报联盟

（报告生成于 2013 年 4 月 11 日 下午 3：31：05）

NewCrossProgram

有效ECP数量 1

ECP引导者 姓名已隐匿

CrossProgram1-13 新生成

变化的标题：	各类思科交换机更新		
提交者：	姓名已隐匿	批准优先级	C路径
设置：	苹果1：巧妙的设施：持家者：炸面圈：牛肉汉堡：昆士兰：青葱：运动衫：基础：提坦姿势：基础：伯奇伍德：美泰格：鹰：伊登	项目：	没有输入项目
系统：	通信/网络 通信/网络 通信/网络 通信/网络	子系统	没有输入子系统
变化的描述：	思科光纤网络交换器软件全部更新		

第3章
收集一切

变更原因： 我们的全部思科光纤网络系统同步光纤网络多路转接器都出现了软件运行错误问题，间歇性地停止工作。

对行动造成的影响： 影响尚不清楚。尽管现有的问题似乎不影响通信，但使用更新后的软件就会有影响。糟糕的是，没有办法把问题确定清楚。我们尚未解决在实验室模拟软件的问题，因此也就不可能预测如果进行软件升级会出现什么问题。我们建议先更新NBP-320某个节点，以确定升级是否会顺利。
最近我们想要重置HOMEMAKER节点的备用管理卡。重置失败后，我们尝试着进行物理重置。因为是备用卡，我们没料到这样做会引起问题。可是一重置，整个光纤网络系统就崩溃了，无法监控流量，用了一个多小时的时间才恢复正常。

最糟糕的是，我们只能清除全部原有配置，重新从头做起。升级前，我们需要保存设置，这样如果需要重新设置，就只需要上传保存的设置。我们估计系统的每个节点都用不了一个小时就可以完成。

附加信息： 2013年3月26日上午8：16：13，姓名已隐匿
我们已经在实验室验证了升级情况，效果不错。不过我们没法在实验室复制出现的故障，因为不清楚如果尝试升级受到故障影响的节点时是否会出现问题。

最后一个CCB条目： 2013年4月10日，16：08：11，姓名已隐匿
4月9日，Blarney CCB---Blarney ECP团队认可
ECP领导者：姓名已隐匿

受影响的计划： Blarney、Fairview、Oakstar、Stormbrew

无相关工作任务

中国公司的确可能在它们的网络设备中植入了监控手段，但毫无疑问美国也在做同样的事情。

美国政府之所以宣称中国的设备不值得信赖，原因之一可能是警示一下中国的监控手段。但同样重要的是，美国方面似乎是为了阻止中国的设备取代美国的设备，从而影响到国安局的监控范围。中国的路由器和服务器不仅意味着经济方面的竞争，而且也意味着监控方面的竞争：如果有人购买中国而不是美国的设备，那么国安局就丧失了监控众多通信活动的良机。

如果从纰漏中暴露出来的监控情况已经使人瞠目结舌的话，那么国安局

实时监控收集全部通信信号的使命就是在驱使着他们不断地攻城略地了。实际上，数据的数量如此庞大，以至于这家机构一直怨言不断，而其主要原因就在于它储存着收集自世界各地的巨量信息。国安局为“五眼”情报联盟信号发展会议准备的一份文件提出了这个核心问题：

> 绝密//通信情报，与美国有关，“五眼”情报联盟
>
> 面临的挑战：
>
> 信息收集的速度超过了我们消化、处理和储存信息的速度。

故事还要追溯到2006年，当时国安局开始了它所谓的“国安局元数据共享大规模扩展运动”。国安局预测他们的元数据收集将会每年增长6 000亿，其中包括每天都要收集到的10亿到20亿次电话通话：

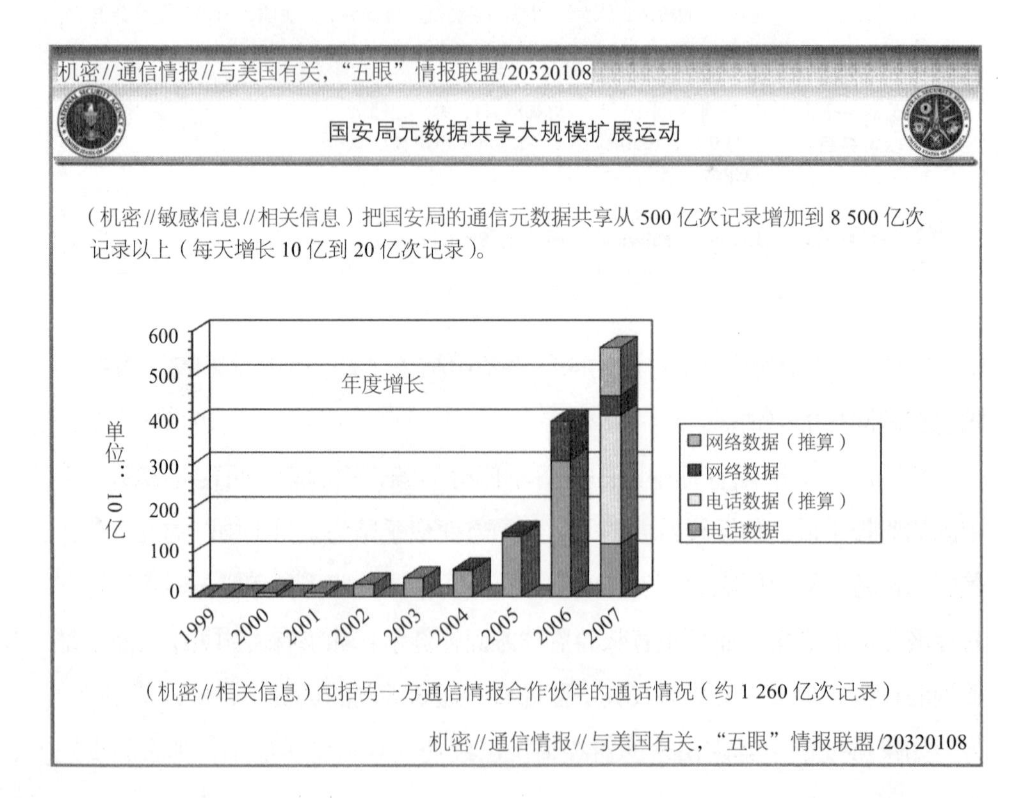

2007年5月，扩展行动显然收到了效果：排除电子邮件、其他互联网数据，以及因为缺少存储空间已经删除的数据，国安局存储的电话元数据数量已经增加到1 500亿次：

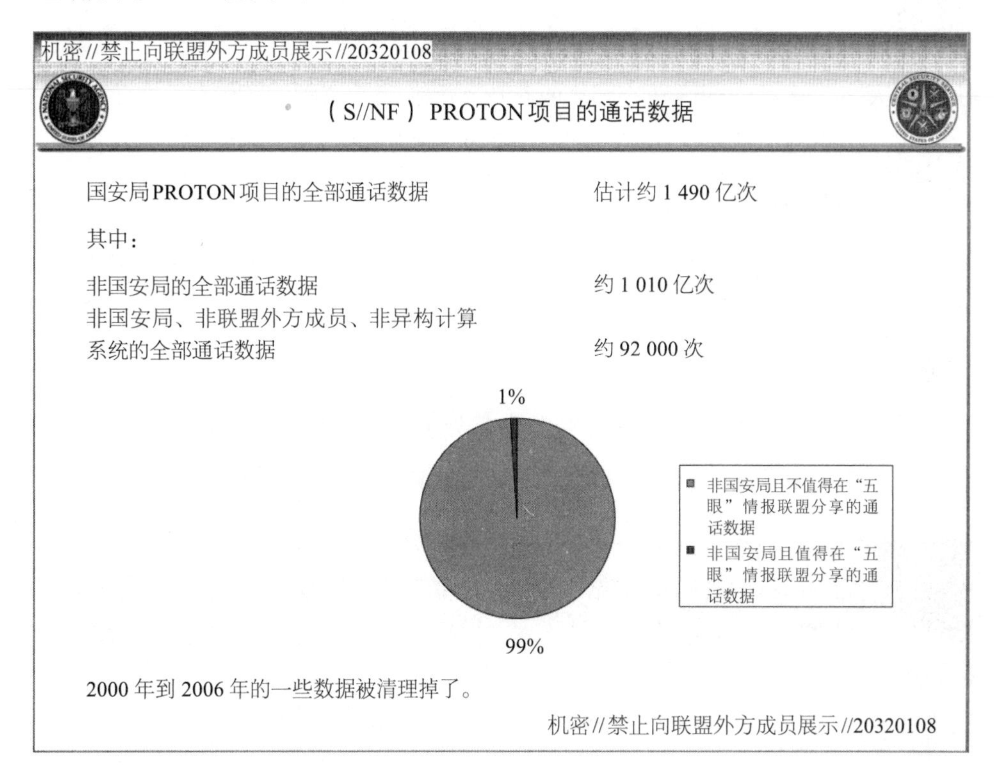

一旦将基于互联网的通信情况也包括进来，通信数据的存储总量就会接近1万亿次（应该指出的是，这些数据然后将由国安局与其他机构分享）。

为了解决存储问题，国安局开始在犹他州的布拉夫代尔（Bluffdale）建造了一处规模宏大的新设施，主要目的就是用于数据存储。据记者詹姆斯·班福特在2012年报道，这处设施将扩大国安局的存储能力，增加“4个2.5万平方英尺、装满服务器的大厅，有足够的电缆和存储用空间。此外，还有超过90万平方英尺的空间用于技术支持和管理方面”。考虑到这座建筑的面积以及班福特所说的“如今人手指大的U盘就可以存储1万亿字节的数据”，它对数据收集的意义是极其深远的。

由于国安局目前在监控全球的网络活动，他们需要更大规模的设施是毫无疑问的，因为他们的业务远远超过了收集元数据，还包括电子邮件、网页浏览信息、搜索历史、聊天等内容。国安局安排来承担收集、标注和搜索此类数据的方案是2007年实施的X-KEYSCORE项目，这是他们在监控权限方面迈出的一大步。国安局称这一方案为收集电子数据方面"影响范围最广的"系统，这种说法不无道理。

为数据分析师准备的一份培训文件声称这一方案囊括了"典型用户在互联网上所做的一切"，包括电子邮件的内容、浏览的网址、谷歌搜索的历史等。X-KEYSCORE项目甚至能实现对目标发送邮件和浏览网页的网上活动"实时"监控。

除搜集关于亿万民众网上活动的大量数据外，X-KEYSCORE项目还可以让国安局的分析师通过电子邮件、电话号码或其他识别属性（比如IP地址）

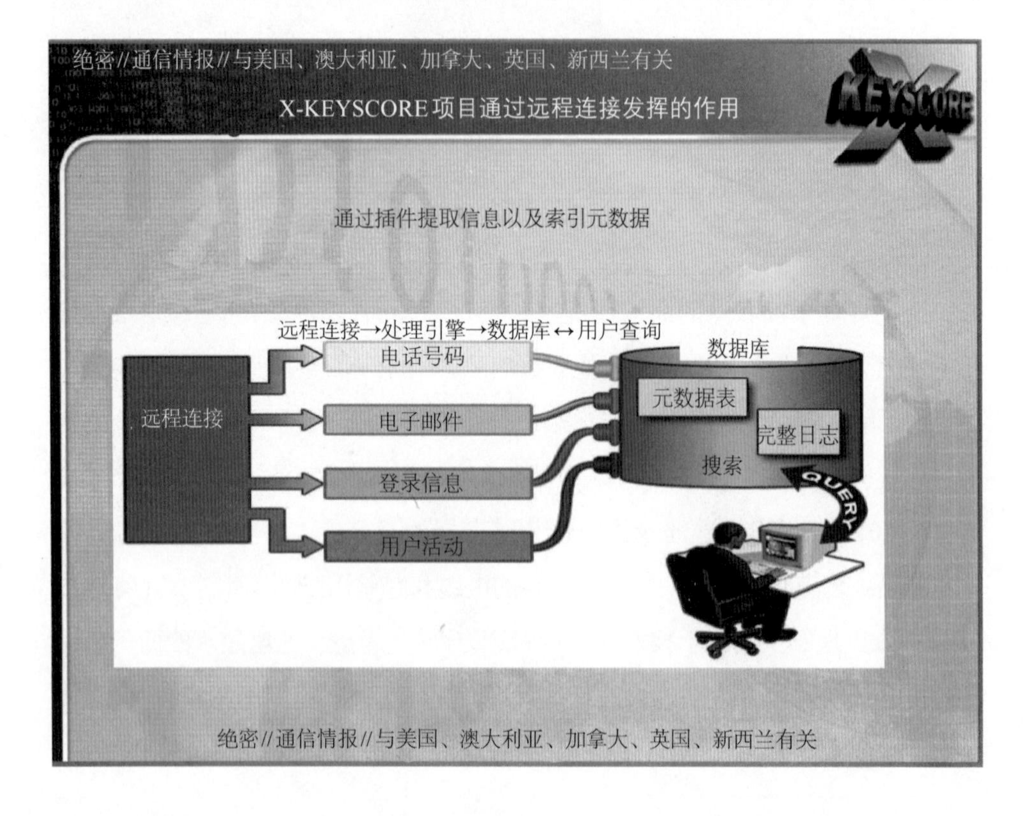

来搜索系统内的数据库。分析师能够获取的信息和使用的手段从下面这张幻灯片可见一斑。

另一张关于X-KEYSCORE项目的幻灯片题为“插件”，描述了能够搜索的各种类型的信息，其中包括“通过用户名和域名看到的每一个电子邮件地址”、“每一个电话号码和用户的活动”，以及“包括用户名、好友名单、机器的具体信息记录等内容的网络邮件和聊天活动”。

该项目还让分析师可以搜索、提取用户在线生成、发送或接受的嵌入式文档和图片：

绝密/通信情报/与美国、澳大利亚、加拿大、英国、新西兰有关

插件

KEYSCORE

插件	描述
电子邮件地址	索引通过用户名和域名显示的每个电子邮件地址
提取的文件	索引通过文件名和扩展名显示的每份文件
完整日志	索引收集到的所有被呼叫号码，数据按照标准N元组（IP、端口、用例符合等）排列
HTTP解析器	索引客户端的HTTP流量（实例附后）
电话号码	索引查看到的全部电话号码（比如地址簿或签名簿）
用户活动	索引电子邮件和聊天活动，包括用户名、好友名单、机器的具体信息记录等

绝密//通信情报//与美国、澳大利亚、加拿大、英国、新西兰有关

绝密//通信情报//与美国、澳大利亚、加拿大、英国、新西兰有关 20291123

高级“插件”实例

KEYSCORE

插件	描述
用户活动	索引电子邮件和聊天活动，包括用户名、好友名单、机器的具体信息记录等（AppProc负责利用这些结果）。
文档元数据	抽取微软办公软件和ADOBE PDF文件的嵌入属性，比如作者、单位、创建日期等。

另外国安局的另外一些幻灯片则明确提出了X-KEYSCORE项目无所不包的全球目标：

绝密//通信情报//与美国、澳大利亚、加拿大、英国、新西兰有关

我们为什么对HTTP感兴趣?

- 几乎所有网页浏览都使用HTTP方式:
  - 上网
  - 电子邮件（比如雅虎、Hotmail、Gmail等）
  - 在线社交网络（脸书、MySpace等）
  - 网络搜索（谷歌/Bing等）
  - 在线地图（谷歌地图/MapsQuest等）

通过这个项目能够搜索的内容非常具体，国安局的分析师不仅能查看用户的网站浏览情况，还能全面了解访问某个网站的人员名单：

绝密//通信情报//与美国、澳大利亚、加拿大、英国、新西兰有关

XKS项目的HTTP活动搜索

比如，我们希望查看IP地址 1.2.3.4 到网站www.website.com的访问情况
虽然我们可以单纯把IP地址和“主机”输入检索表格，但你肯定记得先前输入某个网址后可能看到各种不同的主机名称

最值得注意的是，分析师可以在没有任何监管的情况下随心所欲地搜索。拥有X-KEYSCORE项目权限的分析师不需要向上级或任何其他管理部门提交申请，他只需要填写一份简单的表格说明监控原因，系统就会反馈需要的信息。

绝密//通信情报//与美国、澳大利亚、加拿大、英国、新西兰有关

创建电子邮件地址搜索

输入用户名和域名

搜索：电子邮件地址

搜索名称：

搜索理由：

额外的理由：

代码：

起止时间：1天 2009-06-23 00:00

电子邮件地址：

域名：

主题：

同一域名的多个用户名可以用“或”连接

在香港第一次接受电视采访时，爱德华 · 斯诺登曾经大胆放言：“我坐在这里，只要有一个电子邮件地址，就可以监控任何人，不管是你、为你服务的会计师，还是联邦法官，就连总统都没问题。”然而，美国官员强烈否认说这是不可能的。迈克 · 罗杰斯公开指责斯诺登“在撒谎”，说“他不可能做到他所说的那些”。

但是，X-KEYSCORE项目确实可以让分析师做到斯诺登所说的那些：对任何目标进行全面的监控，包括他们的电子邮件内容。实际上，这个项目甚至可以让分析师搜索在“抄送栏”或文本中提到目标用户的所有邮件。从国安局

内部的搜索邮件指南可以看出分析师要监控了解电子信箱的目标是多么轻而易举：

非正式X-KEYSCORE项目用户指南

电子邮件地址搜索：
最常见的一种搜索（你猜对了）是电子邮件地址搜索。要搜索特定的电子邮件地址，你只要输入搜索名称、说明原因、确定时间范围，然后输入需要搜索的电子邮件提交即可。

看起来基本上就是这样：

领域 ▾ 高级功能 ▾ 显示隐藏的搜索领域　清除搜索值　重新加载上次的搜索值

搜索：电子邮件地址

搜索名称：某某某
搜索理由：
额外的理由：
代码：
时间范围：1个月　开始时间 2008-12-24　00:00
电子邮件用户名：某某某
域名：yahoo.com

对国安局来说，X-KEYSCORE项目最大的价值在于可以监控目标在脸书、推特这样的在线社交网络上的活动，因为他们认为这样可以了解到大量信息，还能“知悉目标的个人生活情况”。

搜索社交媒体活动的方式和电子邮件搜索一样简单：比如，分析师在脸书输入目标用户的姓名以及活动的时间范围，X-KEYSCORE项目就可以返回包括发送的消息、聊天内容和个人发帖等全部信息。

也许X-KEYSCORE项目最显著的一点就是它在世界上多处收藏站点登记和存储的大量数据（这当然也给国安局的存储挑战增加了困难）。一份报告指出，“在一些站点，依据可利用的资源，我们每天收到的数据数量（超过20太字节）仅能存储24个小时”。在2012年12月开始的为期30天的一个阶段，X-KEYSCORE项目收集的数据数量——仅一个单元（单点登录）——就超过

绝密//通信情报//与美国有关，“五眼”情报联盟

在线社交网络能提供何种情报？

- （秘密//敏感信息//与美国有关，“五眼”情报联盟）对目标个人情况的了解可能包括：
  - （U）通信
  - （U）日常活动
  - （U）联系和社交网络
  - （U）照片
  - （U）影像
  - （U）个人信息（比如地址、电话、电子邮件地址等）
  - （U）位置和旅行信息

绝密//通信情报//与美国有关，“五眼”情报联盟
（绝密//通信情报//与美国有关，“五眼”情报联盟）

可以用的用户活动情况查询

时间：一天 开始：2009-09-21 00：00 结束：2009-9-22

搜索：用户名

搜索值：12345678910

领域：脸书

时间：一天 开始：2009-09-21 00：00 结束：2009-09-22

搜索：用户名

搜索值：我的用户名

领域：社交网络

了 410 亿：

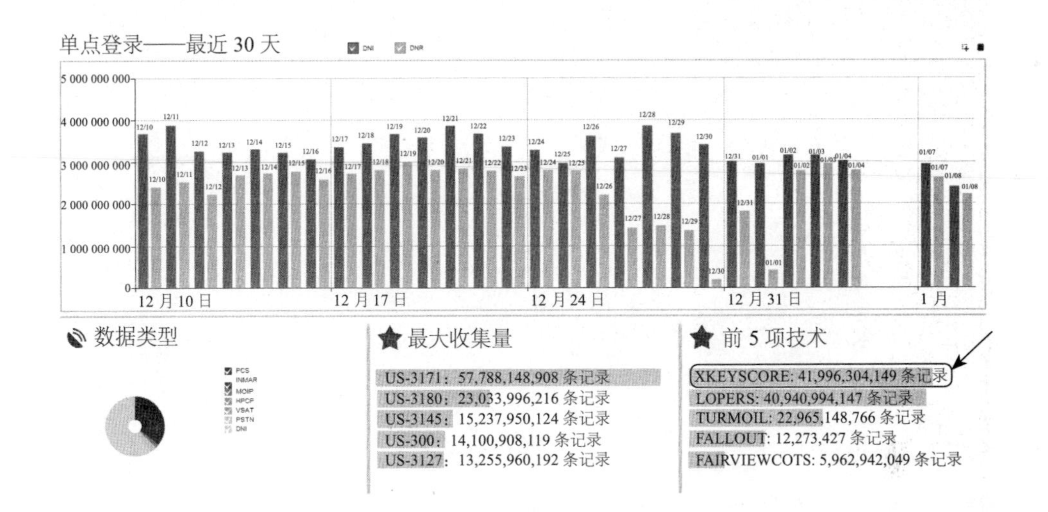

X-KEYSCORE项目“能存储全部获得的内容3~5天，有效地‘减慢了互联网的速度’”——意味着“分析师可以回头去提取一些内容。”然后“‘有趣’的内容可以从X-KEYSCORE中抽出，交给Agility或PINWALE这样的存储数据库以保留更长的时间”。

X-KEYSCORE能进入脸书以及其他社会媒体网站是靠其他项目的支持，包括BLARNEY，它能允许美国国家安全局“通过监督和搜索活动监视脸书大范围的数据”。

英国国家通信情报局的全球无线电通信开发部门给这项任务提供了大量的资源，“五眼”情报联盟2011年的年会上有一份报告曾经对此做过详细介绍。

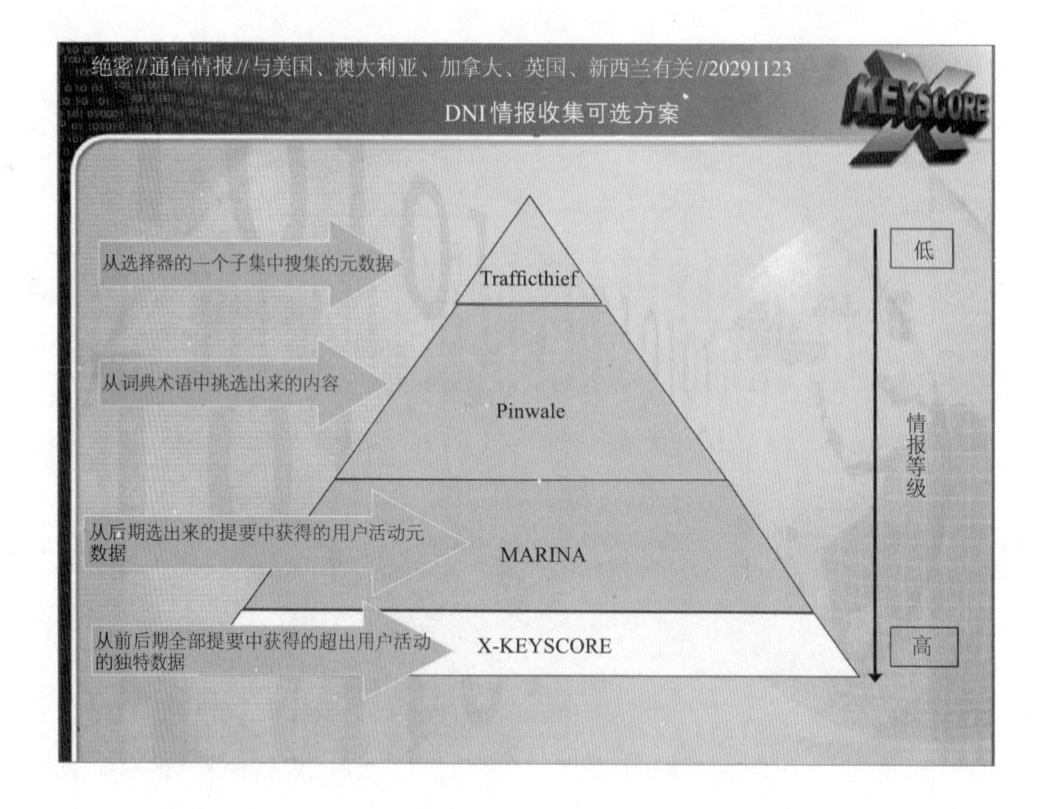

BLARNEY通过扩大的脸书数据收集开发了社会网络

作者姓名已删节 2011-03-14 0737

（绝密//敏感信息//不可向国外透露）单点登录聚焦——BLARNEY通过扩大的脸书数据收集开发社会网络

（绝密//敏感信息//不可向国外透露）2011年3月，BLARNEY项目开始传递已充分改善并完整的脸书内容。这是美国用海外情报监控法案和联邦航空局开发脸书向前迈的一大步。这项努力是六个月前与联邦调查局一起处理不可靠且不完整的脸书收集系统开始的。美国现在通过监督和搜索活动能获取脸书的大量数据。操作员对收到许多内容领域也非常兴奋，比如聊天领域，而之前只是偶尔能利用。一些内容是全新的，比如用户视频，会把这些视频整合在一起。新的脸书收集系统会提供强有力的数据情报，并针对我们的目标——依据互联网协议地址和用户代理的定位——去收集所有私人信息以及文件信息。国家安全局的多重部门来确保这些信息的成功传递。一位在联邦调查局的国家安全局代表对收集系统的快速发展做了相应的协调工作。单点登录的PRINTAURS团队编写了新的软件并对配置进行了改造。总工程师们调整了协议开放系统，技术指挥部迅速跟踪升级了他们的数据展示方案，以便操作员可以正确观测到数据。

绝密//敏感信息//与“五眼”情报联盟有关

在消极环境中利用脸书通道获取特定信息

功能开发人员姓名已隐匿

全球无线通信利用（GTE）
英国国家通信情报局

依据英国2000年信息自由法，此情报不得对外透露。按照其他情报法律规定允许透露的不在此限。如需对外透露，请联系英国国家通信情报局。

绝密//敏感信息//与“五眼”情报联盟有关

为什么选择社交开发网站?

目标用户使用脸书、BEBO、MySpace等网站的频率增加。
关于监控目标极丰富的信息资源：
个人细节
“生活模式”
联系交往
媒体

依据英国2000年信息自由法，此情报不得对外透露。按照其他情报法律规定允许透露的不在此限。如需对外透露，请联系英国国家通信情报局。

英国国家通信情报局特别注意到了脸书安全系统中的弱点，获取了脸书用户试图掩盖的数据：

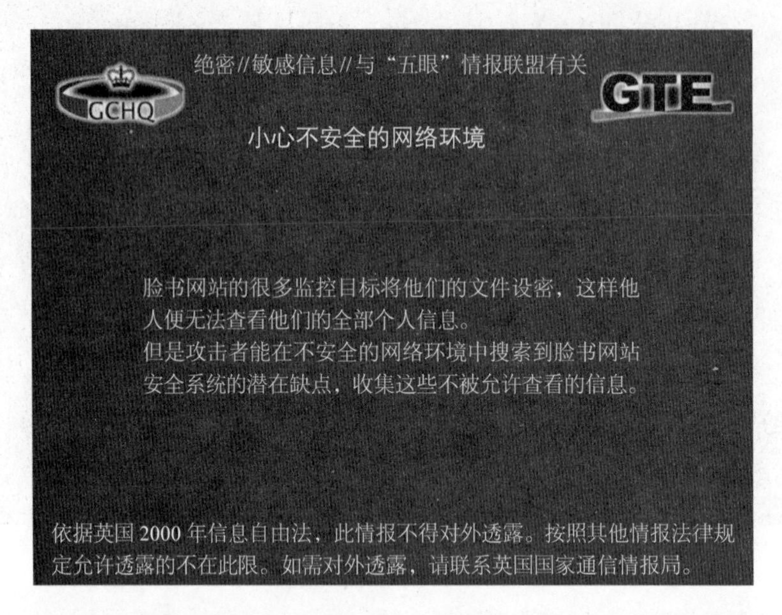

尤其值得注意的是，国家通信情报局发现了其网络系统中照片存储功能的漏洞，它能被攻击者用作接入用户账户的入口。

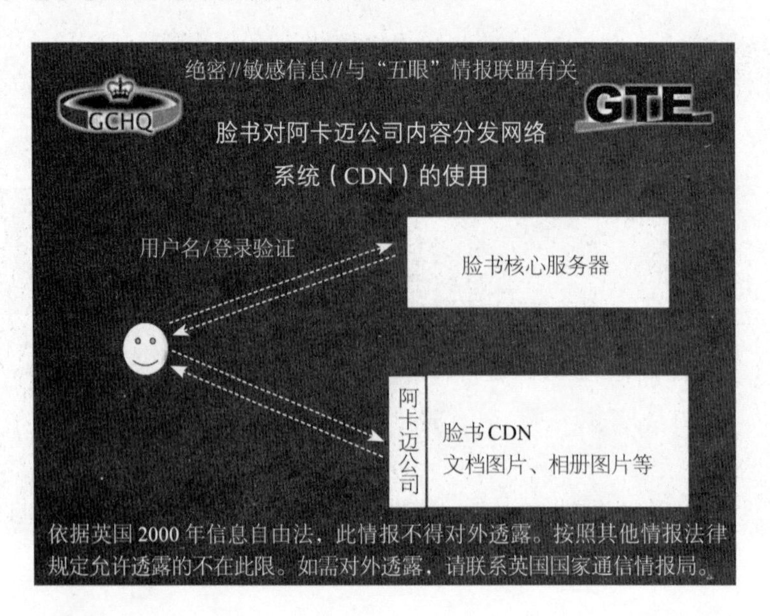

绝密//敏感信息//与“五眼”情报联盟有关

CDN的功能利用

缺点：
虚拟登录
安全未知
通过分析脸书生成的CDN的统一资源定位域（URL），能获取文档中图片的所有者，即该脸书用户的用户ID。例如，下面就是典型的文档图片的

URL：（略）
用绿色突出强调的文字特指脸书CDN的特定服务器，用黄色强调的文字则是脸书用户的用户ID。
绝密//敏感信息//与“五眼”情报联盟有关

依据英国2000年信息自由法，此情报不得对外透露。按照其他情报法律规定允许透露的不在此限。如需对外透露，请联系英国国家通信情报局。

在社交网站之外，美国国家安全局继续搜查检测系统检测不到的缺口和通信，然后开发程序将其置于严密的监控之下。一个看似隐藏的程序就能充分证明这一点。

为了谨慎起见，美国国家安全局和英国国家通信情报局致力于商业航班的网络和电话通信监控。这些通信通过独立的卫星系统转发，因而极难确认其所在位置。在监控机构看来，人们能在飞机飞行的几个小时里，于地球的某处上网、打电话而不被监控，是令人无法忍受的。因此，监控机构努力进行大量资源研究，以优化拦截起航飞机通信的系统。

在 2012 年的五眼联盟会议中，英国国家通信情报局展示了一个名为“窃鹊”（Thieving Magpie）的拦截程序，该程序以用户数量不断增长的飞机航行过程中可以使用的手机为目标：

机上GSM服务

许多航空公司为乘客，尤其为长途和商务舱的乘客（数量持续增加）提供机上使用移动电话的服务。
英国航空公司提供机上使用移动电话的服务，但仅限使用无声的信息传送和短信功能。

依据英国2000年信息自由法，此情报不得对外透露。按照其他情报法律规定允许透露的不在此限。如需对外透露，请联系英国国家通信情报局。

提出的解决方案是研发一款能够确保实现“全球覆盖的”系统：

访问途径

内容已隐匿

- 计划将在明年通过SOUTHWINDS实现全球覆盖。

依据英国2000年信息自由法，此情报不得对外透露。按照其他情报法律规定允许透露的不在此限。如需对外透露，请联系英国国家通信情报局。

GPRS事项

目前至少黑莓手机能够在飞行中产生效果。
能够识别黑莓PIN码和相关的电子邮件地址。
任务内容转换成数据存储，而非纳入Xkeyscore，提供进一步的用法详情。

依据英国2000年信息自由法，此情报不得对外透露。按照其他情报法律规定允许透露的不在此限。如需对外透露，请联系英国国家通信情报局。

行程追踪

我们可以近乎实时地确保所选的目标在哪个具体航班上，从而安排监视或逮捕团队提前到位。
如果这些目标者使用数据，我们还可以恢复其电子邮箱地址的信息，脸书账户识别，Skype地址等。
对某些特定的飞机，可在其飞行时约每2分钟进行跟踪。
依据英国2000年信息自由法，此情报不得对外透露。按照其他情报法律规定允许透露的不在此限。如需对外透露，请联系英国国家通信情报局。

依据英国2000年信息自由法，此情报不得对外透露。按照其他情报法律规定允许透露的不在此限。如需对外透露，请联系英国国家通信情报局。

在同一次会议上，提出一份相关的国家安全局文件，题为“信鸽”（Homing Pigeon）， 同时对空中通信所做的努力进行了描述，特别地协调了国家通信总局与机构的方案，并且将整个系统提供给“五眼”情报联盟：

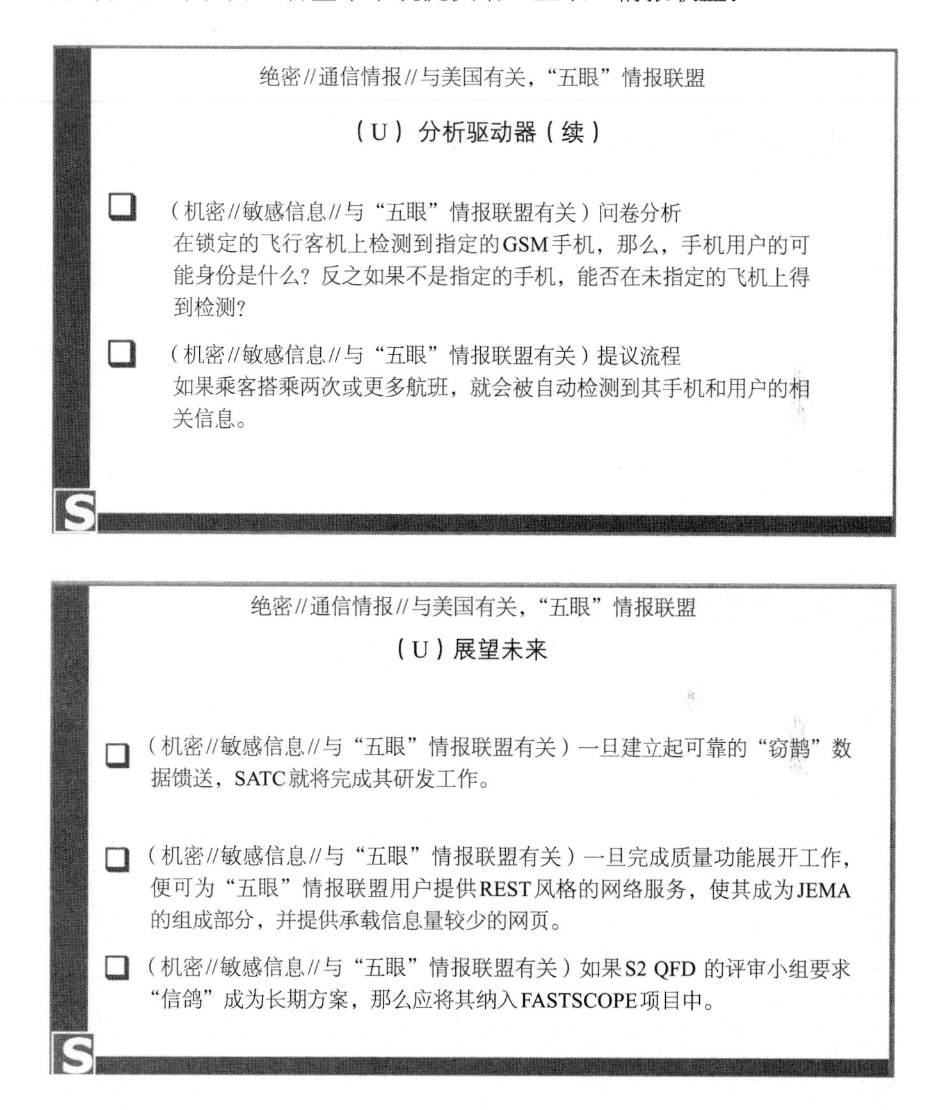

国家安全局部分部门对于建立这样庞大的秘密监控系统的真正目的显得格外坦诚。一组机构官员谈论用国际标准控制互联网的发展前景，此PPT演示文稿正是对此加以介绍并给出了直观的见解。此文稿的制作者来自美国国家安全局/信息情报局，从事国家科学技术情报的官员，他曾自称自己是一名“受过良好训练的科学工作者兼黑客”。

他演讲的题目直言不讳：“国家利益、金钱和自我的角色。”他说，这三个因素是实施监控的主要动机，有利于美国在全球监控领域占有统治地位。

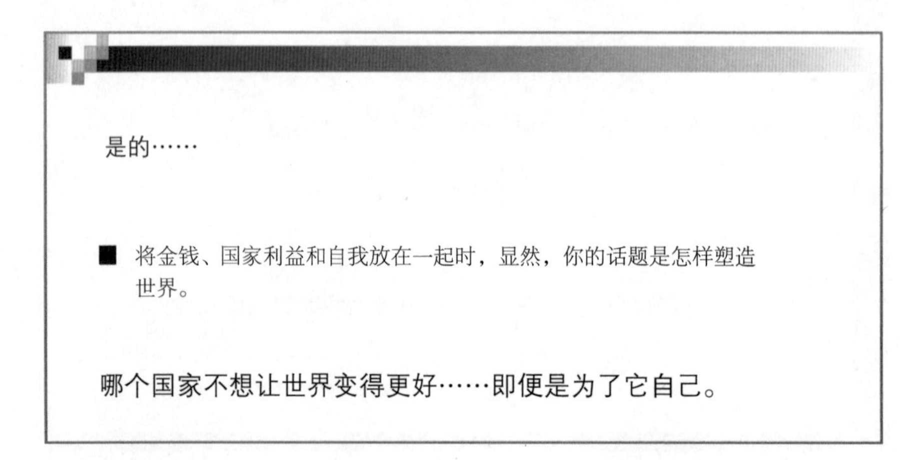

机密//与美国有关，“五眼”情报联盟

什么是威胁?

■ 坦率地讲——西方国家（尤其是美国）通过起草早期标准，已经获得了影响力和丰厚的利润。

□ 美国在塑造当今网络方面扮演最主要的角色。这就造成了美国文化和技术对其他国家的入侵。同时，美国从中获得了丰厚的经济利润。

不可避免，利益和权力是另一个驱动力，这当然归因于监视部门本身。“9 · 11”恐怖袭击之后，美国监控部门就开始大量搜集情报。大部分情报资源都是通过公共资金（也就是纳税人）传播到秘密监视防御体系的口袋中的。

像博思艾伦和美国电话电报公司这样的企业，他们会雇用大批前高级政府官员，而现任高级防御部门的官员则是（也许在以后）这些企业的前雇员。监控系统不断扩大，这是保持资金不断运转、不断汇入的方法。这个方法同样能保证美国国家安全局及其相关部门始终保持其重要性以及在华盛顿的影响力。

随着监控系统规模和目的的扩大，美国潜在敌人的档案也在增多。在题为“国安局简报”的文档中记录了各种威胁美国及其国家安全局的条目——有一些可预测的条目——包括了“黑客”“犯罪因素”和“恐怖主义”；也有一些更加宽泛、发人深省的技术条目，包括了“网络”本身在内：

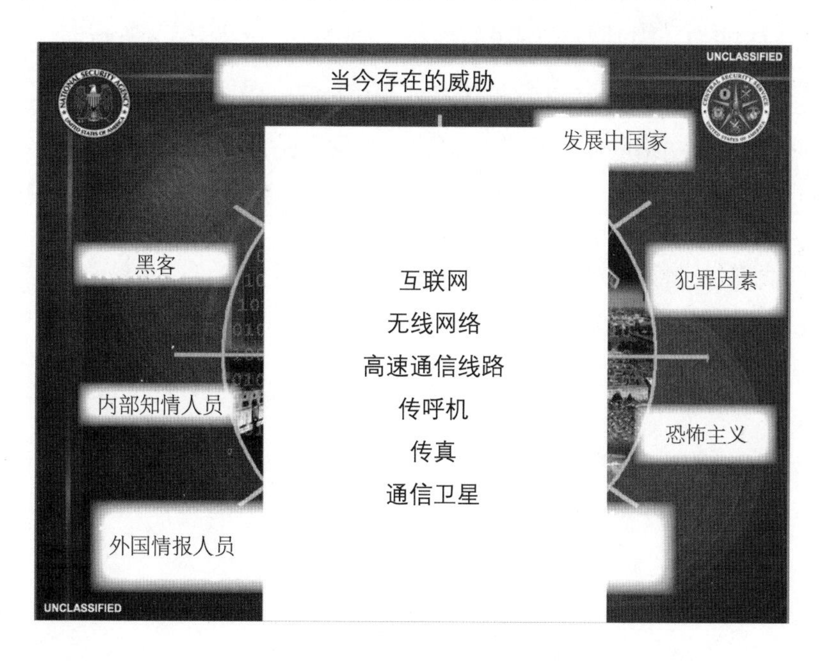

长期以来，网络被预示为民主、自由，甚至是解放的象征，它是史无前例的。但在美国政府眼中，网络及其他通信技术威胁着美国权力。综观上述条目，美国国家安全局想“收集所有信息”的雄心非常清晰。我们拥有全部的网络和其他交流方式，这是非常重要的；任何事情不能逃脱美国国家安全局的监视，这也是非常重要的。

最后，除了外交操控以及其经济和工业优势，无处不在的监听系统让美国获得了准确信息，这也意味着权力和控制。美国能够知道每个人在做什么、说什么、想什么、计划什么——本国公民、外国公民、大型企业、其他国家政府领导人——美国针对这些领域权力的最大化。如果这种监视系统在高度保密的情况下操作，这种权力就能加倍。这创造了单向镜：美国政府可以看到世界各国和美国人民在做什么，而没有人知道美国政府自己在做什么。这是绝对不平衡的，是最危险的人类情景：封闭而不负责任地行使无限权力。

爱德华 · 斯诺登的爆料颠覆了这种危险的现状，他向外界透露了美国的监视系统及其运作方式。人类史上第一次，世界各地的人能够真正了解美国监视系统的能力。因其对各国民主统治造成的巨大威胁，这条新闻引发了全球长期持续的讨论，同时也引起了对改革的呼声，引发了在电子时代，全球针对网络自由和网络隐私的重要性讨论，引发了民众对一个重要问题的思索：在我们普通人的生活中，无限制的监控意味着什么呢？

NO PLACE

Edward Snowden

TO HIDE

the NSA

第 4 章

and the U.S.

监控之害

Surveillance State

世界各国的政府都在想方设法说服并训练民众无视个人隐私。为了让人们容忍对其私人领域的严重侵犯，那些长篇累牍的陈词滥调现在人们早已耳熟能详。这类说辞相当卓有成效，在当局搜集了人们言行、阅读、购买行为等大量数据之后，人们还对此交口称赞。

有了诸多互联网巨头的附和，这些机构充当了政府监控的左膀右臂，政府当局对人们隐私的入侵则更是愈演愈烈，谷歌首席执行官埃里克·施密特（Eric Schmidt）在2009年接受消费者新闻与商业频道（CNBC）的采访时，被问及他对人们对其公司保留用户数据存在顾虑有何想法，他令人不齿地答道："如果你的所作所为不想为人所知，也许你一开始就不该将它付诸实际。"脸书创始人兼首席执行官马克·扎克伯格在2010年的一次采访中，也表现出同样的不可一世，"人们将更多不同种类信息与他人共享，不仅对此已经习以为常，而且更公开，涉及面更广。"他表示，在数字时代，个人隐私不再是"社会规范"，这种说法完全是在为科技公司买卖个人信息大开方便之门。

但是个人隐私的重要性显而易见，实际上即便是那些贬低其价值的人们，那些称隐私已不复存在或者可有可无的人们，他们自己都不会相信这些言论。反对个人隐私的提倡者在控制自己的行为和信息不被人所知方面却颇费工夫。

美国政府本身就在采取极端手段，让自己的行为不为大众所知，为其所作所为筑起了保密的高墙。美国公民自由联盟（ACLU）在2011年的一份报告中指出，“现如今，我们政府的许多行径都是私下里秘密进行的。”这个世界充满阴影，见不得光亮，《华盛顿邮报》的文章中称之为一切“如此令人费解，而且规模如此之大”，没有人知道耗费金额是多少，雇用了多少人员为此效力，其中包括了多少项目计划，或是到底有多少机构在从事着同样的工作。

与之相似的是，那些如此心甘情愿要贬低我们的隐私价值的互联网巨头却在费尽心思保护着自己的隐私。谷歌一直在奉行这样一条政策，即拒绝与科技信息网站CNET的记者进行任何交流，这是由于后者公布了谷歌首席执行官埃里克·施密特包括薪金、竞选捐助和家庭住址在内的个人信息，而所有这些公开信息全部是通过谷歌搜索获得的，CNET此举是为了强调谷歌公司所带来的入侵危险。

与此同时，脸书的首席执行官马克·扎克伯格斥资3000万美元购下了帕洛阿尔托住宅周边的4所房屋，就是为了保护个人隐私。正如CNET所言：“你的个人生活现在成了脸书的数据，而它自己的首席执行官的个人生活却完全与你无关。”

同样自相矛盾的做法还可得见于许多否定个人隐私价值的普通百姓，但无论怎样，他们都要为自己的电子邮件和社交媒体账户设置密码；他们还要为浴室门上锁，会将信件装入信封并封口；他们会从事一些永远都不愿暴露在众目睽睽下的活动；他们会和朋友说悄悄话，或者去见心理医生和律师。所有这些他们都不希望为外人所知，在网络上发表言论时也不希望留下自己的真实姓名。

自斯诺登泄密之后，我和许多支持监控的人士进行辩论，他们都很快地对谷歌首席执行官埃里克·施密特的观点随声附和，认为隐私就是人们希望对某些事情有所隐藏。不过，这些人当中谁都不会告诉我他们的电子邮箱密码，也不会允许别人在他们家中安装摄像头。

参议院情报委员会主席戴安娜·范因斯坦坚持认为，国安局大规模搜集监听数据并不构成监控行为，因为其中并不包括交流的全部内容。网上的抗议者则要求她用行动来支持自己的言论：这位参议员是否会每月公开她电邮往来者和电话通话人的全部名单，其中还要包括具体通话时长，以及通话时身处何方？她一定不会接受这种做法，因为揭露这些信息相当于让人一丝不挂，将它们公之于众将会对个人领域造成真正意义上的侵害。

令人瞠目的是，那些轻视隐私价值的人同时又在不遗余力地捍卫个人隐私。这是一种虚伪的做法，但这并不是问题的重点。问题真正的重点在于，对保护隐私的欲望是所有人共有的重要特点，这一点绝非可有可无，而是人何以为人的关键所在。我们都本能地认为，在私人领域，我们可以自由自在地行事，我们的所思所想、所言所行、所写所做、所选所为，这些都不必在乎他人的评价。隐私是成为自由人的核心条件。

也许，有关何为隐私以及为何人们会对之如此迫切需要，最著名的陈述莫过于美国最高法院法官路易斯·布兰代斯（Louis Brandeis）于1928年的奥姆斯蒂德诉美国（Olmstead v.United States）一案中的这句话：“一个人独处的权利是最广泛的一项权利。”他写道，隐私的价值远比公民自由“范围更广”。他表示这是一项根本的权利。

> 我们宪法的制定者为确保对幸福的追求制定了有利的条件。他们认识到，人的精神本质意义在于其情感和智慧，而物质世界中只存在着生活里的一部分痛苦、快乐和满足。他们试图从信仰、思想、情感和感受等方面保护美国人。他们被赋予隐私权，以此来与政府相抗衡。

即便在布兰代斯担任法官之前，他也是隐私重要性的热心支持者。他与律师塞缪尔·瓦伦（Samuel Warren）联合在1890年的《哈佛法律评论》（*Harvard Law Review*）上发表了一篇意义深远的文章《隐私权》（The Right to Privacy），认为剥夺他人隐私与窃贼盗取财物的犯罪性质完全不同。“就保护个人著作及所有其他形式的个人作品的原则而言，保护的目的并非针对剽窃和直接引用，而在于使其免于被他人以任何形式发表。实际上，这并不属于保护私有财产的原则范畴，而属于保护人格不受侵犯的原则范畴。”

隐私对人的自由和幸福至关重要，具体理由大家很少进行探讨，但是大部分人却可以本能地意识到其中的重要意义，因为从大家对自我进行保护的力度中就可以很明显地得出这一结论。首先，当人们意识到有人在观察自己时，行为方式就会发生极大改变。他们会力求按照他人的期望来行事。他们希望避免蒙羞或遭到谴责。为此，他们会严格遵守人们所接受的社会惯例，不会越雷池一步，以防所作所为被视为离经叛道，有异于常人。

当人们感到他人在注视自己时，考虑做出的选择会大幅受限，远不及人们在私人空间时那般自由自在。对隐私的否认会极大限制个人的选择自由。

几年前，我参加了好友女儿的成年礼。在仪式过程中，拉比强调女孩子的“核心课程”就是要了解到自己“总会受到他人的关注并且会被评头品足”。他告诉那个女孩，上帝永远都会知道她在做什么、作何选择、一举一动以及每个想法，无论多么私密都是如此。他说道：“你永远都不会是一个人。”这样讲是为了让她能永远遵从上帝的旨意。

这位拉比的观点非常明确：如果你永远无法逃出最高权威的监控，那么你就会别无选择，只能按照权威的命令行事。你无法想象还可以超越这一原则另行开辟自己的道路：如果总有人关注着你，并且对你评头品足，那么你绝对不是一个自由的个体。

所有压制性权威，无论是政治、宗教、社会还是家长，都仰仗这一重要真理，以此作为主要工具来执行正统观念、强迫服从并打压异议。要让大家相信这一点，无论做什么都逃不出权威的掌握，这才完全符合他们的利益。剥夺隐私将有效打击任何离经叛道的做法，这远比警察机关更行之有效。

当私人领域不复存在，那么与生活品质直接挂钩的种种特质也会损失殆尽。很多人都对隐私让人不受束缚深有体会。反之，当我们自以为是在独处时做出的种种表现，比如手舞足蹈、潜心忏悔、亲密示爱、分享未经验证的想法，却得知自己的所作所为被他人一览无余时，定会感到羞愧难当。

只有当我们认定他人不在关注自己时，才会感觉到自由自在，才会有安全感，才会真正进行各种尝试，探索边界所在，琢磨思考问题的新方式，才能做回自己。互联网的魅力完全在于它可以实现匿名状态下的言行，这对个人探索至关重要。

正因为此，私人领域才会关乎创造力，让异议能得以体现，并对正统思想提出挑战。在一个人人都自知会受到政府监视的社会，私人领域自然会被极大地剥夺，在社会和个人层面，相关特质都会荡然无存。

因此，政府若实施大规模监控，就明明白白地意味着它是一个压制性政权，即便是其中并无心怀不轨的官员借此机会搜集政敌的私人信息以伺机报复，也同样是如此。无论监控的具体做法如何或是否出现滥用，问题的关键在于，只要采取监控措施，它在本质上就会对自由构成限制。

对乔治·奥威尔的著作《1984》中预言的援引都已成为老生常谈，可是奥威尔为警示大家而用笔墨描述的恐怖世界在国安局监控中得以生动再现，这已成为不争的事实：两者都仰仗科技体系，有能力对所有公民的言行进行监控。国安局的拥护者对这一相似性予以反驳，他们会说，我们的监控并非时时刻刻在进行。但是这一说法仍忽视了一点：在小说《1984》中，也不必对公民进行全天候监控；其实，他们对自己曾被监控一无所知，但是政府有能力随时对他们进行监控。正是这种不确定性和监控无处不在的可能性，让所有人都对政府言听计从：

> 电幕能够同时接收和放送。温斯顿（Winston）发出的任何声音，只要比极低声的细语大一点，它就可以接收到；此外，只要他留在那块金属板的视野之内，除了能听到他的声音之外，也能看到他的行动。当然，没有办法知道，在某一特定的时间里，你的一言一行是否都有人在监视

着。思想警察究竟多么经常，或者根据什么安排在接收某个人的线路，那你就只能猜测了。甚至可以想象，他们对每个人都是从头到尾一直在监视着的。反正不论什么时候，只要他们高兴，他们都可以接上你的线路。你只能在这样的假定下生活——从已经成为本能的习惯出发，你早已这样生活了：你发出的每一个声音，都是有人听到的，你做出的每一个动作，除非在黑暗中，都是有人仔细观察的。”①

即便是国安局，也无暇阅读每封邮件，追踪每个人的行迹。能让监控系统行之有效地控制人类行为的，是让人知道其一言一行都很容易遭到监控。

这就是英国哲学家杰里米 · 边沁（Jeremy Bentham）于 18 世纪提出的圆形监狱设想，他认为这样的建筑设计可以让机构对人类行为进行有效控制。按照他的话说，这类建筑结构可以“用于任何机构，在其中的各类人等都会受到监视。”圆形监狱的主要建筑创新是从中央塔楼中，守卫可以随时监控每个房间、每个囚室或教室中的一举一动。而囚徒却无法看到塔楼里的情况，因此无法判断他们是否受到监控。

因为这一机构无法在所有时间对所有人进行观察，边沁的设计就在监禁者心目中形成“监视者看似无所不在的印象”。“被监视者从心理上感觉到自己始终处在被监视的状态，至少很大程度上是如此”，于是便不敢轻举妄动，因为即便狱卒不在现场，他们也会始终感觉有一双监视的眼睛在看着。结果囚犯们就只好循规蹈矩，言听计从，符合预期。边沁预见到他的发明不仅会在监狱和精神病院得以运用，还会传播到所有社会机构。他认为通过向公民思想中反复灌输他们会经常受到监视，则对人们的行为方式造成革命性影响。

20 世纪 70 年代，法国哲学家米歇尔 · 福柯（Michel Foucault）认为边沁的圆形监狱原则其实是现代政府的基本机制之一。他在《权力》（*Power*）一书中写道，圆形监狱是“以持续不断对个人监控的形式，以控制、惩戒、补偿

① 出自《一九八四》，乔治 · 奥威尔（George Orwell）著，董乐山译。——译者注

的形式，以修正的形式，对个人实施的一种权力，是依照一定规范对个人进行塑造和改变”。

在《规训与惩罚》(*Discipline and Punish*) 一书中，福柯进一步解释道，无所不在的监控不仅让权威更富权势，强制遵守服从，而且还诱使个人将监视者潜藏进内心。那些相信自己处于监视之中的人们将本能地选择按照要求行事，甚至不会意识到自己是在受人控制：圆形监狱使得“在囚犯的脑海中形成这样一种意识，认为自己的行为永远会受到监控，以确保权力自动发挥功效”。随着这种控制深植人们的内心，公开的镇压就会销声匿迹，因为这些已然全无必要：“外部权力就可以轻装上阵，可以逐渐脱离实体的形式，越接近这一限度，则会越持久、深入并永恒地发挥作用——这可以避免暴力冲突，并可以先入为主，因而是一种意义深远的胜利。”

此外，这种控制模式还有一种极大的优势，即可在同时创造出一种自由的假象。这种强制服从的意识存在于各自的思想中，由于担心自己正处在监控之下，人们会自觉自愿地选择言听计从。这就会完全消除人们被强制的外在特征，使其误以为自己还是自由之身。

为此，每个压迫型政府都会将监控作为自己的重要控制工具。当一度克制的德国总理安吉拉·默克尔意识到，多年来美国国安局一直在监听她的私人手机时，她直接致电奥巴马总统，怒不可遏地将美国的监控行为与她长大成人时所经历的臭名昭著的民主德国国家安全部“斯塔西”相提并论。默克尔并非是指美国等同于共产主义政权，而是说无论是美国国安局、斯塔西、老大哥还是圆形监狱，监控部门的威吓实质在于，让你意识到会有看不见的权威随时随地都可以监控你的一举一动。

不难理解为何美国和其他西方国家的政府会针对自己的公民构建无处不在的监控网络。日益恶化的经济不平等局面，由于2008年的金融崩溃终于演化为全面爆发的危机，进而导致严重的内部不稳定性。即便是在西班牙和希腊这样相对稳定的民主国家中，都出现了明显的动荡局面。2011年，伦敦出现了为期数日的暴乱。在美国，无论是右翼人士于2008年和2009年发起的新茶党抗议还是左翼人士的占领华尔街运动，都属于民众发起的旷日持久的抗议活动。这些国家的民意测验结果都表明，民众对政治阶层和社会发展方向都表现出强烈不满。

权威机构面对如此动荡局面通常有两种选择：通过象征性让步安抚民众，或是加强控制，使对其利益的损害最小化。西方社会的精英们似乎看中了第二种选项，竭尽全力强化自己手中的权力，也许这也是他们想维护自己的立场唯一可行的选择。他们对占领运动用武力予以镇压，催泪瓦斯、胡椒喷雾以及起诉手段无所不用。国内警察力量的准军事化在美国各大城市竞相上演，与巴格达街头荷枪实弹的警察镇压合法集结的大量和平示威群众如出一辙。这一策略旨在让大家不敢参加游行示威，而且在一般情况下确实卓有成效。更大层面的目标是让大家形成这样一种观点：面对如此大规模和无孔不入的机构，此类抵抗全属徒劳。

无所不在的监控体系可以实现相同的目的，甚至还有更强的震慑作用。当政府在密切监视每个人的一言一行时，仅仅是组织反抗运动都会变得难上加难。可是大规模监控会在更深入更重要的层面将异见者予以扼杀：在思想角度，大众都已经被训练成为只会照章办事的循规蹈矩之徒。

历史证明毫无疑问集中化的高压政治和控制才是政府监控的意图和效果所在。好莱坞编剧沃尔特·伯恩斯坦（Walter Bernstein）在麦卡锡时代就曾被列入黑名单，并受到监控，被迫匿名继续创作，他生动记录了由于意识到自己受到监控那种难以忍受的自我约束：

> 人人都小心谨慎，谁都不敢越雷池半步……那些并未列入黑名单的作家（我不知道人们怎么称呼他们），也会做出些“前卫的事情”，不过这些都与政治无关。他们都远离政治……我认为当时的普遍思想就是大家都觉得不应该拿自己的性命冒险。

> 这种氛围下对创造力毫无益处，也不会让思想自由奔涌。你总是能感到处处受到束缚中，觉得“这样不行，因为我知道这行不通，或是这与政府的要求相去甚远”，诸如此类。

伯恩斯坦的观点非常离奇地与美国笔会中心2013年11月发表的一篇报告不谋而合，报告题为《令人心惊的效果：国安局监控导致美国作家自我审查》。该机构对国安局泄密事件对其成员的影响进行调查，结果发现很多作家现在都“认为他们的交流受到了监控，”并对自己的行为做出了调整，此举导致“他们的表达自由受到了剥夺，并限制了信息的自由交流”。特别是“有24%的受调查者刻意在电话或电子邮件中回避了某些话题”。

无所不在的监控所产生的危险控制力和由此导致的自我审查已得到一系列社会学试验的证实，其影响远不止在政治激进主义范畴之内。大量研究表明，这类思想动态已经进入到个人和心理的最深层面。

一组研究人员将其研究成果发表在《进化心理学》期刊（*Evolutionary Psychology*），他们将研究对象置于道义上存在问题的情况下，如在街头发现一个装满大量现金的钱包，或是获悉友人在自己的简历中添加了虚假信息。研究对象被要求对这些错误行为进行评估。研究表明这些人在面对一些有监视（如一双睁大的双眼）暗示的图像前时，与面对中性内容的图像相比，会对这些行为做出更应“遭受谴责”的评价。研究人员因此得出结论，监控会鼓励受监视者会“努力获得流行的社会规范的认可”，以此来“积极维护自己的声誉”。

1975年，斯坦福大学的心理学家格里高利 · 怀特（Gregory White）和菲利普 · 津巴多（Philip Zimbardo）进行了一次综合试验，题为《监控的可怕效果》，旨在评估受到监视会对有争议的政见表达产生怎样的影响。从事本研究的动力就在于美国人对政府的监控行为所产生的顾虑：

> 水门事件丑闻、白宫窃听行为的曝光以及国会对中情局的国内监视的调查更强化了美国人生活中的恐慌：“老大哥”也许在盯着你呢！美国

> 国家数据库的提议，城市警方对监控直升机的使用，银行和超市安装的摄像头，机场对个人和财务的安检，这些都是我们的私生活在遭到日益严格的检查的蛛丝马迹。

参与者都被置于不同程度的监视下，并被问及他们对大麻合法化持何种观点。

结果受到“威胁”的研究对象，即他们被告知自己的陈述将会被警方用于“培训目的”，则更倾向于谴责吸食大麻，并会在语言中多用第二、第三人称代词（“你”、“他们”、“人们”等）。只有约44%的被监视研究对象支持大麻合法化，而未受到“威胁”的研究对象中，支持的比例则高达77%。显然，31%的受监控参加者都会不自觉地寻求研究人员的认同（例如会询问：“这么做对吗？”），而在另一小组中这一比例只有7%。受到“威胁”的参与者也会在焦虑和压抑感方面得到更高的分值。

怀特和津巴多在结论中这样表示：“威胁或是政府监控的现状可以在心理上束缚言论自由。”他们还补充道，因为他们的“研究设计并未考虑到‘避免集会’的可能性，他们预计‘因监控威胁所导致的焦虑将会使很多人完全回避这种情况’”，因为他们可能会受到监视。“由于这种假设不仅限制了他们的想象，政府和机构侵犯隐私的曝光也在平素里鼓励了大家如此行事，”他们写道，“所以疑神疑鬼和合乎情理的小心谨慎之间的界限变得日渐模糊。”

的确，监控有时可以促进那些在部分人眼中的可取行为。有研究发现，安装监控摄像头可以使得瑞典足球场的球迷向赛场内投掷水瓶和打火机这样的粗暴行为大幅降低65%。大量有关洗手的公共卫生文献也在不断证实，若身边有旁人，一个人上完洗手间洗手的可能性就会提升许多。

可是更重要的是，受到监控的后果是个人的选择被严重束缚。即便是在最亲密的场合下，诸如在家庭中，监控也会使一些无足轻重的举动变成自我评判和焦虑的根源，这些都是由于受到他人观察所致。在一项英国的实验中，研究人员为研究对象身上配备了定位装置，与其家庭成员保持密切联系，由此随时可获取每个成员的准确位置。如果某人的位置被人获取，他会收到一条信息提示。而当每次有家庭成员定位某人时，他也会收到一个问卷，询问他为何如此，以及所得到的信息是否符合预期。

在任务报告中，参与者表示有时他们会觉得被定位并无碍，可如果当他们身处一个意料之外的地点，家人对他们的行为“想当然地”做出判断时，他们也会觉得非常焦虑。即便是选择“隐身”功能，关闭位置共享功能时，这对消除焦虑也毫无帮助。许多参加者称，避免被监视本身都会令人生疑。研究人员由此得出结论：

> 我们对日常生活有些琐事根本无法解释，因为这些也许完全不重要。但是由于追踪装置的存在……使得这些琐事看似很重要，由此引发相当程度的责任感。这就会导致焦虑感，而在亲密关系中更是如此，人们会为他们无法担负的责任感受到极大压力。

在芬兰的一项实验中，对监控行为进行了极端的模拟，在研究对象的家中除卧室和洗手间之外都布满摄像头，所有的电子通信都受到追踪。虽然，在各种社交网络上该研究的广告满天飞，但是研究人员就连凑够10个家庭参加实验都颇有难度。

那些报名参加的人员对该项目过多干涉日常生活而怨声载道。有人在家中裸露身体时感觉不自在，有人在淋浴后梳头时感到若干摄像头正对着自己，还有人在注射药品时感觉自己受到了监控。人们无伤大雅的一举一动，在被人监视时即刻增添了不少重要内涵。

研究对象在开始时认为监控令人生厌，但是他们很快“对之习以为常”。当这种深度入侵行为成为常态后，便转化为寻常的生活状态，也就不再受人注意了。

正如实验表明，种种表现说明人们希望能够保持个人隐私，即便这些表现当中并不包含所谓“错事”时也依然如此。隐私是大量人类行为中不可或缺的成分。如果有人打过自杀热线或是曾去过堕胎诊所，或经常光顾性爱网站，抑或曾在康复诊所做过预约，或是接受过某些疾病的治疗，以及曾对记者有过爆料等，还有诸多理由让人们希望让某些行为保持私密状态，而这些与非法行为或行为不轨毫无瓜葛。

总而言之，人人都希望有所隐藏。《华盛顿邮报》的记者巴顿 · 格尔曼这样表述了这一观点：

> 隐私是个相对的概念，具体取决于观众是谁。你不会希望雇主知道自己在四处觅职。你不会对自己的母亲或子女和盘托出你的感情生活。你不会将商业秘密告知竞争对手。我们不会不加区分地将自己完全示于众人，同时我们也会小心地应对谎言，这都是理所应当。在正直的公民中间，研究人员一致发现谎言是“一种常见的社交互动”。(大学生们每天会经历两次谎言，在现实世界中是每天一次)……全面透明势必是一场噩梦……人人都需要有所隐藏。

为监控进行有力辩护的观点称，监控行为符合所有民众的利益，这是基于将世界分为非黑即白的观点。根据这种观点，权威机构仅仅是针对坏人使用监控权，即针对那些“有不轨行为”的人，只有这些人才会担心他人窥探自己的隐私。然而，这不过是故伎重演。早在 1969 年，《时代周刊》就曾刊文探讨国人对美国政府的监控力量正变得日益忧心忡忡。尼克松的司法部长约翰 · 米切尔（John Mitchell）安慰读者称：“任何没有涉嫌非法活动的美国公民都没什么可担心的。”

为回应 2005 年布什授权非法监听的争议，白宫发言人再次重申了这一观点：“电话监听并非是要了解少年棒球联盟训练怎么安排，或是在百乐餐晚宴自备什么食物，而是针对那些穷凶极恶的坏人间的通话进行监听。”2013 年 8 月，当奥巴马总统现身《今夜秀》栏目时，被脱口秀明星杰 · 雷诺（Jay

Leon）问及对国安局泄密有何看法，他答道：“我们并没有在美国国内进行监听项目。我们所做的是具备这样一种机制，可以跟踪与恐怖袭击相关的电话号码或电子邮件地址。”

对多数人来说，这种争辩非常有效。人们以为这种入侵性监听仅限于那些边缘性“行为不轨”的人群，导致大众对于这种权力的滥用表示默许，甚至为之喝彩。

但是这种观点极大地误解了权威机构的真实目的。在如此机构眼中的“行为不轨”远不止非法行为、暴力行为或恐怖预谋，还包括抱有意图的异见者和任何真正意义上的挑战。这就是权威的性质，无论是政府、宗教还是家族都是如此，他们将不同意见和行为不轨画等号，至少视之为一种威胁。

文件中充斥着个人和组织只因为表达了不同观点和主张就受到政府监视，其中包括马丁·路德·金、民权运动、反战斗士、环保主义者等。在政府和乔治·埃德加·胡佛（J. Edgar Hoover）掌控的联邦调查局的眼中，他们都是“图谋不轨”的人物，因为他们参与了威胁到普遍秩序的政治活动。

胡佛对用监控力量镇压持不同政见者的理解无人能及。鉴于政府依照宪法第一修正案的规定，不得立法剥夺言论自由和结社自由，因而他需要面对的挑战是，如何才能绕过该法。20 世纪 60 年代，美国联邦最高法院为积极保卫自由言论受理了大量案件，其中以布兰登伯格诉俄亥俄州案（Brandenburg v. Ohio）中联邦最高法院全体一致得出裁决而达到顶峰，该裁决推翻了州立法院认为美国俄亥俄州三 K 党（Ku Klux Klan）首领布兰登伯格在言论中暴力威胁政治官员的有罪原判。法院认为宪法第一修正案非常强有力地保障了言论和出版自由，“不允许政法禁止或限制任何主张暴力的言论”。

有了这样的宪法保证，胡佛需要构建出一个系统，从根本上防止异见的发生。

联邦调查局的国内反情报项目 COINTELPRO 首先被一群反战斗士所发现，他们感到针对反战运动的监控无处不在，而且各种卑鄙手段无所不用其极。由于缺乏相关文件证据，加之未能说服记者就此猜测进行报道，他们于1971年闯入了联邦调查局在宾夕法尼亚的分支机构，带走数千份文件。

COINTELPRO的相关文件显示了联邦调查局是如何针对它认为是具有颠覆性或危险性的政治组织和个人采取措施的，其中包括美国全国有色人种协进会（NAACP）、黑人民族独立运动、社会主义和共产主义组织、反战示威者以及各种右翼组织。联邦调查局在其中安插了暗探，乃至通过这些暗探操控这些组织的内部成员，故意让他们触犯法网，这样联邦调查局就可以堂而皇之将其逮捕并提出指控。

联邦调查局成功地说服了《纽约时报》，使其扣押了这些文件甚至予以交还，不过《华盛顿邮报》还是发表了一系列文章进行曝光。这一泄密促成了参议院丘奇委员会的成立，并得出这样的结论：

> 在整整15年间，联邦调查局针对防止行使宪法第一修正案关于言论结社的权利而采取了周密而谨慎的措施，其背后的理论就是要防止滋生出其他危险组织、危险想法的传播，从而保卫国家安全并防止暴力。
>
> 他们所使用的许多技术在民主社会中都无法容忍，即便所有这些措施针对的都是暴力活动也是如此，但是COINTELPRO的所作所为还远不止于此。这一计划未予以明说的大前提是，执法机构有责任对现行社会和政治秩序构成的威胁采取任何必要措施进行打击。

COINTELPRO的一份关键性备忘录中解释道，这就会在反战斗士中播撒下“偏执妄想狂”的种子，使其认为“在每个邮箱背后都藏着联邦调查局的密探”。这样，持不同政见者则会自以为处于监视之中，出于恐惧心理，他们便会在采取激进行为前有所收敛。

果不其然，这一策略确实行之有效。2013年，在名为《1971》的一部纪录片中，若干反战斗士描述了胡佛领导下的联邦调查局如何利用“无孔不入”地渗透并监听民权运动，参加集会的人都被记录在案。这些监控手段阻碍了民权运动继续组织并发展壮大的能力。

当时，即便是华盛顿最强势的机构都认为，只要政府监控存在一天，无论具体怎样实施，都会抑制提出异见的能力。《华盛顿邮报》关于这次闯入事件在1975年3月的一篇社论中，对这种压迫态势提出了明确警告：

> 联邦调查局从未对自己的监控措施对民主过程和践行言论自由所产生的有害影响做出任何表示，特别是它对匿名告密者的依赖更是如此。不过，不言自明的是，若是大家知道乔装改扮的“老大哥”在监听并汇报他们的一切，有关政府政策和计划的讨论和争议势必是要得到禁止的。

丘奇委员会并非只发现了COINTELPRO这一起监控滥用事件。在它的最终报告中宣称，“从1945年至1975年间，美国国安局通过与美国三大电报公司的秘密协议，获取了往来于或转经美国的数百万份私人电报”。此外，在中情局的一次代号为CHAOS（1967~1973年）的行动中，“在中情局的电脑系统里，给约30万个人制作了索引，为约7200位美国人和100多个国内组织创建了单独的文件”。

另外，“约有10万名美国人成为20世纪60年代中期到1971年间创建的美国军方情报文件的研究对象”，还有约1.1万个人和团体“出于政治原因而非税务原因遭到美国国税局的调查”。中情局还通过窃听手段发现人们的弱点（如性行为），并利用这些弱点来“遏制”他们的目标。

这些事件并非只是那个时代的特殊产物，即使在小布什执政期间也是如此。美国公民自由联盟于2006年这样表示：“我们手中的文件的最新细节表明，五角大楼掌握着反对伊拉克战争的美国人信息，包括贵格会和学生组织在内。”五角大楼通过搜集信息并存储在军方的反恐数据库中来“密切监视非暴力抗议者”。美国公民自由联盟注意到一份标明是“潜在恐怖活动”的文件中，俄亥俄州阿克伦的“立刻停战”这类集会也榜上有名。

这些证据表明，信誓旦旦地声称监控只会针对那些“图谋不轨”的人，这种说法根本无法服众，因为政府会条件反射般将针对其权力的任何挑战都视为不轨行为。

当权者将政治反对者定性为“对国家安全构成威胁”甚至是“恐怖分子”，事实一次次证明他们一旦尝到甜头，对这种做法根本无法抗拒。在过去的10年间，政府出于对胡佛领导下的联邦调查局做法的回应，也将环保斗士、大量的反政府右翼组织、反战斗士和巴勒斯坦权利相关团体正式贴上了这样的标签。上述门类中的某些个人也许的确符合这样的定位，但是毫无疑问，大多数人并非如此，他们唯一的罪责不过是持有对立的政治观点而已。可是这样的团体却照例成为国安局及其合作伙伴的监控目标。

的确，在英国当局在伦敦希思罗机场以反恐法为由扣留了我的合作伙伴戴维 · 米兰达之后，英国政府显然将我对监控事件的报道等同于恐怖行为，理由就是斯诺登文件的发布“旨在对政府施加影响，且此举是出自推行政治或意识形态因素而做出，因此符合恐怖主义的定义”。这是将对当权者利益造成的威胁等同于恐怖主义的最明确的声明。

对于美国的穆斯林社区来说，所有这些都不足为奇，因为这里的人们对以恐怖主义为由而进行的监控抱有极大恐惧，且这种恐惧无处不在，大家这样做有着充足的理由。2012年，美联社的亚当 · 戈德堡（Adam Goldberg）和马特 · 阿普佐（Matt Apuzzo）披露了中情局和纽约警察局的一项联合计划，即针对美国的所有穆斯林社区进行物理和电子监控，即便大家并无任何不轨行为的蛛丝马迹也无济于事。美国穆斯林将这种监控对他们日常生活的影响进行了描述：在清真寺出现的每个新面孔都有嫌疑是联邦调查局的密探，朋友家人都因担心受到监控而三缄其口，这更是出于意识到所表达的观点若被视为对美国不利，则可作为进行调查或指控的借口。

斯诺登掌握的文件中，有一份日期为2012年10月3日的文档，更是令人发指地强调了这一点。其中指出，该机构针对它认为体现出“极端”想法以及对他人产生“极端化”影响的人士，实施了个人网络活动监控。这一备忘录特别指出了6位人士，均为穆斯林，不过文中强调这些仅仅是“示范性人物”。

国安局明确表示，这项监控中的所有目标个体均非恐怖组织成员，也并未卷入任何恐怖袭击阴谋。相反，他们的“罪行”不过是他们所表达的观点被视为“极端”，就是这个专业术语成为了实施无孔不入的监控和以“发现弱点”为目的的破坏性行径的正当理由。

在对这些个人所搜集的情报信息中，至少其中有一位是“美国人”，他们的在线性活动和“在线滥交”被详尽跟踪记录，其中包括他们经常访问的色情网站情况，以及与其妻子以外的女子偷偷摸摸地进行色情聊天的记录等。国安局想尽办法挖掘这些信息就是为了让他们名誉扫地、身败名裂。

背景（U）

（绝密//敏感信息//关于美国，“五眼”情报联盟）针对激进化所做的以往一份通信情报评估报告表明，当其私人和公开行为表现出表里不一时，激进分子的权威性会显得极度脆弱。部分弱点一旦暴露，激进分子对圣战事业的投入程度就会受到质疑，从而导致他的权威性降低乃至损失殆尽。这类弱点的部分实例包括：

- 在线观看性暴露内容或在与涉世不深的年轻女子交流时，使用性暴露的诱导性语言；
- 使用他们从敏感资金渠道获取的部分善款来为个人的开支埋单；
- 为其演讲费用漫天要价，过分关注提升个人形象的机会；
- 人们获悉其公开言论是基于可疑的信息来源，或措辞自相矛盾，自然会令人对其可信度提出质疑。

（绝密//敏感信息//关于美国，“五眼”情报联盟）当涉及信息的有效性和感染力时，信任和声誉方面的问题非常重要。显而易见，了解其用来向可疑人群传播信息的工具以及他获取信息存在脆弱性的渠道，即可更好地挖掘激进分子及其言行中的性格或可信度方面的弱点，或是两者兼而有之。

正如美国公民自由联盟的法务副总监贾米勒·贾法尔认为的那样，国安局数据库中“存有你的政治观点、病史、亲密关系和网上活动等信息资料”。国安局称这些个人信息不会被滥用，“但这些文件显示国安局对‘滥用’的定义可能会相当狭窄”。正如贾米尔所言，国安局在历史上曾应一位总统的要求，

“使用监控结果打击政治对手、媒体记者或是人权斗士”。他表示，若要以为该机构不会“故伎重演”那实属“过于天真”的想法。

还有些文件记录了政府不仅关注了维基解密及其创始人朱利安 · 阿桑奇（Julian Assange），而且还关注了国安局认定的“支持维基解密的人际网络”。2010 年 8 月，奥巴马政府敦促几个同盟国对阿桑奇提出刑事指控，因其机构发表了关于阿富汗战争的内幕信息。国安局向别国施压，要求指控阿桑奇的讨论现身于国安局的文件之中，该机构称之为“搜捕时间表”，其中以国家为单位详细记录了美国及其盟国在定位、指控、抓捕与或杀害诸多人等的具体勾当，包括所谓的恐怖分子、毒贩、巴勒斯坦领袖等。在 2008 年到 2012 年间，美国每年都在执行这一时间表。

（U）搜捕时间表 2010

绝密 // 敏感信息 /TK// 禁止向联盟的外方成员展示

跳到：导航，搜索

主要文章 : 搜捕
还可参考：搜捕时间表 2011
还可参考：搜捕时间表 2009
还可参考：搜捕时间表 2008

（U）下列搜捕行动发生在日历年 2010：

[编辑]（U）11 月

另有一份单独的文件包括了 2011 年 7 月的交换意见总结，其中就是否将维基解密以及文件共享网站海盗湾（Pirate Bay）标注上“恶意外来事物”的标签，以便对之定位而进行了讨论。这一定位则意味着将会对这些组织（包括美国用户在内）进行大量的电子监控。这些讨论出现在了常见问题清单上，美国中央保密服务威胁作战中心（NTOC）监管与合规办公室（NOC）和国安局总法律顾问办公室（OGC）的官员为上述问题提供了答案。

在这份始于 2011 年的交换意见中可以看到国安局对违反监控规定完全漠视。在本文件中，有位工作人员称“我搞砸了”，因为系统锁定的是位美国人，

第4章
监控之害

内容

[编辑]（U）美国、澳大利亚、英国、德国、冰岛

（U）美国于8月10日敦促出兵阿富汗的其他国家，具体包括澳大利亚、英国和德国等，考虑对维基解密这一无赖网站的创始人朱利安·阿桑奇提出刑事指控，他未经授权就擅自将7万余份涉及阿富汗战争的保密文件公诸于世。这些文件可能是陆军一等兵布拉德利·曼宁向维基解密透露的。此举是集中国家力量中的法律元素，并联合国际力量对“非国家行为体”阿桑奇和“支持维基解密的人际网络”予以打击的开始。[16]

[编辑]（绝密//敏感信息//相关信息）恶意外来事物==美国数据信息传播者?

我们是否可以将存储或潜在传播泄露或失窃的美国数据信息的服务器作为“恶意外来事物”，以便进行准确定位？例如：维基解密、海盗湾网站（thepiratebay.org）等。

NOC/OGC 回复：我们稍后回答这个问题。（资料来源＃001）

而不是外国人。可来自国安局监管办公室和总法律顾问办公室的回复却是“没关系，不必担心”。

[编辑]（绝密//敏感信息//相关信息）无意中锁定一个美国人

我搞砸了……选择器给出的信息显示这是外国人，结果却是美国人……这可如何是好?

NOC/OGC 回复：经过所有查证，如果你发现此人的确是美国人，那么必须将此事上报，并列入总法律顾问办公室的季度报告……“不过没关系，不必担心。”（消息来源#001）

对著名黑客组织“匿名者”的处理以及对所谓“激进黑客”的模糊划分更是问题丛生，且走向极端。这是因为匿名者并非是实际的结构化组织，而是与某一观点相关的松散组织的一群人等：有些人是因为自己所持的立场而与匿名者结缘。更糟的是，“激进黑客”并无固定含义：这可以是使用编程技术破坏互联网安全和功能的人士，也可以是通过在线工具传播政治理想的人士。国安局锁定如此宽泛概念的人群相当于，只要政府认为存在威胁，就可以对包括在美国境内的任何人在任何地方都进行监视。

麦吉尔大学的加布里埃·克里曼（Gabrielle Coleman）是研究匿名者黑客

组织的专家，据他讲这一组织“并非是一个明确的”实体机构，而是“发动激进分子采取集体行动并表达不同政见的一种理念。这是一个有着广泛基础的全球性社会运动，并不具备集中化或官方组织的领导结构。部分人是以参与数字化非暴力反抗的名义聚集在一起，但这与恐怖主义相去甚远”。接受这一理念的大多数人不过是“进行普通的政治表达而已。锁定匿名者黑客组织和激进黑客，相当于对表达自己政治信仰的公民予以控制，结果就是导致合法的持不同政见者遭受打击”。克里曼这样表示。

可匿名者黑客组织一直受到英国情报机构政府通信总部某部门的监控，而且还采用了间谍活动中最具争议、最极端的手段，诸如“幌子行动”、“美人计”、病毒及其他攻击手段、欺骗策略和“损及声誉的信息作战”等。

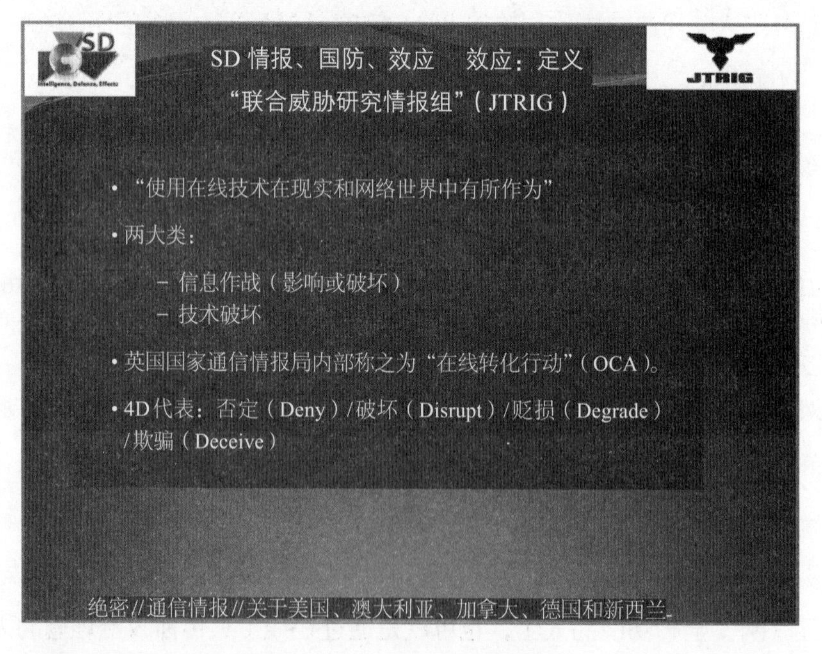

英国国家通信情报局监控官员在2012年的SigDev大会展示的一张幻灯片中描述了两种攻击形式：“信息作战（影响或破坏）”及“技术破坏”。英国国家通信情报局将这些措施称之为“在线转化行动”，以实现文件中所谓的“4D”目的：否定（Deny）/破坏（Disrupt）/贬损（Degrade）/欺骗（Deceive）。

有一页幻灯片介绍了运用“让目标名誉扫地”的战术。这包括“设下美人计”、“更换他们在社交网站上的照片”、“撰写博客文章声称是他们的受害者”以及“向他们的同事、邻居和朋友发送邮件或短信等”。

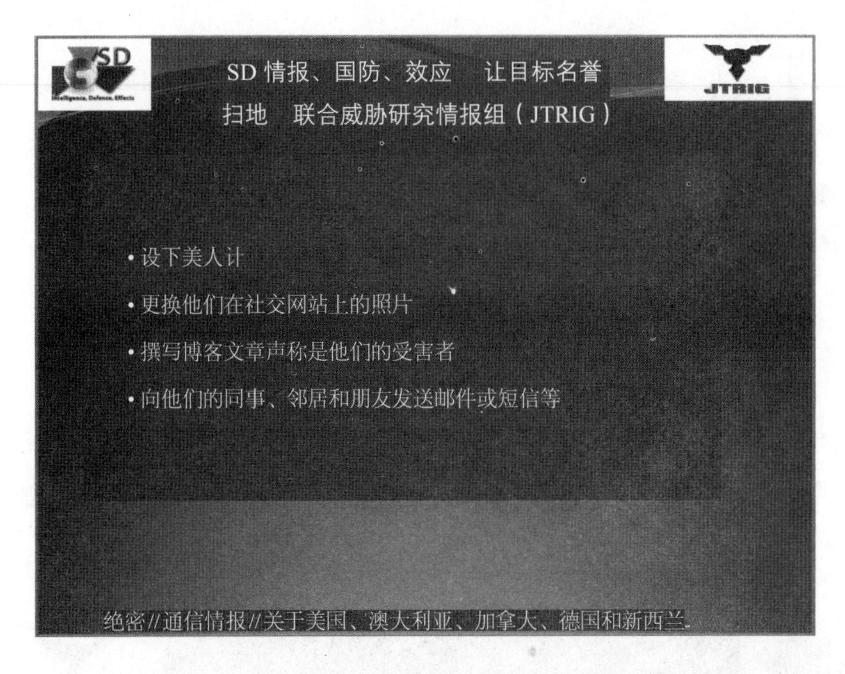

在附上的注释中，英国国家通信情报局解释了何为“美人计”，这是冷战时期的一种策略，让有姿色的女子出面诱惑男性目标上钩，使其陷入危机、败坏名誉的境地，这一形式在数字时代已经有了升级版本：现在目标将会受到危及名誉的网站或是在网上艳遇的诱惑。相关评论这样写道：“这是个不错的选择，发挥作用时会极其奏效。”与之类似，组织渗透的传统做法现在也有了在线模式：

绝密//通信情报//关于美国、澳大利亚、加拿大、德国和新西兰

CK

美人计；这是个不错的选择，发挥作用时会极其奏效。
- 让某人前往互联网的某处，或是现实中的某地，去与一个“友善的面孔”相见。
- 联合威胁研究情报组有能力在必要时“修改”背景环境。

更换照片；你受到警告，“联合威胁研究情报组完全知情！！”
可以将“偏执狂”提升到一个全新的高度。

电子邮件/短信：

- 渗透工作。
- 帮助联合威胁研究情报组获取在线组织的信任等。
- 帮助搜集通信情报/作用效果。

还有一种技术可以阻止“某人与外界的交流沟通。”要实现这一目的，情报局可以“向对方的手机大量发送短消息”、“不断拨打对方手机”、“删除他们的在线状态”并“切断其传真机的线路”等。

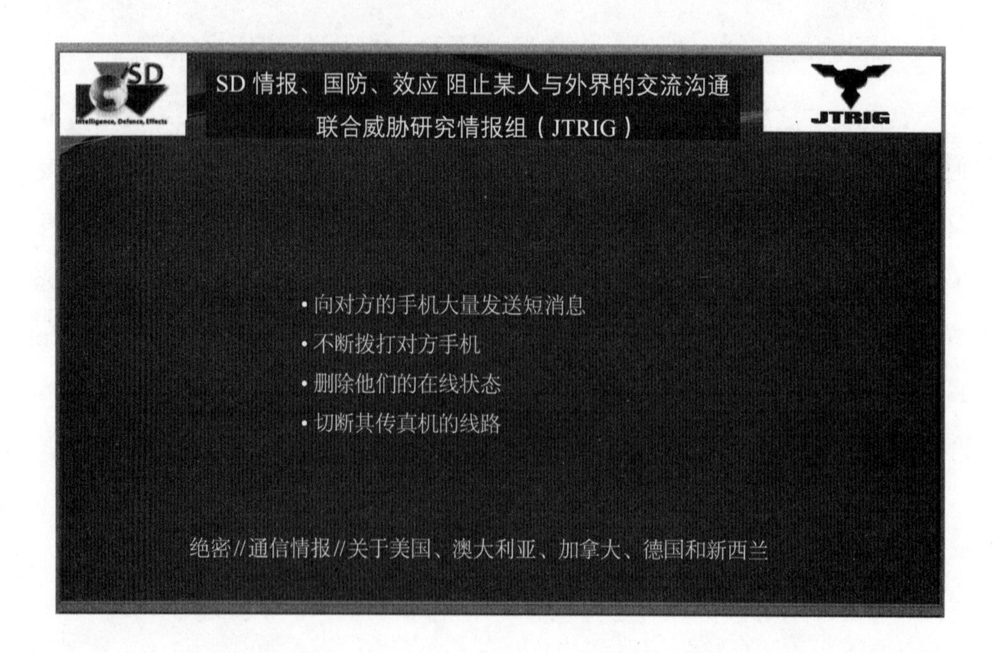

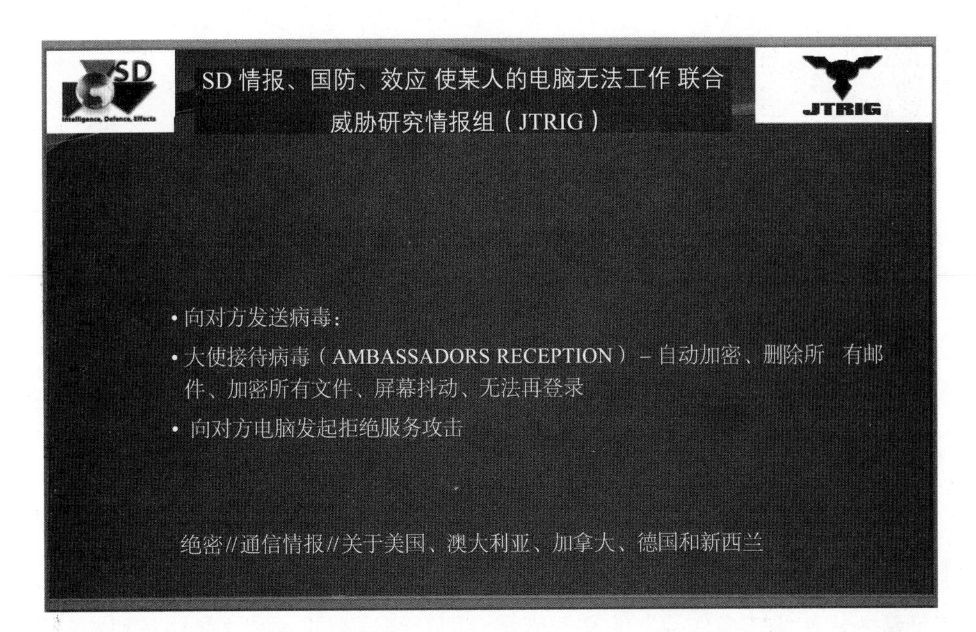

英国国家通信情报局也喜欢使用“破坏”技术来替代它所谓的“传统执法”——搜集证据、对簿公堂和起诉等。在一份名为“网络攻击会议：挑战边界，打击黑客”的文件中，英国国家通信情报局称其打击“激进黑客”的手段是通过“拒绝服务”来发起攻击，而极具讽刺意味的是，这正是黑客常用的伎俩。

为何选择基于效果作战?

- 破坏技术与传统执法之比较
- 信号情报发现的目标
- 破坏技术可以节省时间和金钱

绝密//通信情报//关于澳大利亚、加拿大、新西兰、英国和美国

对黑客行为的打击效果

- 财富作战计划（Op WEALTH）——2011 年夏
- 英特尔支持执法——确定顶级目标
- 针对关键通信输出进行拒绝服务攻击
- 信息作战

绝密//通信情报//关于美国、澳大利亚、加拿大、德国、新西兰

这家英国监控机构还利用包括心理学家在内的一组社会学家开发在线人工智能技术（UMINT）以及“战略影响破坏”技术。一份题为“欺骗的艺术：培训新一代在线转换作战”的文件就是专门介绍这类战术。这是由该机构的人类科学运作单元（HSOC）编写的报告，文中称，利用社会学、心理学、人类学、神经系统科学、生物学等诸多领域的知识，可实现英国国家通信情报局的在线欺骗技术效果的最大化。

在一张幻灯片上展示了如何进行“掩饰——隐藏真相”，与此同时还要扩散“模拟效果——展示假象。”其中研究分析了“欺骗的心理学基础”，以及用于实施欺骗的“技术地图”，包括脸书、推特、领英（LinkedIn）和网页等。

英国国家通信情报局强调“人们通常是出于感性而非理性原因做决策”，因此主张人们的在线行为是受到“镜像作用”（人们在社会交往过程中也会彼此效仿）、“迁就通融”、“模仿”（通过其他参与者的传播，接受某些社会特征）等因素的驱使。

接下来，文件中列出了它所谓的《破坏行为操作手册》。其中包括“渗透行动”、“诡计行动”、“幌子行动”、“诱捕行动”。该机构信誓旦旦地表示该破坏行动计划“于 2013 年年初”全面展开，已有“150 余名成员接受了全面训练”。

SE CRE T//敏感信息//关于美国，“五眼”情报联盟

破坏行为操作手册

- 渗透行动
- 诡计行动
- 事先布局行动
- 幌子行动
- 虚假救援行动
- 破坏行动
- 诱捕行动

这份文件题为“神奇方法及实验”，提及了“暴力合法化”、“编造目标对象内心的体验应可以接受，而他们本人不会意识到这一点”以及“优化欺骗渠道”等说法。

这类以监控和影响网络传播和散布在线虚假信息为目的的政府计划，长期以来都是人们怀疑的对象。哈佛法学教授凯斯 · R · 桑斯坦（Cass R.Sunstein）是奥巴马身边的一名顾问，也是白宫信息和监管事务局前主任，同时也是白宫委员会任命的审查国安局行动的负责人，他于2008年曾撰写了一份颇受争议的报告，建议美国政府安排诸多秘密特工和假冒的“独立”倡导人“有意识地渗透”到在线组织、聊天室、社交网络、网站以及线下激进分子组织当中。

这些英国国家通信情报局的文件首次披露，这些欺诈手段和伤及名誉的颇受争议的做法已经从提议阶段进入到了实施阶段。

所有证据都在强调针对公民的一条隐性规定：你若不构成威胁，那么我们就井水不犯河水。对我们的所作所为你支持也好、容忍也罢，只要不多管闲事，你就不会有事。换言之，你若想不被视为图谋不轨，那就要多加小心，不要激怒手中掌握着监控大权的权威机构。这一规定是在鼓励被动服从和俯首帖耳。确保能“保全自己”的万全之策就是闭口不言、唯命是从、奴颜婢膝。

在许多人看来，这样的交换还很具吸引力，足以让大多数人觉得监控手段并无害处，甚至还有益于民。他们觉得自己的生活太过无趣，根本不会引起政府的注意。我曾听到过人们有这样的说法：“我不相信国安局能对我这种人感兴趣”，“如果有人想了解我的无趣生活，那么悉听尊便”，或是“国安局不会对你祖母谈论自己的菜谱或是老爸计划打一场高尔夫球赛这类事情感兴趣的”。

这些人自以为不具威胁性，而且既然身为顺民，他们对自己不会成为有关部门锁定的监控目标深信不疑，因此对所发生的一切既不反对、也不在意，或是索性公开表示支持。

在国安局监控事件的报道发表不久，微软全国广播公司的主持人劳伦斯·奥唐纳（Lawrence O'Donnell）对我进行了采访，他揶揄国安局仿佛是个“巨大的恐怖监控怪兽。”在总结个人观点时，他这样表示：

> “目前来看，我个人认为……我对此并不感到恐惧……政府如此大规模、大范围地搜集（数据）反而令政府更难找到我……而且他们也完全没有理由来拿我开刀。因此，我觉得在现阶段我全然没有受到任何威胁。”

《纽约客》的亨德里克·赫兹伯格（Hendrick Hertzberg）也明确对监控的危险性表现出不屑一顾，尽管他承认“情报机构的越界行为、过度保密和缺乏透明度还是有理由令人堪忧”，他还是写道，“就此也有理由保持冷静”。特别是，监控所威胁的“公民自由，似乎还是需要揣度而并不具体的抽象概念”。《华盛顿邮报》的专栏作家露丝·马卡斯（Ruth Marcus）完全错误地低估了国安局的权力，荒谬地宣称“我的元数据几乎从未被监测过”。

从某种意义上来说，奥唐纳、赫兹伯格、马卡斯是完全正确的。在当下，美国政府“的确绝无动机”去锁定他们作为监控目标，对他们而言，一个监控政府所带来的威胁不过是“需要揣度而并不具体的抽象概念”。这是因为媒体记者若将自己的工作当成对美国最位高权重的长官（总统先生，也就是国安局的最高指挥官）顶礼膜拜，同时为他的政党摇旗呐喊的话，他们是极少会铤而走险和当权者唱反调的。

当然，总统及其政策的忠心耿耿拥趸，以及不会引来当权者任何负面关注的好公民，自然没有理由去惧怕一个实施监控的政府。这在每个社会都是如此：不会提出挑战的人很少会成为压迫性措施的实施对象。在这些人看来，他们可以说服自己，告诉自己说这些压制并不存在。可是衡量社会自由的真正尺度在于它如何对待持不同政见者和边缘组织，而不是在于它如何处置忠顺良民。即便是在世界上最残暴统治的国家中，其忠实的支持者也不会受到国家权力滥用的侵扰。在穆巴拉克统治下的埃及，正是那些走上街头鼓动众人要推翻他的暴政的人遭到逮捕、酷刑和枪杀。穆巴拉克的支持者以及安安静静待在家中的人们则相安无事。在美国，全国有色人种协进会的领袖、共产党人、民权和反战斗士才是胡佛的监控对象，而不是那些循规蹈矩、对社会不公不闻不问的公民。

我们不应为免遭国家监控才被迫对当权者俯首帖耳。平安度日的代价也不该是对有争议或挑衅性异见保持沉默。我们不应希望身处这样的社会：除非你去效仿那些体制内专栏作家的驯服态度和明哲保身的行事风格，不然你就会被找麻烦。

不仅如此，若目前当权的任何组织机构认为可以免受监控，则注定是痴人说梦。当我们看到党派意见是如何左右人们对国家监控的危险性看法时，即可清晰地看出这一点。昔日的拉拉队长可能会瞬间变为如今的异见分子。

在 2005 年，国安局未经许可窃听争议人士，压倒性多数的自由党和民主党人都认定国安局的监控构成了威胁。这其中部分当然也出于典型的两党之争的考虑：共和党的小布什担任总统时，民主党看到这其中有机会对他及其党派造成政治伤害。不过他们的恐惧心理很大程度确实属实：因为他们认为小布什存在恶意且具有危险性，他们认为被他掌控的国家监控势必也同样是一种威胁，作为政治对手的他们，更是会首当其冲受到波及。于是，共和党则对国安局的做法持更友善支持的态度。相形之下，2013 年 12 月，民主党和进步党又成为国安局的主要拥护者。

有大量民调数据都反映出这一变化。美国独立性民调机构皮尤研究中心

（Pew Research Center）公布的民意测验结果显示，大多数美国人都不相信为国安局监控所做的辩护，特别是“大部分美国人（56%）都认为，联邦法庭未能对政府反恐工作所搜集的电话和网络数据信息予以足够的限制”。此外“有更高比例（70%）的美国人相信政府对这些数据的使用并非是针对调查恐怖主义”。另外，“63%的人们认为政府同时也在搜集交流沟通内容方面的情报信息”。

最值得注意的是，如今美国人觉得监控本身的危险性已经远胜过恐怖主义。

> 整体来看，有47%的美国人表示他们对美国反恐政策抱有更大顾虑，认为其在限制普通人的公民自由方面已经太过极端，还有35%的美国人表示，他们担心政策对国家的保护力度尚远远不够。这是自该问题于2004年首度提出后，皮尤研究中心的民调结果首次显示，人们对公民自由的关注要胜过反恐保护。

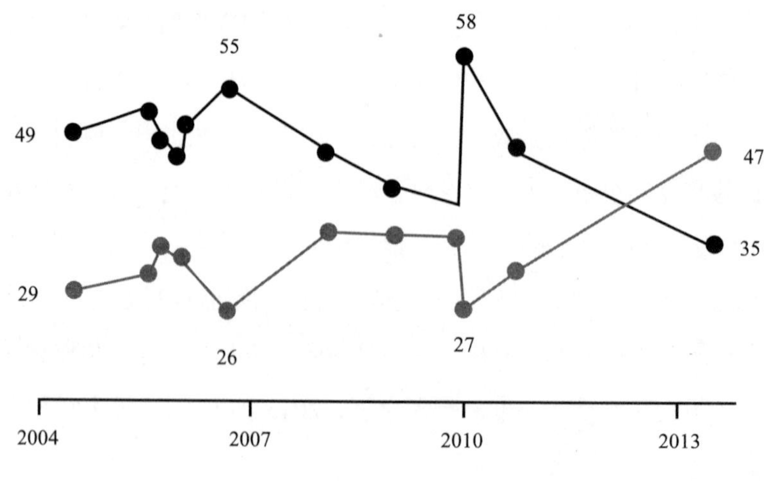

皮尤研究中心 2013 年 7 月 17~21 日，第 10 问。

对于那些已对过度使用政府权力和长期以来对恐怖主义威胁夸大其词有所警觉的人们来说，调查数据实属利好消息。可其中也凸显了一个明显的换位：在布什政府下，原本是共和党在为国安局撑腰，在民主党的奥巴马总统掌握了监控系统的控制权后，民主党取代了共和党的位置为国安局辩护。“在全国范围内，对政府大规模监控项目的支持力度，民主党（57%赞成）要高于共和党（44%赞成）。”

《华盛顿邮报》的调查结果也颇为相似，显示保守派人士较自由派更介意国安局的监控。当问及“如果确有发生的话，你会对国安局的数据收集以及对你个人信息的使用会是怎样的态度？”48%的保守派人士表示“非常介意”，而在自由派当中这一数字仅为26%。正如法学教授奥林·科尔（Orin Kerr）所指出的那样，这其中体现出一种根本性的转变：“局势与2006年相比出现了有趣的逆转，当时执政总统来自共和党而不是民主党。当初，皮尤研究中心的调查结果显示，75%的共和党人赞成国安局监控，而在民主党人当中，支持率仅为37%。”

一份皮尤研究中心的表格可以更清晰地体现这一转变：

对国安局监控项目党派意见的改变

对国安局监控项目所持观点
（有关问题措辞不同可见上表）

	2006年1月		2013年6月	
	接受	不接受	接受	不接受
	%	%	%	%
总计	51	47	56	47
共和党	75	23	52	47
民主党	37	61	64	34
独立人士	44	55	53	44

皮尤研究中心2013年6月6~9日。数据间可横向比较。表示不知道或拒绝回答的数据并未显示。

根据执政党的党派属性，支持及反对监控的言论明目张胆地在两党间交替换位。2006年，哥伦比亚广播公司《早间秀》（*The Early Show*）节目中，一位参议员对国安局大规模收集元数据的做法言辞犀利地大加批判：

> 我不必接听你的电话就可以知道你在做些什么。如果我可以了解你的每通电话是打给谁，我就能判断出你所接触的都是些什么人。我还可以了解你的生活方式，这是非常侵入式的做法……真正的问题在于，他们拿这些收集来的信息究竟有何用途呢？要知道，这些信息和基地组织毫无关系。……我们难道还要信任美国总统、副总统他们的所作所为都是正确无误的吗？别指望我能做到这一点。

这位言辞激烈批判大规模数据收集的参议员就是乔·拜登（Joe Biden），可后来当他成为美国的副总统后，他又摇身一变成为民主党政府的一员，而他们的做法正是拜登自己曾一度批判的。

问题并非只是说明这些派系政治家都变成毫无原则的伪君子，除了一味追逐权力，并无真正的坚定信念——当然这一点也确凿无疑。更重要的是，这类言论揭示了人们对政府监控的本质认识。尽管存在种种不公，当人们认为政府的过分行为碰巧是在值得信任的仁慈之人手中掌控时，就会消除内心的恐惧。他们认为只有当自己觉得会受到威胁时，监控措施才具有危险性或值得顾忌。

政府一直在说服大家只有个别具体人等才会受到影响，通过这种方法常常可以实现权力的极度扩张。通过让大家相信，无论对错，只有部分边缘人物才会受到监控锁定，其他人则可以默认甚至是支持这种压迫手段，而不必担心有朝一日自己也会遭此下场，政府一直都在说服民众对这种暴行熟视无睹。暂且不去考虑这一立场的明显道德缺陷，好比说，我们容忍种族主义，是因为种族主义只是针对少数民众；或者说，只要我们自己食物供给充足，就不屑于理会饥饿问题。这些几乎都是基于实用主义而被误导的做法。

正是这些自以为不会受到政府权力滥用影响的人们这种漠视甚至支持的

态度始终在放纵政府权力的滥用，才使监控远远超过其最初的适用范围，直到权力滥用发展到无法控制的地步，而这也是无法避免的事情。这方面的事例数不胜数，不过对《爱国者法案》的利用也许是其中最显著的最新事例。在“9 · 11”事件后，国会近乎全票通过了支持大规模加大监控力度和拘留权的做法，认为这样做即可查明并防止未来的攻击行为。

这其中的隐含假设就是，这些权力将主要被用于与恐怖主义相关的穆斯林——权力的经典扩张方式就是称其只限于特殊人群，仅限于某种具体行为——也是出于这种原因，这一举措才获得压倒多数的支持。可实际发生的情况却截然不同：对《爱国者法案》的运用完全超出了其表面目的。实际上，自从该法案颁布以来，它就被大量用于与恐怖主义或国家安全毫不相干的案例中。《纽约杂志》披露在2006~2009年间，该法案支持的“偷窥”授权（即在没有立即告知目标的情况下授权执行搜查令）曾被用于1618起毒品相关案件，122起欺诈案件，而仅有15起案件与恐怖主义有关。

一旦公民默许了新的权力，相信这并不会影响到自己，那么就会实现制度化和合法化，再要反对则毫无可能。的确，1975年弗兰克 · 丘奇所获得的最大经验教训就是大规模监控所能引发的危险程度。在美国全国广播公司的《会见新闻界》栏目中，他这样表示：

> “这种能力可以随时转向针对美国人，若是当真如此，那么任何人都不会再有隐私可言，因为一切均可处于监控当中，电话交流、电报往来，无所不包。普天之下，无处可以藏身。如果政府再由暴君所掌控……情报机构的技术能力就可以使得政府全面实施专制暴政，而且还绝无反击的可能，因为即使是最为谨小慎微的抵抗组织……都逃不出政府的手心。这就是这种技术的可怕之处。”

在2005年《纽约时报》的一篇文章中，美国作家詹姆斯 · 班福特认为现如今国家监控的威胁，其可怕程度远胜过20世纪70年代：“人们现在通过电子邮件表达自己内心最深的想法，在互联网上显示自己的医疗和金融记录，不停地用手机聊天沟通，相关机构基本上可以说是具备了窥探人们真实思想的能力。”

丘奇所担心的任何监控能力“都可能转向针对美国人”的图景就是“9·11”事件后，国安局所作所为的真实写照。尽管监控是依照《海外情报监控法案》在执行，尽管它禁止监视美国国民，国安局的行动却从一开始就意味着，现在很多监视活动是在针对生活在美国土地上的公民。

即便不存在权力滥用，即便不是出于个人原因被锁定目标，大量收集情报的监控政府都在整体上对社会和政治自由产生危害。美国和其他国家所取得的进步不过是刚刚实现了能挑战权威和正统思想、可以探索思考和生活的新方式。包括并未参与到宣传不同政见或政治活动中的人在内，所有的人都会苦于担心受到监视的顾虑而丧失了这种自由。亨德里克·赫兹伯格明确表示对国安局监控项目的忧虑后，还是承认：“这一伤害已成事实，公民受到了伤害，集体也受到了伤害。受损的是支撑开放社会和民主政治的信任和责任架构。”

赞同监控活动的拉拉队长们基本上只能拿出一条辩解的理由：大规模监控仅仅是为了制止恐怖主义，是为了确保民众的安全。的确，打着外部威胁的幌子在历史上从来都是让民众服从政府权力而采取的战略选择。十多年来，美国一直在到处宣传恐怖主义的危险性，来为自己所采取的大量极端行为找寻说法，从引渡到实施酷刑、杀戮，再到入侵伊拉克无不是如此。自从“9·11”恐怖袭击之后，美国官员条件反射般造出了“恐怖主义”这一说法。与其说这是宣传口号或战略战术，更不如说是为行动给出的说辞或有说服力的理由。在监控问题上，有大量证据表明这种做法的有效性着实令人怀疑。

此外，奥巴马总统和众多国家安全官员所称大规模监控是为防止恐怖袭击阴谋的说法，也被证实根本站不住脚。2013 年 12 月《华盛顿邮报》发表了一篇文章，题为“国安局电话监听项目的官方辩护也许会不攻自破”，文中称一位联邦法官表示，电话元数据收集计划“几乎可以肯定”违背宪法，同时还认为司法部无法“找出一宗事例可以说明，通过分析国安局所搜集的大量数据，有效阻止了即将发起的恐怖攻击。”

同月，奥巴马钦点的顾问小组（除了其他人之外，其中还包括前中情局副局长和一名前白宫高级助理，大家通过接触保密情报信息来一起研究国安局的计划）得出的结论认为，元数据收集计划“对防止攻击并未起到重要作用，通过传统的（法庭）指令，也可及时获得这类信息。”

再次援引《华盛顿邮报》的文章称：“在国会证词中，美国国家安全局局长基思·亚历山大将军将美国国内外的数十起阴谋的成功调查都归功于这一计划的帮助”，可顾问小组的报告却“对这些说法的可信度提出了极大质疑”。

此外，民主党参议员罗恩·怀登、马克·尤德尔和马丁·海因里希（Martin Heinrich）更是在《纽约时报》上明确表态，大规模电话记录收集工作并未提高美国人面对恐怖威胁时的保护能力。

> 大规模搜集信息计划的作用完全被夸大其词。我们尚未看到它在保护国家安全方面提供了任何独特的真实价值。尽管我们一再要求，国安局还是拿不出任何证据来证明，该机构依照这一计划获取的电话记录，是无法通过正常的法庭指令或是紧急授权拿到的。

对于官方就大规模搜集元数据所作辩解的真实性，属于政治中间派别的新美国基金会（New America Foundation）的研究认为，该计划“对防止恐怖行动并未产生可识别的影响。”相反，根据《华盛顿邮报》的报道，在大多数被阻止的密谋案例中，研究表明“是传统的执法和调查手段为了解案情提供了线索或证据”。

相关记录的确乏陈可数。全面搜集数据系统并未能察觉2013年的波士顿马拉松爆炸案，更谈不上能有效阻止。它也未能发现圣诞节在底特律上空发生的喷气客机未遂爆炸案，或是企图引爆时代广场的计划，抑或是破坏纽约地铁系统的恐怖袭击密谋，所有这些都是被警觉的路人或传统的警力发现并阻止的。在奥罗拉和纽敦的大规模枪击惨案中，它更没有发挥任何作用制止这些事件。从伦敦到孟买再到马德里，尽管涉案人员有数十人之众，那些大规模国际恐怖袭击活动却均未被事先察觉。

尽管表面上说得好听，可国安局的极端做法并未能使得情报部门拥有更好的办法以防止“9 · 11”恐怖袭击的发生。基思 · 亚历山大在面对众议院情报委员会时这样说道：“我更愿意今天在这里为这一计划费一阵唇舌，而不是在我们未能阻止另一次‘9 · 11’事件时作检讨。”（同样的说辞一字不差地出现在国安局为员工提供的回避问题的要点内容中。）

这其中的潜台词就是制造恐慌，并将欺骗手段发挥到极致。正如美国有线电视新闻网的安全分析员彼得 · 伯根（Peter Bergen）表示，中情局手中有着关于基地组织密谋的多份报告，并掌握了“两名劫机分子及其在美国的行踪等相当多的信息”，可是“该机构未能及时将之与其他政府部门分享，直至为时已晚，于事无补”。

《纽约客》的基地问题专家劳伦斯 · 怀特（Lawrence Wright）也同样拆穿了国安局收集元数据可以阻止“9 · 11”袭击的说法，解释称中情局“未能将关键性情报提供给联邦调查局，而后者是在美国调查恐怖主义活动以及来自美国境外的攻击具有最高权威机构”。他认为联邦调查局原本可以阻止“9 · 11”事件的发生。

> 该机构原本有法律保证可针对在美国与基地组织有染的每个人都采取监控措施，本应跟踪他们的行迹，窃听相关电话，克隆其电脑数据并读取电邮，要求提交他们的医疗、银行和信用卡记录。它有权要求电话公司提供他们的电话记录，完全没有必要进行元数据收集计划，只需要和其他的联邦机构展开合作即可，可是出于某种琐细和不明朗的原因，这些机构选择向最有可能阻止恐怖袭击的调查机构隐藏了重要线索。

政府掌握了必要的情报，却未能对之充分理解或就此采取行动。事后的解决方案是启动大规模的全面数据收集计划，然而这其实根本于事无补。

一次又一次，从各个角落冒出的以恐怖袭击来为监控行为辩解的说辞都变成了虚伪的借口。

实际上，大规模监控起到的效果适得其反：它使得侦破和阻止恐怖行径的难度愈发加大。民主党国会议员拉什·霍尔特（Rush Holt）身为一名物理学家，同时也是国会中为数不多的科学家之一，他指出收集所有人的通话交流记录只会使得真正的恐怖分子所商讨的阴谋变得模糊不清。采取有针对性而非不加区分的监控将提供更具体有效的情报信息。当前的做法使得情报机构数据泛滥，他们根本无暇对之有效地分类处理。

除了所提供的信息太过泛滥之外，国安局的监控计划还导致国家的脆弱性与日俱增：安全部门对保护普通互联网交易（诸如银行、病历和商业）加密措施的改写使得这些系统极易受到黑客和其他敌对势力的渗透攻击。

安全专家布鲁斯·施奈尔（Bruce Schneier）在2014年1月的《大西洋月刊》（*The Atlantic*）撰文指出：

> 大规模监控措施不仅毫无作用，而且还花费不菲……它破坏了我们的技术系统，因为就连互联网协议都变得不再可信……值得担忧的并非只有国内的权力滥用，在世界其他地方也是如此。我们对互联网和其他通信技术所采取的监控措施越多，我们自己也会越容易受到他人的窃听。我们并非是在国安局可以进行监控的数字世界和受到国安局保护无法实施窃听的世界中二者选择其一，而是在容易遭到所有攻击的脆弱世界和对所有用户都固若金汤的安全世界二者间进行选择。

也许对恐怖袭击最无底线的利用，就是对其夸大其词。美国人死于恐怖袭击的风险简直是微乎其微，甚至远远小于被闪电击中的概率。俄亥俄州立大学的约翰·穆勒（John Mueller）教授曾就恐怖主义的威胁和反恐开销的平衡写过大量文章，他于2011年解释称：“在作战区域之外，全世界死于宗教极端主义恐怖分子、基地组织的追随者也许不过几百人之多。这与每年在浴缸中溺死的人数基本相当。”

据麦克莱齐报业集团（McClatchy）报道，“毫无疑问的是”美国公民在海外死于交通事故或肠道疾病的人数都会高过葬身于恐怖袭击的人数。”

就为了这点风险，我们取消对政治体系的核心保护，打造出一个监控无所不在的国家，这种想法实属不切实际。可是恐怖威胁却是一而再再而三地被利用。在2012年伦敦奥运会前夕，因认为其安保措施不到位而产生的争议不断。由于签约公司无法按照协议提供足够的保安数量，世界各地传来的刺耳批评声音都声称，本届奥运会将在应对恐怖袭击方面可谓手无缚鸡之力。

在伦敦奥运会安然无恙地结束后，史蒂芬·沃尔特（Stephen Walt）在《外交政策》杂志（*Foreign Policy*）中指出，和以往一样，人们的强烈抗议是受到对恐怖威胁过分夸大的影响。他援引约翰·穆勒和马克·G·斯图尔特（Mark G. Stuwart）在美国《国际安全》杂志（*International Security*）发表的文章，文中分析了50起针对美国的“宗教极端主义恐怖阴谋”，结果得出的结论是“基本上所有犯罪分子都是‘无知无能、不见成效、愚蠢混乱、组织散乱、执迷不悟、毫不专业、愚钝低能、不切实际、荒谬可笑’”。穆勒和斯图尔特还引用了负责跨国威胁的前任副国家情报官格伦·卡尔（Glenn Carle）的观点，他称，“我们必须看到圣战主义者不过是一小撮危害极大、各踞山头的可恶反对势力”，他们清楚地意识到基地组织的“实力远不及自己所想象那般强大”。

然而，由于对恐怖主义袭击的恐惧，使得太多的实力派人物手中握着既得利益：因为政府方面需要为自己的所作所为找到根据，监控和武器行业需要大笔公众资金，华盛顿的永久实力派人物需要努力将各自的工作重点置于不会受到真正挑战的位置。史蒂芬·沃尔特提出了下列观点：

穆勒和斯图尔特估计，在国内国土安全方面的开支（例如，不包括伊拉克和阿富汗战争的费用）在“9·11”事件后已经超过了1万亿美元，而每年死于美国国内恐怖袭击的风险不过才是1/350万左右。通过保守估计和传统的风险评估方法，他们预计若是这些开销能得到成本有效性的应用，“则每年足以阻止、预防、挫败或保护333起极大规模的完全有可能得逞的恐怖袭击”。最后，他们担心的是这种对威胁的夸大其词已经“深入人心”，即便政客和“反恐专家”不再拿此类危险炒作，公众依然认为此类威胁非常严重，而且迫在眉睫。

鉴于对恐怖主义的恐惧心理已经遭到人为操控，允许国家运作大规模的秘密监控系统的真正危险却被过分地轻描淡写。

即便恐怖主义的威胁的确达到了政府所宣称的程度，那也无法为国安局的监控计划撑腰。人身安全之外的价值与人身安全同等重要，甚至更加重要——自国家成立之初，这种认识就潜藏在美国的政治文化当中，而对其他国家而言也是如此。

国家和个人不断在做出选择，将隐私及相关的自由的价值置于其他目标（如人身安全）之上。的确，美国宪法的第四修正案目的就在于，即便某些警方行动会有助于降低犯罪，也要予以禁止。如果警方无需搜查证即可闯入任何人的家中，那么凶杀、强奸和抢劫分子也许会更容易受到震慑；如果允许政府在我们每个人的家中安装摄像头，犯罪率可能也会大幅下降（对于入室盗窃而言则肯定会是如此，可大部分人一想到这种做法还是会表现出极其厌恶）；如果允许联邦调查局窃听我们的谈话内容，获取我们的通信信息，大量犯罪问题都可以得到相当程度的预防，并可得以解决。

然而，宪法已经明文规定，禁止这类国家行使的猜忌性侵犯行为。若对此类行为说不，也就意味着我们心知肚明地允许更大概率的犯罪发生。但是我们还是义无反顾地做出了这样的抉择，宁肯让自己面对更大的危险，因为追求绝对意义上的人身安全从来都不是我们压倒一切的唯一的社会重点。

除了我们的身体权利不受侵犯之外，另一个核心价值在于要让政府不能插手我们的私人领域，正如宪法第四修正案所言，其中包括人民的“人身、住宅、文件和财产”不得侵犯。我们如此作为正是因为这一领域对生命质量的诸多典型属性——创造、探索和亲密关系息息相关。

为换取绝对安全而放弃隐私对个人的健康心态和生活十分有害，正如它对健康的政治文化也毫无裨益。对个人而言，这种安全首先意味着生活中充满恐惧，而且寸步难行，届时我们将永远不敢踏上汽车或飞机半步，永远不能参加任何有风险的活动，永远不会更看重生活品质而非一味重视数量，只因要不惜一切代价避免危险的发生。

制造恐慌是权威机构相当喜爱的一种策略，就是因为恐慌可以有效战胜理性，使得权力的扩张和削减权力变得合理化。自从打击恐怖伊始，美国人就被不断告知，若要想避免灾难的发生，他们就必须放弃政治权利。例如，国会情报委员会主席帕特 · 罗伯茨（Pat Roberts）就曾宣称：“我是宪法第一修正案、第四修正案和公民自由的坚实拥护者，不过如果性命休矣，公民自由则无从谈起。”共和党参议员约翰 · 科尼尔斯（John Conyers）正在参加得克萨斯的再次竞选，在视频中的他是个头戴牛仔帽的硬汉形象，却为放弃权利而怯懦地高唱赞歌，他也这样让步道：“当你不在人世，任何人身自由都不再与你相干。”

电台谈话节目主持人拉什 · 林博（Rush Limbaugh）在向广大观众提出这一问题时，完全暴露出他对历史的无知：“你上次听说总统为保护公民自由而宣战是什么时候？我实在想象不出……如果我们连性命都不保，那么我们的公民自由也一文不值！如果你一命呜呼，长眠地下，如果你身处灵柩之中，与泥土为伴，你觉得自己的公民自由还价值几何？一文不值！”

一国之民，一个国家，若将人身安全置于所有价值之上，则终将放弃其自由，并会支持权威机构掌握的任何权力，以换得获得全面安全的一纸承诺，无论这种承诺是多么虚无缥缈。可是，绝对安全本身就是荒诞不经的概念，以此作为目标，则它永远都无法实现。这样的目标会使得参与其中的个人身份受损，也会使得以此为界定的任何国家遭到伤害。

第4章
监控之害

今日政府实施大规模秘密监控系统所带来的危险，远比历史上任何时候都令人战栗不已。政府通过监控可以掌握越来越多公民的所作所为，而由于保密性壁垒的屏蔽，公民对政府在做些什么却了解得越来越少。

这种局面对健康社会的决定性活力所带来的极大倒退，以及它毁坏权力平衡并让政府权力无限膨胀所导致的根本性蜕变，是无论怎样评价都不为过的。边沁提出的圆形监狱设想，就是为授予权威机构无可置疑的权力而设计，也正是基于这样的倒退而作。边沁曾这样写道，“圆形监狱的核心”在于“监视者地位的集中性”与“在可以看见对方的同时却不为对方所见的最行之有效的设计”二者相辅相成。

在健康的民主社会中，事实却是恰恰相反。民主要求的是问责制和被统治者的认同，这只有在公民了解到政府以他们的名义在做些什么的时候才能成为可能。这里有一个前提，即人们能够清楚地看到政务官员的一切所作所为，并且这方面应鲜有例外。只有如此，这些官员才可以称为是公务员，是为公众部门效力的，从事的是公共事业，服务的是公共机构。反过来说，这种社会的另一个前提则是，除了少数例外，政府方面不会去刺探奉公守法的公民的具体所作所为。只有如此，我们才称得上是拥有个人属性的人，才能以私人身份发挥作用。履行社会职责和行使公共权力的人们才需要透明，而除此之外的每个人需要的是隐私权。

NO PLACE

Edward Snowden

TO HIDE

the NSA

第 5 章

and the U.S.

第四等级

Surveillance State

政治媒介是在表面上致力于监督检查国家权力滥用的主要机构，将新闻界视作“第四等级”的理论就是为确保政府透明度、为防止政府出现越界行为设立检查手段，而对整体国民进行秘密监视，无疑属于最为极端的越界行为。但是这种检查手段若要行之有效，则需要媒体人对操控政治权力之人行使监督之责，可美国媒体却经常放弃这一职能，服从于政府利益，甚至为其夸大事实、沆瀣一气，而不是明察秋毫、秉公办事。

在如此背景下，我深知媒体对我撰文报道斯诺登揭秘一事会持敌对态度，这一点在所难免。当6日6日《卫报》刊登了有关美国国安局监听爆料的首篇文章时，《纽约时报》就提出了可能会对此事进行刑事调查。“多年以来，格伦·格林沃尔德就有关政府监控和起诉记者的话题曾写过大量文字，乃至痴迷于这类题材，如今他又突然将自己直接置于这两大问题的风口浪尖，估计联邦检察官随时会找他的麻烦。”有报纸对我进行了这样的介绍。接着，后文又补充道，我对国安局监听项目的报道“可能会引发司法部门的调查，而且剑锋会直指情报泄露者”。这篇文字援引新保守派人士、在美国华盛顿著名智囊机构哈德逊研究所（Hudson Institute）任职的加布里埃尔·肖菲尔德（Gabriel Schoenfeld）的观点，此人长期以来都在鼓吹要将公布机密信息的媒体记者予以制裁，他称我是“各种反美主义行径的职业辩护人，无论这种行径有多么极端。”

《纽约时报》的意图相当明了，这从记者安德鲁·苏利文（Andrew Sullivan）的报道中可见一斑，他的观点也在上篇关于我的文字介绍中有所引用：“一旦卷入了与格林沃尔德有关的争辩是非之中，你很难最后占理。”“我认为他对于掌管国家或发动战争究竟意味着什么，尚不十分明确。”看到自己的文字被断章取义成这般模样，安德鲁也分外不安，他后来将自己和《纽约时报》撰稿人莱斯利·考夫曼（Leslie Kaufman）交谈的全部内容发送给我，其中不乏对我的工作认可和褒奖，可是报纸却刻意对此予以删减。可更值得一提的是考夫曼最初发送给他的采访问题提纲。

- 显然，此人生性执拗，固执己见，那么他何以成为一名记者呢？是因为他值得信赖、诚实可靠，还是他能够精准地援引他人观点、准确表述他人立场呢？他更像是某种理念的拥护者，而不是一名媒体记者，不是吗？
- 他称你是一位友人，事实真是如此么？我感觉此人有些离群索居，一意孤行，因此很难交往，当然这种看法也许并不准确。

在第二个问题中，我被描述为“有些离群索居”，有些难以交往，这在某种程度上比第一个问题更为重要。诋毁揭秘者，从而对其信息的可靠性表示质疑，这在处理揭秘问题时是常用的伎俩，而且还屡试不爽。

对我个人的诋毁已经完全把功课做到了家，我居然收到来自《纽约每日新闻》（*New York Daily News*）撰稿人的一封电邮，他称自己在调查我过去的种种情况，其中包括我 8 年前参股的一家从事成人视频服务的公司的相关债务、纳税和合伙情况。因为《纽约每日新闻》是家喜欢揭人短处的小报，我觉得毫无必要再花费时间对其所提问题进行回复。

但是在同一天，我又收到《纽约时报》撰稿人迈克尔·施密特（Michael

Schmidt）的一封电邮，称他也有兴趣对我以往的未付税款进行采访。两家报纸同时对这样一个细枝末节的话题表现出兴趣，这实在有些令人匪夷所思，但是《纽约时报》显然是认为我以往的债务问题的确具备新闻价值，甚至都不愿对这一采访要求进行合理的解释。

这些事情基本都不足挂齿，不过是想给我抹黑罢了。《纽约时报》最后并未在报上刊登相关文章，不过《纽约每日新闻》则不然，他们甚至搬出了 10 年前，我的宠物狗超过了公寓规定的体重限制，遭到罚款引发不快这类鸡毛蒜皮的琐事。

这种争相给我抹黑的态度不足为奇，可是否定我记者身份的做法则完全不然，这会带来潜在的巨大不良后果。这次又是《纽约时报》首先发力，还是关于 6 月 6 日那篇报道的作者个人身份介绍。报纸在大标题中给我安排了一个和记者完全不相干的头衔："关注政府监听问题的博主陷于争论的旋涡。"这个标题已经糟糕至此，可是它的在线版本则有过之而无不及："反对政府监听的激进分子陷入新一轮泄密事件的中心。"

该报的公众版编辑玛格丽特 · 苏利文（Margaret Sullivan）批评这条标题，称其太过"傲慢无礼"，她又补充道，"当然作为博主也无可厚非，我本人也写博客，可是当媒体机构使用这样的措辞时，似乎是在说：'你并非我们中的一员'。"

该文章多次给我冠以"媒体记者"或是"撰稿人"之外的头衔，宣称我是一个"律师兼长期博主"（我已有 6 年时间没有沾过律师业的边儿，多年以来一直是某一大报的专栏作家，除此之外还出版了 4 部著作）。在提及我曾作为"媒体记者"时，它表示我的工作经历"不同寻常"，并非是因为我"观点鲜明"而是因为我"很少向编辑汇报工作"。

媒体随即开始纷纷争论我到底是否应该算"记者"，并开始为我编造出其他头衔——最常见的是 "激进分子"。也没有人劳神费心给这些用词定义，所以他们就依照含混不清、约定俗成的说法给我打上了标签。媒体都是这副做派，特别是要对某人进行妖魔化攻击时更是如此。于是，这个内容空洞、索然无味的标签就这么一而再地用在了我的身上。

在适用名称方面存在几方面的重要意义。首先，拿掉我“媒体记者”的头衔就会减少报道的合法性。此外，给我贴上“激进分子”的标签可能会带来法律后果，也就是犯罪性后果。媒体记者可以得到正式和非正式的法律保护，而这些保护对其他身份而言则无法企及。例如，当记者将政府机密公之于世时，通常大家会视其为合法行为，可是其他人若要如此，则万万不会有这样的待遇。

无论是刻意为之与否，这些字样都在推广这样一种概念——尽管我为西方世界历史最悠久的最大报社曾写过文章，但我绝非是以记者身份行事的，这就给政府为我的报道定罪大开方便之门。在《纽约时报》称我是“激进分子”之后，公众版编辑苏利文认定“在当前的情况下，这些问题会引发更为严重的后果，对格林沃尔德先生来说至关重要”。

对“当前的情况下”所做出的暗示，其实是指华盛顿对关于政府对待记者问题所涉及的两大争议，其一是美国司法部秘密搜集美联社记者和编辑的电邮和电话记录，以便探明他们报道的信息来源；其二则更为极端，涉及司法部在努力确定泄露秘密情报的其他来源的身份。为此，司法部在联邦法院宣誓提交文书，要求获取搜查令，以便查阅福克斯新闻网华盛顿分部的主任詹姆斯 · 罗森的往来电邮。为申请搜查令，政府律师控告罗森在某个线人所谓的罪行中是“同谋”，获取了保密文件。这份宣誓文书令人震惊，按照《纽约时报》的说法，“从未有过美国记者因为搜集发表保密资料而遭到指控，所以这一说法让人不由感到，奥巴马政府对打击情报泄露的力度提高到了一个新的水平”。

美国司法部指控罗森为“同谋”的行为证据包括：与线人一道获取文件；确立“隐蔽的通信方式”使得交流通话不被发现；“对线人极尽阿谀奉承之能事，利用其虚荣心和自我主义，力劝其透露情报”，可所有这些都是调查记者日常工作中的分内之事。

华盛顿的资深撰稿人奥利维尔 · 诺克斯（Olivier Knox）这样认为，司法部“指控罗森的行为违反了反间谍法，在其宣誓证词中所罗列的这些行为都在传统的新闻报道工作范畴之内”。将罗森的所作所为视为犯罪行为，就等于将新闻工作界定为非法。

考虑到奥巴马政府打击揭秘者和线人的举措这一大背景，此举也许并未让人们太过意外。2011 年《纽约时报》透露司法部在设法找出吉姆 · 瑞森的著作的消息来源，“获取了他的大量通话录音、财务状况和出行记录”，其中还包括“他的信用卡和银行记录，以及乘机出行的详细情况”，另有他财务账目下的 3 份信用报告记录。

司法部同时还设法迫使瑞森交代出线人的身份，如果他拒绝服从，则会遭受牢狱之灾。全美的新闻界为瑞森的遭遇而感到不寒而栗：如果像这样最受制度保障的、成就最为突出的调查记者都可能受到如此咄咄逼人的攻击，那么其他记者则更难幸免。

很多媒体人士都颇为紧张，其中以《今日美国》（*USA Today*）的一篇文章为代表，认为“奥巴马总统发现自己正带领本届政府在向媒体记者发动战争”，并且援引《洛杉矶时报》（*Los Angeles Times*）前国家安全撰稿人乔希 · 梅耶（Josh Meyer）的观点称：“这条红线以往历届政府都未曾触碰，而奥巴马政府却悍然逾越。”《纽约客》（*The New Yorker*）广受尊敬的调查记者简 · 梅耶（Jane Meyer）提醒《新共和》杂志（*The New Republic*），奥巴马这届司法部紧盯着揭秘者不放，其实就是在向媒体记者开火：“这会对新闻报道造成极大困难，用不寒而栗形容都显得尚不够尺度，更像是令整个局面陷入冰封僵局，举步维艰。”

保护记者委员会（The Committee to Protect Journalists）是一家国际机构，关注国家对新闻工作者自由的打压。他们为当前的局势所触动，于是发表了首篇针对美国的报告。该报告由《华盛顿邮报》的前任执行编辑伦纳德 · 唐尼（Leonard Downie）执笔，并于 2013 年 10 月发表，文中这样写道：

“政府打击文件泄漏以及控制情报信息的诸多措施都极有力度……自尼克松政府以来……本报告采访了各新闻机构的30名华盛顿资深记者，在他们的记忆中，从未有过类似先例。”

事态的发展已经超越了国家安全的范畴，有位总编这样表示，如此这般行事是在“阻挠对有关政府部门的问责报道”。

美国记者多年以来都对巴拉克·奥巴马倾心有加，现如今再谈到他，却总少不了这些用词：“对新闻自由构成极大威胁”、“自理查德·尼克松以来，在这方面采取的手段最强硬的领导人”，这与他当初宣誓就职时，信誓旦旦要打造“美国历史上最透明的政府”的那个政治形象形成了鲜明的对比。

为了打压不断升温的丑闻事态，奥巴马下令司法总长艾瑞克·霍德尔（Eric Holder）与媒体代表会面，探讨司法部有关记者待遇的相关规定。奥巴马声称“泄密调查可能会让涉及政府责任的调查记者受到影响，一想到这种可能性，就令我备感担忧”，他说出这番话，仿佛是在他执政的过去5年间，在新闻采访的过程中出现的这类攻击行为与他毫不相干。

霍德尔在2013年6月6日的参议院听证会上郑重承诺，司法部绝不会对“任何从事本职工作的媒体记者进行指控”（这天正值《卫报》有关美国国安局监听爆料的首篇文章发表的第二天）。他还进一步补充道，司法部的目标只是要“确认并指控那些背信弃义危及国家安全的政府官员，而不是要针对媒体人士，或是不鼓励他们从事自己的重要工作”。

从某个层面而言，这是事态发展的积极信号：政府很明显已经感受到舆论的强力抵触，因此至少要在表面上的媒体自由做足功夫。但是在霍德尔的承诺中存在一个极大的漏洞：司法部认定，在福克斯新闻网的罗森案中，与线人一道“窃取”机密信息则不属于“媒体记者的分内职责”范围之内。因此霍德尔的承诺取决于司法部对媒体记者的看法如何，以及怎样才算是超越合法报道的范畴。

在这样的背景下，部分媒体人士要把我推出“媒体记者圈”，执意认为我的所作所为属于“激进行为”，而不是媒体报道，因此属于违法行为，这种做法是极具潜在危险性的。

首先明确发难、要求对我提出指控的是纽约共和党议员彼得·金（Peter King）。他曾担任众议院反恐小组委员会主席，并就来自美国穆斯林社区的国内恐怖威胁召集过麦卡锡主义式的听证会（具有讽刺意味的是，金本人长期以来都是IRA的支持者）。金向美国有线电视新闻网的安德森·库珀（Anderson Cooper）证实，有关美国国安局监听爆料的文章撰稿人应遭到指控：“如果他们明知这些属于机密情报……特别是涉及如此规模的信息，则更是如此。”他又补充道，“这不仅仅是道德层面的责任，还有法律责任，我认为媒体记者披露这类信息将对国家安全产生极大影响。”

金后来向福克斯新闻网澄清，他所谈的内容就是特别针对我的：

> “我说的就是格林沃尔德……他不仅披露了这些信息，还声称掌握了中情局世界范围内的特工姓名和资产清单，并威胁会将至公之于众。上一次美国出现这种情况时，中情局在希腊的一名情报站长死于非命……我认为（对媒体记者的指控）应该是非常目标明确、极具有针对性的，当然也必须是非常特殊的例外情况下。但是在这个问题上，当有人披露了这类机密，并威胁还会将更多内容公之于众时，那么当然，要对之采取法律手段。”

所谓我威胁会披露中情局间谍和资产的说法是赤裸裸的谎言，完全是金在捏造事实。尽管如此，他的一番言论仿佛开闸泄洪一般，让各种评论员蜂拥而至。《华盛顿邮报》的马克·特雷森（Mark Thiessen）曾为布什总统撰写演讲稿，他有过一本著作，振振有词地为美国的酷刑计划加以辩护，他对金的支持透过报刊文章的大标题便可见一斑：“毫无疑问，公布国安局机密是犯罪行为。”他指控我“触犯了美国宪法 18USC798 款，其中规定，公布机密信息、透露政府密码或通信情报属于犯罪行为”，接着又说道，“格林沃尔德显然违反了该法（《华盛顿邮报》也同罪，因为该报将国安局棱镜计划的机密细节内容公之于世）”。

美国名律师艾伦·德肖微茨（Alan Dershowitz）则在美国有线新闻网宣称：“在我看来，格林沃尔德显然是犯有重罪。”德肖微茨原本是因其对公民自由和新闻自由的辩护而著名，现在却认为我的报道“不是涉嫌犯罪，而是明明白白地属于犯罪”。

接着纷纷加入声讨大军的还有迈克尔·海登上将，他曾在小布什政府旗下负责过国安局和中情局的工作，并实施了情报机关的非法窃听计划。他在美国有线新闻网这样写道：“爱德华·斯诺登可能会成为美利坚合众国历史上造成最大损失的泄密者，”接着又补充道，“格伦·格林沃尔德要比福克斯新闻网的詹姆斯·罗森更符合同谋的特征。”

起初，大家猜测认为媒体记者有罪的主要是右翼人士，可这些层出不穷的声讨大军甚至亮相美国全国广播公司的《会见新闻界》栏目（*Meet The Press*），提出要对此事进行指控，现在这已变得臭名昭著。

白宫却对《会见新闻界》赞赏有加，认为这一栏目为华盛顿特区政界人物和其他精英人士不受干扰地畅所欲言提供了理想的平台。这档节目每周播出一次，得到了前副总统迪克·切尼（Dick Cheney）的传媒部长凯瑟琳·马丁（Catherine Martin）的高度赞誉，因为切尼可以由此“控制言论”，所以称其为“我们的最佳模式”。她表示，让副总统接受《会见新闻界》栏目的采访，“是我们常用的策略”。的确，该栏目的主持人大卫·格里高利（David Gregory）的节目视频进入了白宫记者晚餐会现场，在“布什的大脑”、严厉的高级顾问卡尔·罗夫身后不合时宜却又兴奋异常地手舞足蹈，这一画面迅速传播开来，因为它生动地代表了这个节目所要传达的主旨：这里就是让政治力量得到放大和奉承的所在，在这里最稳妥的传统智慧就是洗耳恭听，因为能发表个人见解的余地实在是少之又少。

我应邀参加这个节目是在最后的时刻做出的决定，而且仅仅是出于必要。几个小时前，新闻爆出斯诺登已经离开香港，登上前往莫斯科方向的飞机，这戏剧化的形势逆转势必在新闻界会掀起波澜。《会见新闻界》别无选择，只得安排相关内容，作为与斯诺登接触过的寥寥几人中的一员，节目请我作为首席嘉宾。

鉴于我多年来对格里高利一直持严厉批评的态度，可以想见这次采访定会是针锋相对的态势。但是我没想到格里高利会抛出这样的问题："格林沃尔德先生，鉴于您一直以来对斯诺登的协助和唆使力度，乃至在目前他的所作所为中你发挥的作用，您何以摆脱法律的制裁呢？"这个问题本身漏洞百出，我花了足足一分钟时间才弄清楚他究竟想要问些什么。

其中最突出的漏洞，就是这个问题暗含了相当多毫无根据的揣测。所谓"以你一直以来对斯诺登的协助和唆使力度，甚至在目前他的所作所为中你发挥的作用"，这简直就是与"以格里高利先生在谋杀邻居事件中所发挥的作用"的说法异曲同工。这不过是"你是从什么时候起不再打老婆的"这种陷阱式的套话罢了。

但是除却这些修辞错误，这位电视记者相当掷地有声地对这一概念给出了如此诠释；其他记者可以并且应该因为从事媒体记者工作而遭到指控。格里高利问题的潜台词就是：所有美国的记者在调查的工作中，但凡涉及线人和获取保密信息，那么就是一种犯罪。正是这一理论和大环境使得调查报道工作如此险象环生。

可以想见，节目过程中格里高利不断地把我贴上"媒体记者"以外的标签。他先发夺人，称："你相当能言善辩，有着自己的观点，还是位专栏作家。"接着他又说，"到底是不是记者，应该取决于你具体的所作所为才能有定论。"

但并非是格里高利一人在挑起这种争论事端，虽然并未在《会见新闻界》栏目中露面，还有更多人都参与到我和格里高利关于记者是否应该因与线人合作而被指控的讨论中来。美国全国广播公司的记者查克 · 托德（Chuck Todd）

站在格里高利的那一边，来者不善地提出“问题”，想要了解我在“整个密谋”中发挥着怎样的作用：

> “格伦 · 格林沃尔德……他在整个密谋中参与了多少？……他是否仅仅充当了这些信息的接收方的角色？……他是否会回答这些问题？要知道，这——这可涉及法律问题。”

在美国有线新闻网的节目《可靠消息来源》(*Reliable Sources*) 中也就此问题进行讨论，而屏幕上打出的字样是“格伦 · 格林沃尔德是否应被指控？”

《华盛顿邮报》的沃尔特 · 宾克斯（Walter Pincus）曾在20世纪60年代为中情局暗中监视美国留学生的情况，他撰写的专栏文章，强烈暗示劳拉、我和斯诺登是受到维基解密的创始人朱利安 · 阿桑奇的暗中唆使而行事，是其全盘阴谋的组成部分。整篇专栏文章充斥着诸多事实错误（我曾在一封对宾克斯的公开信中就此一一进行了说明），以至于《华盛顿邮报》不得已又补充了相当篇幅的3大段200字的勘误说明，以对其中诸多问题加以修正。

《纽约时报》财经专栏记者安德鲁 · 罗斯 · 索尔金（Andrew Ross Sorkin）在消费者新闻与商业频道他本人的节目中这样表示：

> “我以为，首先，事态居然发展到这般田地，甚至让（斯诺登）逃往俄罗斯。其次，显然中国对我们竟然会让他离境都分外不满……我们本该将之逮捕，现在几乎应该将格伦 · 格林沃尔德绳之以法，似乎正是这位记者在帮助他逃往厄瓜多尔。”

《纽约时报》的记者曾为将五角大楼文件公之于世而一路打拼到美国最高法院，然而现在连他们都支持拘捕我，这无疑是许多体制内记者甘愿对美国政府俯首帖耳的有力证明。然而将调查记者当作罪犯，终究会对该报自身及其员工产生严重影响。索尔金后来对我做出道歉，但是他的言论表明了这种观点轻而易举被人接受的程度。

所幸的是，这一观点在美国媒体界并非众口一词。实际上，认为要将我诉诸法律的说法激起了诸多记者的强烈不满，他们纷纷支持我所做的工作。在很多其他的主流电视节目中，主持人对所披露的事实真相更感兴趣，而不是对相关人士进行妖魔化报道。在格里高利的采访中对我提出质疑后的那一周里，舆论对他的谴责声此起彼伏。《赫芬顿邮报》（*Huffinton Post*）刊文称："我们至今仍不敢相信大卫·格里高利会对格伦·格林沃尔德如此发问。"英国《星期日泰晤士报》（*Sunday Times*）华盛顿记者站主任托比·汉登（Toby Harnden）在推特上表示："我曾在穆加贝（Mugabe）领导下的津巴布韦因为'从事记者工作'而锒铛入狱，大卫·格里高利的意思是，奥巴马领导下的美国政府也会如此行事吗？"《纽约时报》、《华盛顿邮报》等诸多媒体的记者、专栏作家都纷纷公开或私下对我表示支持。然而无论他们如何支持，将进行报道的记者推到法网之中的，不正是这些作茧自缚的媒体自己吗？

许多律师和顾问都认为，如果我回到美国，势必会存在被捕的风险。我希望能找到一位值得信赖的人，可以向我保证说，这种风险其实根本不存在，司法部不会拿我怎样。可是事与愿违：大家的普遍观点是，司法部为避免留下抓捕记者的口实，不会公开对我的报道采取行动。大家是担心政府会捏造事实，称我的犯罪行为是在记者工作范畴之外。与《华盛顿邮报》的记者巴顿·格尔曼不同，在发表这些内容之前，我曾亲赴香港与斯诺登见面；当他抵达俄罗斯后，我们经常性地保持通话；并以自由撰稿人的身份在世界各地媒体发表国安局的相关报道。司法部会认定我曾"协助并唆使"斯诺登的泄密行为，或是帮助一个"逃亡者"摆脱司法的制裁，或我为国外媒体效力构成某种间谍活动。

此外，我对国安局和美国政府的评论都刻意表现出了攻击性和傲慢无礼的态度。为这件所谓美国史上最严重的泄密事件，政府无疑很迫切需要找到一个人痛下杀手，若不能让国家机器平愤，至少也可以杀鸡儆猴。因为始作俑者现在已经在莫斯科得到政治庇护，劳拉和我就成了理想的第二选择。

数月以来，和司法部高层有接触的几位律师试图获得非正式的保证，即让我不会得到指控。在事发 5 个月后的 10 月，国会议员艾伦 · 格雷森就此事向大法官霍德尔致信，信中提到不少政坛上的显赫人物都要求将我逮捕。出于可能会遭到指控，我不得不拒绝就国安局的事宜在国会作证的邀请。他在信中这样写道：

> “我认为此事非常令人遗憾：（1）行使记者职责并非犯罪；（2）与之相反，此举受到宪法第一修正案的明文保护；（3） 实际上，格林沃尔德先生的报道涉及的问题使我、其他国会议员以及公众意识到，这是政府特工对法律和宪法权利的肆意践踏。”

这封信询问司法部是否会对我进行指控，是否我应该设法进入美国，而“司法部、国土安全部，或是其他联邦政府部门是否会扣押、审问、逮捕或指控”我。但是据格雷森家乡的报纸《奥兰多前哨报》（*the Orlando Sentinel*）在 12 月的报道称，他本人从未就此信收到回复。

从 2013 年底到 2014 年年初，随着政府官员不断在明显为我的工作进行定罪，我受到指控的威胁与日俱增。去年 10 月，国安局局长基斯 · 亚历山大针对我在世界各地自由撰稿进行报道做出这样的抱怨：“那些报社记者手里掌握着所有这些文件，无论是 5 万份还是多少，还在四处兜售。”另外他令人心寒地提出要求称，对于“我们这些人”，政府“应该拿出办法予以制止。”国会众议院情报委员会负责人迈克 · 罗杰斯在 1 月的一次听证会上，对联邦调查局局长詹姆斯 · 科米（James Comey）数次评价道，部分新闻记者在“兜售窃取而来的财产”，使其成为“买卖赃物者”或是“盗贼”，接着他又特别说明，他所言的内容就是在针对我。当我通过加拿大广播公司（CBC）开始就加拿大的监控行为就行报道时，加拿大总理史蒂芬 · 哈珀（Stephen Harper）的右翼政府议会发言人抨击我是“色情间谍”，并指责加拿大广播公司从我手中购买窃取文件。在美国，国家情报局局长詹姆斯 · 克拉珀开始使用犯罪用语“共犯”来特指涉嫌国安局监听项目的记者。

我相信，如果仅仅出于对美国形象和世界范围的争议考虑，我回到美国之后被捕的概率应该少于50%。在我看来，作为美国史上对记者因从事本职工作而进行指控的首位总统，这会为奥巴马的传世功绩带来极大负面影响，因此政府会尽力避免。但是如果说最近所发生的事情意味着什么的话，那就是美国政府将会无所不用其极，打着国家安全的幌子，愿冒天下之大不韪。若真是如此，我也就会难免身陷囹圄，受到反间谍法的指控，接受联邦法官的审判，而事实证明法官将在此问题上毫无廉耻地顺从华盛顿的意志，以致我能有幸猜错的可能性是微乎其微，可以忽略不计。我决定只有在我对风险有着更清晰的认识之后，才会回到美国。与此同时，我的家人、朋友，以及就所我从事的工作在美国进行探讨的各种重要机会也都难以企及。

律师和国会议员都认为，我因我的报道而置身险境这件事本身，是对新闻自由的极大侵蚀与破坏。现在居然连记者都加入到要将我的报道视作重罪的队伍中来，可见政府宣传力度之大，成果可见一斑，居然可以让训练有素的专业记者为其效力，将记者进行调查的工作视作犯罪。

* * * * *

对斯诺登的攻击当然更为恶毒，而且还非常诡异地都是如出一辙。那些著名评论家除了知道斯诺登是在偶然间得到一些文件那老一套之外，对他其实一无所知，结果就开始大放厥词。才知道斯诺登姓甚名谁不到几个小时，他们就一个个迈着整齐划一的步伐，前去大肆诋毁中伤他的品行和动机。他们在毫无任何确凿证据的条件下，振振有词地称斯诺登是“沽名钓誉的自恋狂”。

哥伦比亚广播公司新闻节目（*CBS News*）主持人鲍勃 · 希弗（Bob Schieffer）诋毁斯诺登是位“自恋的年轻人，自以为他比我们都高明几分”。《纽约客》的杰弗里 · 图宾（Jeffrey Toobin）称他为“理应被投进大牢的自恋狂。”

《华盛顿邮报》的理查德 · 科恩（Richard Cohen）谈到有报道称，斯诺登用毯子把自己蒙起来，以防止头顶上方的摄像头拍下他的密码时，则宣称斯诺登“根本不是偏执狂，而是彻头彻尾的自恋狂”。科恩又诡异地补充了一句，说斯诺登“就像是异装癖的‘小红帽’，他追名逐利的欲望终会以失败告终”。

这些评头品足纯属无稽之谈。斯诺登已经决心从人们的视线中消失，正如他所言，将不接受任何采访。他深知媒体喜欢给所有的故事都贴上个人的标签，他希望大家关注的重点是国安局的监控而不是他本人。斯诺登也确实言出必行，拒绝任何媒体邀请。数月以来，每天我都会受到来自几乎全美所有电视台节目、电视新闻名人、著名记者的来电或电子邮件，恳求能有机会与斯诺登交谈。《今日秀》栏目主持人马特 · 劳尔（Matt Lauer）曾多次来电游说；《60分钟》（*60 Minutes*）时事杂志不断来电要求采访，以至于我不再接听他们的电话；美国全国广播公司的名主持布莱恩 · 威廉姆斯（Brian Williams）派遣不同的代表前来邀请。斯诺登若是有意出名的话，可以整日整夜在这些最具影响力的电视节目上亮相，得到全世界的关注。

可他却根本不为所动。我把对方的要求尽数转达，他却全盘拒绝，不愿让人们的关注点从信息披露方面有丝毫转移。若他真是沽名钓誉的自恋狂，那么这种行为的确令人匪夷所思。

对斯诺登人品的更多诋毁接踵而至。《纽约时报》专栏作家大卫 · 布鲁克斯（David Brooks）嘲讽斯诺登“连社区大学都念不下来”，认为他是个“绝对无法沟通的人物”，代表着“日益高涨的不信任思潮、愤世嫉俗的有害传播、社会架构的磨损，以及表面上极具个人主义的人群兴起，而他们却完全不理解该如何与他人和睦相处，不懂得维护公共利益”。

美国政治新闻网站“政客”（*Politico*）的罗杰 · 西蒙（Roger Simon）则认为，斯诺登是位“失败者”，因为他“高中都没毕业”。担任民主党全国委员会主席的民主党国会议员黛比 · 沃瑟曼–舒尔茨（Debbie Wasserman-Schultz）谴责斯诺登是个懦夫，此次国安局泄密也毁掉了他自己的生活。

斯诺登是否爱国这一点遭到质疑这也在所难免，因为他前往中国香港，有人就说他可能是为中国政府效力的间谍。共和党竞选资深顾问马克 · 马克维克（Mark Mackowiak）宣称："不难想见，斯诺登其实身为中方的双重间谍，而且会很快变节。"

可当斯诺登离开香港，打算途经俄罗斯去拉丁美洲时，对他的指控也无声无息地从中方间谍变为俄方间谍。众议院议员迈克 · 罗杰斯提出如此指控毫无证据可言，尽管显而易见的事实是，斯诺登只能前往俄罗斯是因为美国已撤销了他的护照，并且美国还威吓古巴等国，取消为他提供安全通道的承诺。此外，究竟何种俄罗斯间谍会前往香港，或是和媒体记者配合公开表明身份，而不是直接前往自己莫斯科的上司那里藏匿起来？这些说法都是凭空捏造，毫无任何根据可言，可这并不能阻碍其四处扩散传播。

对斯诺登最为捕风捉影、不顾后果的肆意影射攻击来自《纽约时报》，称他已得到中国政府而不是香港特区政府的许可离开香港，接着又补充了一行极富破坏性的揣测："曾为大国政府间谍机构效力的两名西方情报专家称，他们相信中国政府已经设法将斯诺登称他带到香港的4台笔记本电脑中的内容提取出来。"

《纽约时报》完全没有证据表明中国政府可以获得斯诺登手中掌握的国安局数据。报纸仅仅是让读者通过"两名匿名专家认为"的观点，推断出这样的事情业已发生。

在该报道刊登之际，斯诺登正困在莫斯科机场无法上网。当他再次出现之际，通过我在《卫报》上发表的文章，他对此事断然否认，称自己未曾给中国或俄罗斯透露任何数据。他表示："我从未给任何政府提供任何情报信息，他们也从未能从我的笔记本电脑中拿到任何数据。"

在斯诺登对此予以否定的消息发布之后的当天，《纽约时报》公众版编辑玛格丽特 · 苏利文对本报的那篇文章提出批评。她就此事采访了本报的国际编辑约瑟夫 · 卡恩（Joseph Kahn），对方表示"很重要的一点是，应在报道中见到这样的字样：‘根据并未掌握直接信息的专家推测，可能会有如下情况发生’”。苏利文认为：“《纽约时报》就如此敏感话题发表的文章中缺少这两句话，虽然并非中心内容，但是也会误导舆论，或对报纸的声誉带来损害。”在文章的结尾，她表示同意一位对此怨声载道的读者的观点：“我打开《纽约时报》是为了掌握事实真相；若是为了解各种揣测，那么这些东西我几乎随处可见。”

《纽约时报》的执行编辑吉尔·爱博松（Jill Abramson）在一次会议上曾说服《卫报》就部分国安局报道予以配合，他通过《卫报》的简宁·吉布森发来一条消息：“请转告格伦·格林沃尔德本人，我完全赞同他的观点，我们不应发表有关中国‘获取了’斯诺登笔记本电脑中情报的说法，这是不负责任的做法。”

吉布森估计希望我会对他感恩戴德，可我根本不买她的账：一份报纸的执行主编居然事后才称如此明显的诽谤性文章是“不负责任的做法”，不应见诸报端，那么为何不索性将其撤下，或至少刊登一篇编者按？

除了缺乏证据之外，声称斯诺登的笔记本电脑“内容外泄”本身根本不合逻辑。人们不用笔记本电脑传送大量数据已有多年。即使是在笔记本电脑普及之前，大量文件也都是储存在磁盘中，现在则多用U盘。的确，斯诺登随身带了4个笔记本电脑前往香港，每个都具有不同的安全性用途，可这与他所携带的文件毫无关系。所有资料都在U盘中储存妥当，而且都用极其复杂的手段予以加密。由于曾经作为国安局的黑客，斯诺登深知这些根本无法被国安局所攻破，更别提中国或俄罗斯的情报机构了。

拿斯诺登的几部电脑大做文章，分明是在利用人们的无知和恐惧心理来进行大肆误导——“他搞到了大量文件，需要4台笔记本电脑才能完全装下！”另外，即便是中方想方设法获取了相关内容，他们也无法从中得到任何有价值的信息。

同样令人匪夷所思的是，有说法称斯诺登想通过放弃这些监听机密信息来给自己谋条生路。他已经置个人生死于不顾，冒着牢狱之灾的风险，向世界公布了这一秘密监控系统，只因他认为必须将其制止。若是说他为使自己不至身陷囹圄，才宁愿倒戈帮助中国或俄罗斯并提高它们的监控能力，这岂不是滑天下之大稽？

这些说法也许荒唐之极，但是可以想见，它们所造成的危害却是相当巨大。在任何讨论国安局情报泄露事件的电视节目中，无一例外都会有人断言，中国现已通过斯诺登掌握了美国大部分敏感的机密文件，而对此也无人站出来予以驳斥。

《纽约客》赫赫然登出的大标题就是“中国何以对斯诺登放行”，文中这样写道：“他几乎不再具有任何价值。《纽约时报》援引情报专家的观点称，他们相信中国政府‘已经设法拿到了斯诺登称自己随身带往香港的4台笔记本电脑中的内容’。”

对挑战政治权力的任何人的人格品行进行妖魔化处理，这是美国政府、包括媒体长期以来惯用的伎俩。在此方面首个最突出的实例非丹尼尔·艾尔斯伯格莫属，作为五角大楼文件的泄密者，在尼克松政府时期，他所遭受的境遇让人闻之变色，甚至有特工闯入他的心理医生诊所，盗取艾尔斯伯格的个人档案，暗中调查他的性史。尽管这种手段荒唐至极，那么缘何要将他令人尴尬的私人信息公之于世，来作为对他揭露欺上瞒下的政府的回击呢？艾尔斯伯格清楚地明白这一点：谁都不想和身败名裂或是名誉扫地之徒产生任何瓜葛。

同样的伎俩也曾用在了维基解密的创始人朱利安·阿桑奇身上，他因在瑞典性侵两位女子遭到指控而声名狼藉。特别值得注意的是，攻击阿桑奇的报纸恰巧还曾与他合作过，并从阿桑奇和维基解密事件中泄密的美军士兵切尔西·曼宁那里受益颇丰。

当《纽约时报》发表了它所谓的“伊拉克战争记录”时，其中涉及了详细记录战争期间美军及其盟军滥杀无辜暴行的成千上万份保密文件，这篇报道位于头版重要位置，爆料内容本身也分量不俗，系出自主战派记者约翰·伯恩斯（John Burns）之手，目的不外乎是将阿桑奇打成异类、怪胎、妄想偏执狂，而根本没有尊重事实的本来面目。

他笔下的阿桑奇经常“用假名登记入住酒店，染发变装，为了安全通常睡沙发或地板，而不敢躺在床上休息，使用现金而不用信用卡，以免遭人追踪，因此隔三岔五还得向朋友借钱”。文中称他“举止古怪、独断专行”且沉溺于“夸大妄想”，还说有人诋毁他“与美国政府有深仇大恨”。除此之外，在对他的心理分析方面又添一笔，文章援引一位维基解密心怀不满的志愿者的观点，认为“他的精神不大正常”。

给阿桑奇贴上疯狂和妄想的标签，又是美国政治话语的惯用把戏，也是《纽约时报》寻常伎俩。在一篇文章中，当时的《纽约时报》主编比尔·凯勒引用了该报记者的文字，这样描写阿桑奇，称他“头发凌乱，仿佛一个无家可归露宿街头的妇人走在路上，身穿一件脏兮兮的浅色运动上装，配一条工装裤，里面的白衬衫也同样污秽不堪，足蹬一双破破烂烂的旅游鞋，肮脏的白袜堆在脚踝，身上的味道好似已经多日未曾洗澡”。

《纽约时报》对待美军泄密士兵切尔西·曼宁（当时还叫布拉德利·曼宁）也是如出一辙，执意称促使曼宁做出如此大规模的泄密，其背后的动机并非是坚持信仰或良知，而是人格障碍以及心神不定。有诸多文章毫无根据地妄加揣度，从军队中的性别斗争到反同性恋歧视，再到曼宁与父亲的不和，这些都成了导致本次重大文件泄密事件的主要动机。

将持异议者归为人格障碍并非是美国的发明，苏联的持不同政见者也曾被送入疯人院进行例行“治疗”。在目前这种关键时刻，发起人身攻击的原因显而易见。若想让批评意见不那么行之有效，那么上述手法的确很好用，因为很少有人愿意与疯子或怪人为伍。这种手法还可起到杀鸡儆猴的效应：当异见者被逐出社会，被贬为情绪不稳，则会令社会中的其他人也不敢再越雷池一步。

然而最重要的一点是，挑战现状的行为要有逻辑必然性。对现状的捍卫者而言，现行秩序和主流机构都是公正合理的。因此若是有谁提出不同见解，特别是当有人认为自己动机足够强大而采取极端行动时，显然势必是因为情绪不稳及精神错乱。

换言之，从广义来讲，人们有两种选择：或者对制度权威俯首称臣，或是采取极端措施与之抗衡。既然前者是理智和正当的选择，那么后者势必就是疯狂和非法的举措。在社会现状的捍卫者看来，仅仅把反对主流正统思想的极端举动和精神病画上等号分量还不够，极端异见本身就是证据，乃至足以证明该人存在严重的人格障碍。

这一算式的核心内容就是彻头彻尾的欺骗：认为与制度权威意见相左就涉及伦理道德或意识形态上的选择，而一味顺从则不会带来这许多麻烦。在这样的错误前提下，社会将会对异见者的行为动机投入极大关注，却无人对我们的制度机构有丝毫质疑，结果导致后者可以掩人耳目，继续我行我素。对权威俯首帖耳被默认为是理所应当的。

实际上，两种做法都关乎道德选择，两种行事方法能够揭示出相关个人的重要特点。普罗大众大多会认为极端的反对意见体现出一种人格障碍，但其实恰恰相反：在面对严重不公的情况时，拒绝提出异议才是性格缺陷或道德缺失的体现。

哲学教授彼得 · 路德兰姆（Peter Ludlam）在《纽约时报》刊文，谈及他所谓的“令美国军方、民间和政府情报界头痛不已的泄密、揭发、黑客入侵事件”，与这些行为有染的人群，他将之称为“W一代”，其中以斯诺登和曼宁为典型代表，并得出了如下的结论：

“媒体希望将W一代的成员进行精神治疗，这种想法倒也并不意外。他们想要了解这些人何以如此特立独行，迥然异于大型媒体机构中的其他成员。那么以此类推，如果泄密揭发和黑客行为需要心理动机，那么在系统中向当权机构靠拢的心理动机也需要揭示，而在这样的系统中，大型媒体发挥了相当重要的作用。”

“同理可知，系统本身可能就是病态，即便在机构中的从业者是按照组织规则行事，并遵循内部的诚信机制也仍旧如此。”

这类探讨是制度权威最不愿见到的。对泄密者进行妖魔化是美国主流媒体保护当权者利益的一种手段。这种对权贵的谄媚态度是如此根深蒂固，乃至媒体界的游戏规则几乎变成了争当政府的喉舌和传声筒。

就以泄露机密信息被视作某种恶意或犯罪行为为例。持这种观点的华盛顿记者若不是因为这些泄露的文件信息令政府不快或有损其形象，他们根本不会对斯诺登或我的所作所为加以谴责。

事实是华盛顿的情报泄露事情屡见不鲜，以颇有名望的著名华盛顿记者鲍勃·伍德沃德（Bob Woodward）为例，他就会经常性地从高层知情人那里获取机密信息，并将之公之于世，还能保住自己的职位不受影响。奥巴马手下的官员会经常前往《纽约时报》爆料机密情报，诸如无人机杀人、行刺本·拉登等等。前国防部长莱昂·帕内塔（Leon Panetta）及中情局官员都曾向影片《刺杀本·拉登》（*Zero Dark Thirty*）导演透露机密情报，希望影片能为奥巴马的最大政治成就歌功颂德。（与此同时，司法部的律师告知联邦法院，出于国家安全的考虑，不得透露有关抓捕本·拉登的相关情报。）

没有任何体制内记者会对泄露情报的相关官员或是获悉情报并将之公之于众的媒体撰稿人提出起诉。若有人提议将多年来披露最高机密的鲍勃·伍德沃德及其高层政府信息来源作为犯罪分子来对待，定会贻笑大方。

正因为这些情报泄露都是得到华盛顿的支持，符合美国政府的利益，因此才被视为得体并可被接受的。只有当所泄露的情报涉及了官方想要隐匿的内容时，才会遭到华盛顿媒体的谴责。

当《会见新闻界》栏目主持人大卫·格里高利提出，我应该因就国安局监控所做报道遭到逮捕时，请看看前一刻发生了什么。在采访伊始，我谈及海外情报监控法庭于2011年做出的一份绝对机密的法院判决，其中认定国安局国内监控计划的大部分内容都违宪，且违反了监视的相关法律。我也是在斯诺登给我的国安局文件中看到这一判决的。在《会见新闻界》栏目中，我要求将之公布于众。

可格里高利却试图争辩，称海外情报监控法庭的判决并非此意。

> 根据我所了解的情况，所谓海外情报监控法庭的意见与此事根本无关，海外情报监控法庭的判决是针对政府的要求而做出的，是说“你可以得到这个，但是不能动那个，因为那些实际上已经超乎了你可以被允许的范围”。也就是说，这一要求已经发生了变化或不复存在——这才是政府的完整观点，实际上是属于司法审查的结果，而并非是政府滥用权力。

上述观点与海外情报监控法庭的观点完全不符（不过判决于8周后得以公布，从中可以明显看出，这份判决的确将国安局的做法视为非法）。更重要的是，格里高利声称自己了解这份判决，是因为他的线人这样对他讲，接着他又将这一信息公之于世。

在格里高利妖言惑众、称要因我所作报道而将我捉拿归案之前，他自己泄露了他从政府的消息来源那里获得的绝密消息。可没有人会认为格里高利的做法也应被绳之以法。将这一套逻辑运用到《会见新闻界》的主持人及其线人身上，会让人觉得滑稽可笑。

的确，格里高利也许无法理解他所透露的信息和我的所作所为其实可以相提并论，只不过他是应政府之要求，力求在为其行为进行辩护和支持，而我则是要与之抗衡，违反了官方的意志。

当然，这与新闻自由所要取得的效果截然相反。所谓“第四等级”是要行使最大权力，应对敌对阻力，坚决实现信息透明；媒体的工作就是要对当权者为保护自身利益不断散布的不实信息予以揭露。没有这样的新闻工作，权力滥用在所难免。若没人需要美国宪法保障新闻自由，那么媒体记者就只能对政治领导歌功颂德，高唱赞歌，有了宪法的保障，媒体记者才能不至于如此。

在发表机密信息方面的双重标准在对“新闻客观性”不成文的要求中则更显突出。正是对这条规定的所谓违反才使我成为了一名“激进分子”而不是“新闻记者”。我们被不断告知，记者要报道事实，而不是表明观点。

这明显是个借口，还假借职业之名。人类的看法和见解本身就存在主观性。每篇新闻报道都是各种高度主观性的文化、民族主义和政治假设的产物。所有的媒体记者都在服务于某些层面的利益，非此即彼。

相关区别并不在于有些记者存在个人观点，而有些没有——不具备个人观点的记者其实根本就不存在。区别在于，有些记者会坦诚地表明自己的观点，而有些则掩耳盗铃，仿佛自己并不拥有什么观点。

认为记者不得拥有个人意见的观点，与这一工作长久以来的职业要求相去甚远；这实际上是个相对较新的手法，它的效果就是使我们的新闻业遭到阉割，即使这并非出于它的本意。

正如供职于路透社的媒体专栏作家杰克 · 谢弗（Jack Shafer）认为的那样，美国人最近的这种观点表明，这是“媒体丧失自我而对国家机器投怀送抱，着实可悲”，同时“对历史缺乏认知，令人心痛”。自从美国建国以来，最重要的最佳新闻报道通常是极富改革精神的新闻工作者所做出的，他们身上有着力主与不公正现象进行斗争的献身精神。体制内记者不带观点、毫无色彩和灵魂的工作模式已经极大影响到了新闻工作最重要的属性，导致了机构媒体的尸位素餐：这不会对任何权威构成威胁，而且还正是此举的初衷所在。

要求记者进行“客观报道”这种观点的逻辑错误显而易见，而那些声称自己笃信这条规则的人却几乎从来不按照这条规矩行事。。体制内记者就各类具有争议性的话题不断发表自己的意见，而他们的职业身份却从未遭到过质疑。但如果他们所给出的见解是经过华盛顿官方认可的话，就会被视为合法合理。

就国安局监控所引发的争论来看，哥伦比亚广播公司《面对国家》（*Face the Nation*）节目主持人鲍勃·希弗谴责斯诺登的做法，并为国安局的监控行为进行辩解。《纽约客》和美国有线电视新闻网的法律记者杰弗里·图宾也是持如此观点。报道过伊拉克战争的《纽约时报》记者约翰·伯恩斯事后承认自己支持美军入侵伊拉克，甚至将美军称作是"我的解放大军"和"救死扶伤的天使"。美国有线电视新闻网的克里斯蒂安·阿曼坡（Christiane Amanpour）在2013年的整个夏天都在鼓动美军向叙利亚动武。可是鉴于对"客观性"的尊重，这些立场观点并未让他遭到沦为"激进分子"的下场，因为实际上并无明令禁止记者不得有自己的见解。

正如反对情报泄露的所谓规则一样，所谓"客观性原则"其实也根本就无从谈起，不过是为了维护占主导地位的政治阶层的利益而巧立的名目罢了。因此，"国安局的监控是合法且必要的"、"伊拉克战争也是正义之举"、"美国理应入侵伊拉克"这些都是可接受的媒体记者观点，他们一直以来也都是在如此这般"各抒己见"的。

所谓"客观性"不过是在反映偏见，是为了维护华盛顿根深蒂固的利益而服务。只有这些观点与华盛顿正统观念可接受的范围有出入时，才会被视作存在问题。

媒体对斯诺登所表现出的敌意并不难解释，而对将此事见诸报端的记者，也就是我所表现出的敌对情绪，则或许内涵更为丰富：部分是出于竞争性的考虑，部分是多年来我对美国媒体明星所作的专业批评引发的后果，其中包括反体制报道所引发的愤怒和耻辱感——这种报道揭露了许许多多华盛顿羽翼下的主流媒体记者的真正角色：充当政府的传话筒和扩音器。

不过显然，这种敌对情绪的最重要原因是，主流媒体人士接受了为政权作为忠实代言人的游戏规则，特别是当涉及国家安全问题时更是如此。接下来他们就会效仿政界官员的做法，若有人对华盛顿权力中心提出挑战或是进行破坏，就会遭到鄙弃。

以往传统意义上的记者都的确是局外人士。很多进入了这一行当的从业人士更倾向于反对权威，而非趋炎附势，这不仅是从意识形态角度出发，更是从人格品行而言。选择媒体记者作为职业，基本上就相对于确保了自己局外人的身份：媒体行业是清水衙门，没有什么制度上的声誉，通常都是默默无闻。

可是现在形势发生了改变。随着世界上最大的公司企业将媒体公司纳入麾下，大多数媒体明星都收入不菲，与企业中其他身担要职的人士不相上下。他们并非是在兜售银行服务或金融工具，而是在代表企业，向公众售卖媒体产品。他们的职业生涯在如此环境氛围中，也要取决于获取成功的同样指标：在多大程度上可以取悦上司，以及能够为公司创造多少利益。

在这样的大型企业架构中飞黄腾达的人士，对机构权力更多的是以取悦的方式对待，而不是企图将其颠覆。在企业媒体中大获成功的人士更适于顺应权威。他们长袖善舞，与制度权威保持高度一致，擅长为之服务，而不是与之抗争。

这方面的证据不胜枚举。我们都了解《纽约时报》愿意代表白宫对吉姆·瑞森于2004年打算报道国安局非法监听项目的新闻予以压制，该报公众版编辑当时就报方的压制给出的借口是“证据远远不足”。《洛杉矶时报》也有过类似情况，编辑丁·班奎特（Dean Baquet）曾毙掉手下记者的一篇文章，该文揭露了美国电话电报公司（AT&T）和国安局秘密勾结，消息来源是美国电话电报公司工程师马克·克雷恩（Mark Klein）所告发的内容。他拿出大量文件，其中显示美国电话电报公司在旧金山分部修建了秘密房间，以便国安局安装分流器，从电信客户导出电话和互联网数据存入安全机构的数据库。

如克雷恩所言，文件显示国安局“详细查阅了数以百万计的无辜美国人的个人生活”。可是班奎特阻止了这一报道的发表。克雷恩于2007年对美国广播公司讲述了事情的经过，称班奎特“在时任美国国家情报局长约翰·内格罗蓬特（John Negroponte）和国安局时任局长迈克尔·海登上将的要求下”做出了这一决定。不久之后，班奎特就成为《纽约时报》的华盛顿分部主编，后来又被提升为该报的总编。

那么《纽约时报》愿意俯首帖耳为政府效力也就不足为奇了。该报公众版编辑玛格丽特·苏利文指出，如果编辑想要了解为何美国士兵切尔西·曼宁和爱德华·斯诺登这类国家安全重磅爆料的线人会感到，他们对向《纽约时报》提供信息缺乏安全感而无意为之，那么报方应该扪心自问。《纽约时报》的确曾与维基解密合作，刊登了大量文件，但时隔不久，前主编比尔·凯勒费尽心思疏远了报纸与其合作人之间的关系：与奥巴马政府对维基解密的怒不可遏形成鲜明对比，他领导下的《纽约时报》以其"负责任"的报道得到政府的欣赏。

凯勒也曾在其他场合中表现出其对该报与华盛顿的关系洋洋得意。在2010年他做客英国广播公司的一档节目中，谈及了涉及维基解密泄露美国外交电报的相关话题，凯勒解释称《纽约时报》在发表什么内容以及是否可以发表的问题上，都是听从美国政府的指示而行事。英国广播公司的节目主持人将信将疑地问道："你的意思是，你会事先前往政府进行请示：'这个该不该发表，还有那个该怎么处理'，然后你会得到批复，是这样吗？"节目的另一位嘉宾是前英国外交官卡恩·罗斯（Carne Ross），他称凯勒的说法令他觉得爆料人根本不该将这类电报交给《纽约时报》。"《纽约时报》会将这些内容向美国政府汇报，的确令人匪夷所思。"

但是媒体与华盛顿之间的如此精诚合作绝非偶然。这些完全是例行做法，例如在与国外敌对势力意见相左时，记者需要了解美国官方立场，并会依据政府所确定的最能体现"美国利益"的方式制定编辑意见。布什政府的司法部律师杰克·戈德史密斯（Jack Goldsmith）曾大肆鼓吹他所谓的"未受到充分赏识的现象：美国媒体的爱国主义行为"，指的就是美国国内媒体对政府工作所表现出的忠心耿耿。他援引布什政府中情局和国安局局长迈克尔·海登的说法，他认为美国媒体表现出了"一种非常配合的工作态度"，接着补充道，而若要国外媒体也做到这一点"则相当困难"。

政府对主流媒体的认同通过不同方式得以加强，社会经济学上的因素便是其一。美国许多著名记者现在的身家都超过了百万美元。他们与政要和金融界的精英都是邻里，显然要为之效力。他们共同出席盛大集会，有着相同的朋友圈和同事圈，子女也都就读于同一所精英私立学校。这就是媒体记者可以与政府官员间无缝对接交换身份的原因之一。旋转门可以将媒体人物送上华盛顿高层职位的通道，而政府官员也常常会在离任后，拿到一份就职于媒体且待遇颇丰的合同。《时代》杂志的记者杰伊 · 卡尼（Jay Carney）和总编理查德 · 斯坦格尔（Richard Stengel）现在就职于政府，而奥巴马的高级顾问大卫 · 艾索洛（David Axelrod）和白宫新闻发言人罗伯特 · 吉布斯（Robert Gibbs）现在成为微软全国广播公司的时事评论员。这些都属于跨界发展，但绝非是简单的跳槽：他们的职业转换如此水到渠成，全是因为这干人等还在为同样的利益效力。

美国的主流媒体记者绝非是局外势力，而是与国家的主流政治力量浑然一体。从文化、情感乃至社会经济学角度，二者完全整齐划一。腰缠万贯的内幕新闻名记完全不愿推翻现状，因为他们可以从中获得丰厚收益。与所有阿谀逢迎之徒一样，他们希望捍卫当前体系，以求获得相应特权，若有人胆敢挑战对这一体系，势必会遭到这些人的侮辱中伤。

这与完全满足政治官员的需求只有一步之遥。因此新闻透明不会被看好，持反对意见的媒体记者被视作眼中钉，甚至可能是犯罪分子，必须允许政界领导在暗中行使权力。

2013年9月，普利策奖获得者英国《独立报》资深记者西摩 · 赫什（Seymour Hersh）强有力地揭示了这些观点，他曝光了美军在越战期间的美莱村（My Lai）屠杀事件和在伊拉克阿布格莱布（Abu Ghraib）监狱虐囚丑闻。在一次《卫报》的采访中，赫什斥责道：“美国媒体胆小怯懦，未能对白宫提出有效质疑，不能将真相大白于天下。”他认为《纽约时报》在“取悦奥巴马”方面耗时过多。他表示政府机构在有计划地制造谎言，“可没有一家美国主流媒体、电视网络或报业巨头”对此提出质疑。

赫什为“解决新闻界问题”下的猛药是“关闭美国全国广播公司和广播公司的新闻部门，取消90%的出版编辑岗位，回归记者最根本的职责”，即重拾作为局外人的身份。赫什认为：“对超乎你的控制能力之外的编辑应予以提拔，而现状是，这些‘惹是生非之徒’晋升无望。”相反，“那些胆小如鼠的编辑”和记者正在毁掉这一行当，因为他们脑海中最根深蒂固的想法是抱着自己的饭碗，而不敢成为局外人。

一旦记者被贴上激进分子的标签，一旦他们的工作受到从事犯罪行为的指控，他们就会被扫地出局，不再得到记者身份的保护，很容易就会遭到刑事惩罚，这在国安局监听事发之后，在我身上很快就得以印证。

当我从香港返回里约热内卢的家中刚进门不久，戴维就告知我他的笔记本电脑不翼而飞。他怀疑此次失窃与我动身前我们之间的一次谈话有关，他提醒我称我在Skype上曾与他通话，谈到我有意通过电子形式发送的大量加密文件。文件到达后，我曾说过他应该把这放在安全的地方。斯诺登曾表示，必须要有个我完全信任的人保存一套文件的完整备份，以防我的文件丢失、受损或失窃，这一点至关重要。

斯诺登当初这样说道：“我可能会在相当长的时间内不露面，你和劳拉的工作关系会发展到怎样的程度也很难讲，这样一来就需要有个人保存一份备份文件，让你随时可以提取，以备不时之需。”

显然这个可靠的人物非戴维莫属，但我一直都未来得及将文件发送出去，只有当我来到香港才有空付诸实际。

“你告诉我此事不过48小时，我的笔记本电脑就从家中失窃了。”我不愿相信电脑被盗会与我们的Skype交谈相关。我告诉戴维，我决意不让我们过于神经质，把一切生活中无法解释的事件都安在中情局身上。也许笔记本电脑是被某个私闯民宅的家伙拿走了，或者这不过是一起毫不相干的抢劫案。

戴维却逐一反驳了我的理论：他从未将笔记本电脑带出家门；他在家里

上上下下翻了个遍，都找不到电脑的踪影；除了电脑之外，房间里什么都没动，也没有少什么东西。他觉得我有些毫无理性，居然会拒绝接受看似如此显而易见的唯一解释。

到此为止，许多记者都已发现，国安局对斯诺登掌握了何许情报或是给了我哪些情报基本上一无所知，只知道文件的数量是多少，而不是具体有哪些文件。美国政府（乃至其他国家政府）迫切希望了解我手里究竟有哪些情报，而这也合情合理。如果戴维的电脑里存有所有这些信息，那么他们何不索性据为己有？

到这一刻我也意识到在国安局的监控面前，与戴维通过Skype进行通话或任何其他形式的交流方式都绝不安全。政府有能力窃听到我计划给戴维发送哪些文件，因而会有强烈的动机将其笔记本电脑据为己有。

我从《卫报》的媒体律师大卫·舒尔茨（David Schultz）那里获悉，戴维关于失窃的解释的确合理。通过与美国情报界的接触使他了解到，中情局在里约热内卢的活动较世界各地更为活跃，而且里约热内卢的情报站长“手段之狠远近闻名”。基于此，舒尔茨告诉我，“你应该可以相当肯定地假设，你的一言一行、一举一动和所在之处都在受到密切地监视。”

我承认自己的通信能力目前已受到极大限制。我尽量不使用电话，最多不过是说些含糊其辞或是无足轻重的内容。我收发邮件都是通过复杂烦琐的加密系统完成。我和劳拉、斯诺登等知情人之间的讨论都是在加密的在线聊天程序中进行。我配合《卫报》编辑及其他记者的工作也都是要他们亲自来到里约热内卢，与我面对面进行沟通。在我们的家中或是车里，我说话都要小心翼翼。笔记本电脑的失窃让我们意识到，这些最为私密的空间可能都会受到监控。

如果我需要更多证据证明我所工作的环境正受到更多威胁，那么从如下情况便可见一斑：美国《大西洋月刊》的特约编辑史蒂夫·克莱蒙斯（Steve Clemons）与我往来甚密，他也是一位令人尊敬的华盛顿特区政策分析员，他偶然间听到了一席谈话，并特别告知我。

6 月 8 日，克莱蒙斯在华盛顿的杜勒斯国际机场美联航的休息厅，据他讲，当时他听到了四名美国情报官员大声谈论道，国安局监控事件的相关泄密人和记者应该“消失”。他称自己还在手机上录下了部分谈话内容。克莱蒙斯认为这番谈话看似“虚张声势”，但无论如何还是决定将谈话内容予以公布。

虽然克莱蒙斯相当可靠，但我并未将此事太过当真。可是这类机构人士在公开的闲谈中提及让斯诺登以及与他打交道的记者一并“消失”，的确值得警惕。

在随后的几个月里，关于国安局监控的报道涉嫌刑事犯罪的说法从抽象概念成为了现实，而这一激变是由英国政府促成的。

我从美国版《卫报》的英籍主编简宁 · 吉布森那里通过加密聊天首先了解到，《卫报》的伦敦办事处在 7 月中旬发生了件异乎寻常的事情。按照她的话说，过去几周英国情报机构政府通信总部与《卫报》 之间的谈话腔调出现了“彻底改变”。这家英国的情报机构原本是就此事的报道进行“非常礼貌的沟通”，现在却变成了火药味十足的发号施令，进而是赤裸裸的威胁。

接下来，或多或少有些突然的是，吉布森告诉我英国政府通信总部宣布不再允许《卫报》继续刊登涉及绝密文件的报道。他们要求《卫报》伦敦办事处上交从斯诺登那里得到的所有文件。如果《卫报》拒绝，就会收到法庭指令，禁止其再从事任何报道。

这一威胁绝非空穴来风。在英国新闻自由并无宪法保证。英国法院会对政府“事先限制”的要求完全顺从，提前禁止媒体对某些所谓危及国家安全的内容进行报道。

的确，在 20 世纪 70 年代，首先发现并报道了英国政府通信总部的存在的记者邓肯 · 坎贝尔（Duncan Campbell）遭到逮捕并被起诉。在英国，法院任何时候都可以查封《卫报》，没收其所有材料和设备。简宁表示：“如果上面要求他们如此行事，法官们不会说半个不字，对此所有人都心知肚明。”

《卫报》掌握的文件是斯诺登带往香港的全部文件的一部分，他强烈认为报告中涉及英国政府通信总部的内容应该由英国媒体予以发表，在他在香港逗留的最后几天里，他将这些相关文件的拷贝交给了埃文·麦卡斯基尔。

在我们的通话中，简宁告诉我，她和主编艾伦·拉斯布里杰以及其他员工都已经在上一个周末暂避到伦敦以外的一处僻静所在。他们突然间听到风声，英国政府通信总部的官员正前往卫报在伦敦的新闻编辑部，希望搜出存有机密文件的硬盘。据拉斯布里杰后来回忆称，官员们表示："你们应该已经看够了吧，是时候让我们把东西带回去了。"听到英国政府通信总部的消息时，大家在乡间不过才待了两个半小时，简宁说道，"我们不得已，只能一路开车回伦敦去捍卫办公大楼，气氛十分紧张。"

英国政府通信总部勒令《卫报》上交所有文件拷贝。如果报社照办，政府就会得知斯诺登转交了哪些内容，而且他的法律地位会愈发危险。相反，《卫报》同意销毁所有相关硬盘，并且销毁全过程在英国政府通信总部的监督下完成，以确保满足其要求。所发生的一切按照简宁的话来讲就是"搁置、外交斡旋、偷梁换柱的精心上演，最后通力合作地'予以示范性销毁'。"

"予以示范性销毁"是英国政府通信总部新近发明的词语，用于描述所发生的一切。这些政府官员在《卫报》员工的陪同下，上至总编下至新闻编辑部的基层员工一同观看了他们销毁硬盘的全过程，甚至要求将硬盘碎片进一步粉碎，以确保"在这些杂乱的金属碎块中不会再含有任何有价值的信息可以再落入中国情报机构之手"。按照主编拉斯布里杰这样回顾当时的场景，他还想起有位《卫报》员工在"打扫苹果MacBook Pro笔记本电脑的残余碎片时"，一位安全专家开的一句玩笑："我们可以再叫来一架黑色直升机收拾现场。"

政府派特工前往报社强行销毁电脑，这一场景着实令人震惊，西方人一直以为这类事情只有在伊朗和俄罗斯这样的地方才会发生。但是不可思议的是，一家备受尊敬的报社竟会如此顺从、自愿服从于这样的指令。

如果政府以查封报社相威胁，那么为何还要虚张声势，而不是在光天化日之下直接查封？当斯诺登听到这样的威胁后，他表示说："这种情况下唯一正确的答案就是：请继续，查封我们好了！”造成这种“自愿服从”的假象，不过是政府为在全世界众目睽睽之下不至于出丑而使的伎俩，目的仍然是让记者不得报道最关乎于公众利益的重要事实。

更有甚者，将知情人士冒着丧失自由甚至生命带出的材料予以销毁，这完全与新闻的目的背道而驰。

除了将这种专横的做法大白于天下之外，政府闯入新闻编辑部，逼迫报社将所掌握的情报资料予以销毁，这本身就极具新闻价值，可是《卫报》显然是准备保持沉默，这更强有力地说明，英国新闻自由的现状是多么的岌岌可危。

吉布森向我保证无论如何《卫报》在纽约分部还存有整套文件拷贝。接着她又告诉了我一件更令人震惊的消息：《纽约时报》手中也有全套的拷贝，这是《卫报》主编艾伦·拉斯布里杰交给《纽约时报》的执行编辑吉尔·爱博松的，以便确保万一英国法院迫使《卫报》销毁拷贝，报社还有办法看到相关文件。

这也实属不妙。《卫报》不仅未经同意就私下里销毁了自己手中的文件拷贝，而且事前没有找斯诺登或我进行商议，甚至都没有告知我们，就将这些拷贝交给了《纽约时报》，而斯诺登之所以一开始就将其排除在外，是因为他不信任这家报社与美国政府如胶似漆的亲密关系。

从《卫报》的角度而言，面对英国政府的威胁，他们不敢怠慢，一来没有宪法明文保护作为后盾，二来数以百计的员工和有着百年历史的报社需要保护。将存有情报的电脑予以销毁，至少比将文件交给英国政府通信总部强些。尽管如此，我还是为他们对政府的旨意俯首帖耳感到不安，更有甚者，他们都不让我们事先知晓此事。

然而，在销毁硬盘的前后，《卫报》对发表斯诺登披露的信息一直表现出干劲十足、勇猛无畏。我相信在这方面，与其他规模相当、地位相仿的报社相比，《卫报》的表现更胜一筹。尽管权威机构不断施压的恐吓战术，编辑还是在不断发表国安局和英国政府通信总部的相关报道，这还是相当值得称道的。

可是劳拉和斯诺登却对《卫报》向政府施压表现出的屈从表示非常愤怒，特别是当英国政府通信总部的相关机密文件落入《纽约时报》之手更是如此。斯诺登尤为气愤，认为此举违背了《卫报》和他之间的协议，他一直希望是仅由英国记者来处理英国相关情报，特别是不得让《纽约时报》染指这些文件。这样一来，劳拉对此做出的反应最终导致了严重后果。

从我们爆料伊始，劳拉和《卫报》的关系就不甚稳定，现在这种紧张关系终于爆发。当我们一起在里约热内卢工作一周后，发现斯诺登前往香港藏身那天交给我的部分国安局文件已经损坏了（这部分文件我还没来得及交给劳拉）。在里约热内卢劳拉无法修复这些文件，不过她认为回到柏林也许会有办法。

在她回到柏林一周后，劳拉告知我文件已经修复，可以还交与我。我们安排了一名《卫报》员工飞往柏林领取文件，再将其带往里约热内卢并亲自交到我手中。可是显然这次英国政府通信总部上演的这出闹剧令大家心有余悸，《卫报》的员工接下来告知劳拉，他不会亲自把文件转交给我，而是要她使用联邦快递把文件寄送给我。

这使得劳拉怒不可遏，我以前从未见她如此大动肝火。她冲我喊道："你看看他们都在干些什么？他们这样等于是在说，'转交文件和我们没有干系，是格伦和劳拉两个人在直接进行文件往来'。"她又补充道，使用联邦快递将这样的绝密文件在世界各地寄送，让她从柏林寄往里约热内卢的我，无异于将此事昭告天下，向相关方泄露了我们的操作秘密，她想不出比这更严重的泄密措施了。

"我再也不会信任他们了。"她郑重地表示。

可我仍需要这些文件，其中包含了我正在撰写的文稿所需资料，以及很多亟待发表的内容。

简宁坚称这是误会，说这位员工曲解了他的主管的意思，在伦敦方面，有些管理者对帮助劳拉和我转交文件有些神经紧张。但她表示这根本不是问题。

《卫报》方面会派人当天前往柏林去取文件。

可是已经为时已晚，劳拉表示："我再也不会把任何文件交给《卫报》。我现在已经不信任他们了。"

这些文件数量之大、敏感性之高，使得劳拉不愿通过电子文档的形式进行传输，必须要有个我们信任的人亲自前往。此人就是戴维，当他了解到这一问题时，立刻主动请缨前往柏林。我们都觉得如此安排毫无问题。戴维了解此事的前前后后，劳拉认识他，也对他充分信任，他也一直准备前去拜访劳拉，讨论一些潜在的新项目机会。简宁很高兴地接受了这一安排，并同意《卫报》将担负戴维的差旅费用。

《卫报》的差旅办公室安排了戴维乘坐英国航空的航班，并将行程信息用电子邮件发给了戴维。我们谁都没有想到他在出行期间会有什么问题。采写斯诺登文件相关报道的《卫报》记者以及转交往来文件的员工曾多次往返于伦敦希思罗机场（Heathrow Airport），并未遇到过任何意外。劳拉本人也在几周前才飞往伦敦。有谁会料到戴维这个颇为外围的人物会有什么风险呢？

8 月 11 日周日的那天戴维起身前往柏林，预计将从劳拉那里取上文件一周后返回。可是在他应该到达的那天一早，我被电话铃惊醒，电话那端传来一个浓重英国口音的男子声音，他自称是"希思罗机场"的安保人员，问我是否认识戴维 · 米兰达。接着他说："打电话来是为了通知你，我们依照英国《2000 年反恐法》附录 7（the Terrorism Act of 2000, Schedule 7）已将米兰达先生扣押。"

我一时还没反应过来"反恐"几个字意义何在，完全搞不清所以然。我提出的第一个问题是他会被关押多久，而当我得到消息时，他已经被扣押了 3 个小时，这时我才知道这绝非是普通的出入境检查。对方解释英国有"合法权利"对其扣押长达 9 个小时，而法院还可以延长这一时间，或是对其进行逮捕。这位安保人员解释道"我们尚不明确下一步会怎样处理"。

英国和美国都深知，当涉及以"反恐"之名采取行动时，需要考量的问题从道德伦理到法律或政治便全都毫无底线了。现在戴维因为《反恐法》遭到扣押，可他甚至都没有准备入境英国，只不过是在英国的机场转机罢了。英国官方在技术意义上不属于英国的领域将他实施扣押，还扯上了最令人胆寒的莫须有的理由。

《卫报》律师和巴西外交官迅速采取行动，希望英国将戴维释放。我对戴维本人将如何处理这次扣押并不担心。他从小就是孤儿，在里约热内卢条件最艰苦的贫民区长大，所经历的艰苦常人难以想象，因此他也格外坚强、意志坚定且精明能干。我想他一定会准确判断到底出了怎样的事端，背后的缘由是什么。毫无疑问，我相信他不会让质询者好过，至少和他们给他自己的境遇不相上下。尽管如此，《卫报》律师还是认为被扣押时间达到如此之久实属罕见。

仔细研读《反恐法》后我发现，每 1000 人中才会有 3 个人被要求停下来接受质询，而且超过 97% 的质询不会超过 1 个小时，只有 0.06% 会扣押超过 6 小时，而且当戴维达到扣押 9 小时的上限后，他被捕的概率相当大。

《反恐法》所宣称的目标正如其名，是要对那些涉嫌恐怖主义的人士进行质询。按照英国政府的说法扣押权是用于“确定该人是否将要或者已涉嫌从事、准备或教唆恐怖行动”。依照这条法律，英国完全没有理由对戴维进行扣押，除非我的报道也被等同于是恐怖行为，而貌似这次的确如此。

随着时间的推移，局势愈发严峻。我所掌握的全部情况就是，巴西外交官和《卫报》律师都已来到机场，希望能找到戴维，与他取得联系，但是全部无功而返。但是距离 9 小时还差两分钟的时候，我受到简宁发来的电邮，言简意赅地用一个词告知了我想听到的所有信息：“获释”。

戴维令人震惊的被扣即刻在全世界引发了轩然大波，人们纷纷认为这是一次意图险恶的恐吓行为。路透社的一篇报道显示英国政府的意图的确如此：“一位美国安全官员告诉路透社，此次……对米兰达的扣押和质询是为了向包括《卫报》在内的斯诺登材料接受者传递这样的信息，即英国政府为切断信息泄露的渠道可以说是动了真格的。”

然而，当着聚集在里约热内卢机场等待戴维归来的众多记者的面，我表示尽管英国采取这样仗势欺人的策略，我也不会停止我的报道。如果此事说对我起到了何许作用的话，那就是让我更加勇往直前。英国政府已经将其对权力的滥用发挥到了极致，在我看来，最妥善的反击就是继续施压，要求实现更大的透明度和问责制。这才是新闻工作的最主要职能。当问及我怎样看待此次意外时，我回答说，我认为英国政府会后悔自己的所作所为，因为这令他们强权镇压和滥用职权的嘴脸暴露无遗。

一位路透社的记者误读并曲解了我的观点，因为我是用葡萄牙语给出的评论，他理解成了我要对戴维的遭遇进行反击，并要把原本准备暂不发表的与英国有关的秘密文件都公之于世。这篇通信稿迅速以讹传讹，传遍了全世界。

在接下来的两天中，媒体愤愤然地报道称，我发誓会采取“报复性报道”。这又是荒诞不经的误传：我原本是指英国这种滥用职权的行为会让我更加坚定地继续我的工作。可正如我屡见不鲜的那样，无论你怎么辩解称自己的言论被断章取义，也丝毫无法阻止媒体的肆意传播。

无论是否误报，我的言论所引起的反响都是在昭告天下：多年来英美政府的所作所为，都是在用威胁或更糟糕的手段应对任何挑战。英国政府最近还在迫使《卫报》销毁电脑，并以《反恐法》为由扣押我的伙伴。揭秘告发者遭到指控，记者被以牢狱之灾相威胁。可是即便眼见如此大举冒犯，政府的卫道士和辩护者仍要义愤填膺地做出表率：我的天！他居然要进行报复！只有对官方的恐吓表现出驯服恭顺才是尽职尽责；若胆敢反抗则是与政府对着干，必须使其背上骂名。

当戴维和我终于躲开镜头的追踪时，我们才可以进行交谈。他告诉我在那整整9小时内他表现出了怎样的大胆对抗，不过他也承认自己的确感到了恐惧。

他显然是被盯上了：他所乘坐的航班旅客被要求向飞机外等候的特工出示护照。当他们看到他的证件时，立刻就以“反恐法”为由对他实施扣押，而且据戴维讲，“自始至终都在对他进行威胁”，称如果“不全力配合”就把他送入大牢。他们拿走了他所有的电子设备，包括存有个人照片、联系方式和聊天记录的手机，迫使他交出手机密码，否则就予以逮捕，戴维表示“我觉得他们在肆意侵犯我的整个生活，仿佛我已然一丝不挂”。

他不断回顾在过去10年间，英美政府打着反恐的旗号所干的勾当。他讲道，“他们不经指控或在没有律师出面的情况下，就实施绑架、关押，将人们关入古巴关塔那摩监狱（Guantanamo），取其性命。确实没有比被这两国政府给你扣上‘恐怖分子’的帽子更为可怕的事情了，”他这样对我讲，这类事情不会在大多数英美两国公民身上发生，“你完全了解他们可以对你做出任何事来。”

对戴维遭到扣押的争论持续了数周之久，一连几天都是巴西媒体关注的重点，巴西民众也都一致表现出义愤填膺。英国政界人士也在呼吁对《反恐法》进行改革。当然令人愉悦的是，人们意识到了英国滥用权力的事实真相。可与此同时，该项法律多年来一直都是件丑闻，但因为它大多是针对穆斯林，所以很少有人对此真正在意。英国政府不该将把这么一个高调的西方白人记者的搭档予以扣押，从而引发世人对政府权力滥用的关注，可它却当真如此行事了。

后来才得知，英国政府和华盛顿方面在扣押戴维之前有过沟通，这丝毫不足为奇。在新闻发布会上，当白宫发言人被问及此事时是这样作答的：“事先有过警示……因此我们掌握些许迹象表明此事可能会有发生。”白宫方面拒绝对此扣押行动进行谴责，并承认自己并未采取任何措施予以阻止，甚至都未就此表示不赞同。

大部分记者同人都理解这一步的危险性有多大。“新闻报道不是恐怖主义”，微软全国广播公司的女主播瑞秋 · 麦道（Rachel Maddow）在她的节目中大声疾呼，一语中的。但并非人人都持此观点。《纽约客》的杰弗里 · 图宾在电视黄金时段为英国政府高唱赞歌，把戴维的行为等同于“偷运毒品过境”。图宾还补充道，戴维应该为自己未被逮捕并遭到指控而感恩戴德。

这一妖言看似还真有几分道理，因为英国政府正式宣布要对戴维所携带的文件进行刑事调查。（戴维本人已经对英国当局提起上诉，认定对他予以扣押属于非法行径，因为扣押他的法律依据对他完全不适用：《反恐法》的宗旨是针对实施恐怖主义行为的人进行调查。）当局居然会如此胆大妄为，将著名记者有关公众利益的重要报道与非法贩运毒品相提并论，不过这也的确是他们干得出来的事情。

#

在越战先驱记者戴维 · 哈泼斯坦（David Halberstam）于2005年去世前不久，他在哥伦比亚大学新闻学院为学生们作了一次演讲。他这样告诉学生们：在他事业最辉煌的时刻，驻越南的美军将领威胁他，下令让《纽约时报》的编辑把他撤离，让他不得再对越战进行报道。哈泼斯坦称，他令“美国和南越政府对越战充满了悲观情绪”。美军将领认为他代表着“敌对方”，因为他搅乱了美军的新闻发布会，并面斥他们是在当众撒谎。

在哈泼斯坦看来，令政府怒不可遏的是他引以为豪的根源，也是新闻工作的神圣召唤和真实目的。他深知作为一名记者则意味着要承担风险，要勇敢面对权力的滥用，而不是奴颜婢膝、趋炎附势。

今天，很多新闻工作者都在所谓的“负责任的报道”中为政府高唱赞歌，就哪些内容应该发表与否事先请示政府意见，认为这是政府给自己面子而脸上有光。由此可以看出，在美国，反对现行体制的新闻报道已经沉沦到了何种地步。

后　记　NO PLACE TO HIDE

在我和爱德华·斯诺登首次进行在线沟通时，他告诉我说，他对于接下来事态的发展唯一担心的就是世人对他的爆料表现出漠然和冷淡，那将意味着他不惜牺牲正常生活、冒着牢狱之灾换来的这一切毫无意义可言。如果说这一担忧是杞人忧天，则未免有些过于轻描淡写。

的确，本次揭秘行动所引发的效果相当深远，相当巨大，波及范围之广是我们始料未及的。此举令全世界的目光都聚焦在无所不在的政府监控和政府机密的普遍存在；在全球首次引发了数字时代个人隐私的价值观大讨论，对美国在互联网上的霸权统治提出了挑战，并改变了全世界看待美国官方言论可靠性的方式，扭转了国与国之间的关系；它极大地影响到人们怎样看待新闻工作在政府权力间所应发挥适当作用的问题。在美国一国之内，此事在各党派人士意识形态方面产生广泛影响，积极促进了对国家监控的改革。

有件趣事更说明了斯诺登揭秘所带来的深远影响。在斯诺登掌握的揭露国安局大量数据的首篇文章在《卫报》发表几周后，两名国会议员联名推出一项法案，意在对国安局的监控项目取消资助。值得注意的是，该法案的两位倡议人中包括约翰·科尼尔斯，他是底特律的一位自由党人，在众议院已经任职20个任期，另一位是保守的新茶叶党成员贾斯汀·阿马什（Justin Amash），他仅为众议院效力了两个任期。很难想象国会中差异如此巨大的两个议员会就反对国安局监控一事上形成统一意见。他们的提案很快得到各种意识形态领域数十位倡议人的支持，从最典型的自由主义到最保守人士，再到政见居于二者间的人士均有参与，这在华盛顿尚属罕见。

当这一法案进入投票环节时，美国有线电视频道C-SPAN播出了相关的辩论，我和斯诺登在线聊天时看到了这一节目，身处莫斯科的他在自己的电脑上也在收看C-SPAN频道。我们两人为所看到的内容备感惊讶。我相信这是他首次真正为自己所作所为产生的影响而感到欣慰。一个接着一个的众议员起身厉声批驳国安局的监控计划，对通过监听每个美国公民的电话以求阻止恐怖主义的这种想法嗤之以鼻。这是美国自“9·11”袭击以来，国会对国家安全部门所做出的最咄咄逼人的挑战。

直到斯诺登泄密之日，很难设想一项旨在捣毁国家安全计划的法案能获得几张选票。可是这项科尼尔斯–阿马什法案的最终投票结果令华盛顿官方非常震惊：205票支持，217票反对，仅以微弱差距未获通过。支持法案的人士来自两党代表，共有111位民主党议员和94位共和党议员投了支持票。这种摈弃传统的党派分歧的做法令我和斯诺登非常振奋，这对遏制国安局起到了极大的支持作用。华盛顿官方需要依赖僵化的党派之争所产生的盲目宗派主义。如果民主党和共和党对立的格局可以打破，甚至得以超越，那么根据公民的实际利益来制定政策便会成为可能。

在接下来的几个月中，越来越多有关国安局的报道在世界各地争相发表，很多权威评论员都预言公众会逐渐对这一话题丧失兴趣。但实际上，对监控计划的讨论热度却在持续升温，不仅在美国是这样，在全世界也是如此。距我在《卫报》首篇相关报道发表6个月后的2013年12月，在一周内所发生的事说明了斯诺登揭秘所引发的后果还在继续发酵，也显示出国安局的立场是多么的难以为继。

这一周有着一个戏剧化的开端，美国联邦法官理查德·利昂（Richard Leon）裁定国安局大规模电话监控行为很可能违反了美国宪法第四修正案，谴责他们几乎运用了奥威尔小说中相同的监听手段。除此之外，这位当初布什任命的法官尖锐地指出："政府并未能提出任何一个案例，是通过对国安局大规模电话监控所搜集的大量数据的分析切实阻止了恐怖袭击的发生。"仅在两天之后，在国安局丑闻首度曝光后奥巴马总统成立的一个顾问小组就此事发表了一份长达308页的调查报告。这份报告也断然否定了国安局有关监听项目至关重要的说法。该小组的报告中写道："我们的调查表明，根据《爱国者法案》第215款所进行的大规模电话监控对防止袭击并非必不可少。并无实例可以让国安局有信心地表示，若没有根据该法案第215款所进行大规模电话监控，最后的结果会截然不同。"

与此同时，在美国境外，国安局这一周过得也并不舒坦。联合国大会通过不记名投票对德国和巴西所提出的决议予以支持，确认在线隐私属于基本人权。就此有专家表示，这是"联合国给出的强烈信号，认为是时候该改变进程，终止美国国安局拉网式大规模监听的做法了"。在同一天，巴西宣布将不再从总部设在美国的波音公司购买45亿美元的战斗机，而准备将这笔期待已久的大单给到瑞典公司萨博（Saab）手中。巴西对美国国安局就其领导人、企业和公民所实施监控的强烈不满显然是这一意外决策的主要因素。"美国国安局的所作所为给美国人带来了大麻烦。"一位巴西政府知情人士这样对路透社表示。

所有这些并未说明这场硬仗已经以胜利告终。美国安全部门的势力异乎寻常地强大，手中的权力甚至会超过我们选举出的最高官员，它们还有着大量极富影响力的忠实拥趸，愿意以一切代价捍卫它的利益。在联邦法官理查德·利昂公布裁定结果两周后，另一名联邦法官利用人们对"9·11"事件的记忆，宣称国安局监控项目在宪法中应当另当别论。欧洲盟国一反开始时所表现出的义愤填膺，又和以往一样，顺从地与美国保持一致。美国公众的支持也是变化无常：民意测验显示大部分美国人虽然反对斯诺登所揭露的国安局监控项目，但还是希望他因曝光信息而遭到指控。还有些美国高官甚至认为，不仅是斯诺登本人，就连包括我在内的与他一道工作的部分记者也应被一同指控，并投入大牢。

可是国安局的支持者显然被反对意见所逼退，他们反对改革的观点也日益站不住脚。例如，支持对毫无嫌疑的大众进行监控的人士常常认为，部分监控手段的确不可缺少，但这只是个稻草人论证式的谬论，不会有人对此表示反对。反对对大众进行监听，并非是要取消一切监控手段；相反，是要锁定具体监控目标，只针对那些有切实证据表明确有不轨企图的人士实施监控。这种有针对性的监控较现行的“收集一切”的做法更有可能对阻止恐怖主义阴谋行之有效，因为全面监听的做法会使得情报机构面对巨量数据无从下手，无法有效进行分析和汇总。与不加区分地对广大民众进行监控不同，针对性监控符合美国宪法的价值观，以及西方司法的基本准则。

的确，美国参议院情报特别委员会为研究政府情报活动所成立了丘奇委员会，该委员会在 20 世纪 70 年代发现了一系列监控滥用丑闻，受此影响才有了这样明确的规定，政府必须提供证据表明可能存在违法行为，或是对方具备国外特工的身份，方可监听他人对话，于是才有了海外情报监控法庭。不幸的是，这家法院的作用仅是个橡皮图章，对政府的监控要求无法提供有实际意义的司法审查。尽管如此，其中体现的基本理念还是相当合理，而且是某种进步。将海外情报监控法庭纳入真正的司法体系，而不是设立现行这种单方面机构，仅听政府一面之词，那么则会是一种积极的改革措施。

仅凭美国国内如此的立法改变本身很可能还无法解决监控问题，因为国家安全部门经常会拉拢其他机构，以便对其所作所为大开绿灯。（例如正如我们所知，国会的情报委员会现如今已经被其完全拿下。）可是这类立法改变至少可以推动这样的原则，即不加区别的大规模监控在隐私受到宪法保护的民主社会中并无立足之地。

还可采取其他措施要求恢复在线隐私权并限制政府的监控行为。在国际上，目前德国和巴西正在牵头打造新型互联网基础架构，这样大部分网络流量将不再经美国中转，这对降低美国对互联网的把控将会起到极大的推动作用。个人也在要求恢复在线隐私方面发挥着一定作用。拒绝使用与国安局及其联盟有合作的科技企业的服务，这将对这些公司施加压力，使其停止这类合作，并会激励其竞争对手致力于隐私保护方面的工作。现在已有相当数量的欧洲科技公司在推广自己的电子邮件和聊天服务，以替代谷歌和脸书的相关产品，并骄傲地声称他们在现在和将来都不会为美国国安局提供用户数据。

此外，为防止政府侵入到个人层面的沟通交流和互联网使用，所有的用户都应使用加密和匿名浏览工具。这对在诸如记者、律师、人权激进分子等敏感行业就职的人们尤显重要。科技社区应继续开发更行之有效且用户友好的匿名和加密程序。

在所有这些领域，有大量的工作尚需完成。可是，在我与斯诺登在香港首度见面尚不足一年之际，毋庸置疑的是他的泄密已经在很多国家、许多领域带来不可逆转的根本性改变。除却国安局具体的改革措施，斯诺登此举已经为极大推动政府透明度和整体改革进程做出了巨大贡献。他为大家树立了榜样，未来的激进分子很可能会踏着他的足迹，继续完善他的做法。

奥巴马政府对泄密者的打击力度超过了美国以往各届政府的总和，希望以制造紧张空气的方式，让任何泄密行为的企图都不能得逞。可斯诺登一举粉碎了这一局面。他想方设法在美国的控制之外保持自己的自由之身，他甚至还拒绝了隐姓埋名，而是骄傲地挺身而出，表明自己的身份。因此，他的公共形象并非是身着橙色连体裤和披枷带锁的罪犯，而是一位可以清晰表达见解的独立个体，他据理力争，解释自己所作所为的动机所在，使美国政府无法再仅仅通过妖魔化知情者而妖言惑众。这为以后的泄密者上了重要的一课：

将真相和盘托出并不一定会毁掉自己的生活。

对于我们其他普通大众而言，斯诺登的意义也绝不容小视。最直观的一点就是，他令每个人都意识到，任何人都有改变世界的超凡能力。像他这样在各方面外在条件都非常普通的一个凡人，父母没权没钱，本人连高中文凭都没有拿到，不过是在一家大型机构默默无闻地工作的小职员，仅仅是出于良知行事，却生生改变了历史的进程。

即便是最执着的激进分子也会时常禁不住向失败主义低头。当权的机构看似强大无比，悍然不动；传统思想似乎根深蒂固，无法动摇；诸多党派为了维护各自的既得利益，更愿意维持现状。但是决定着我们希望生存于怎样的世界当中的是人类整体，而不是少数私下里行事的精英人物。推进人们理性思考和决策的能力，这才是揭秘行动、激进分子和时政新闻工作的真实意图所在。目前这一切正在成为现实，感谢爱德华 · 斯诺登将真相大白于天下。

致 谢 NO PLACE TO HIDE

近些年来，西方政府对本国国民隐藏重要行径的做法，不断遭到大无畏的揭秘者一系列引人注目的曝光。时不时会有美国及其盟国政府机构或军事机构内部的工作人员决心对他们所发现的严重恶行不再保持沉默。的确，他们挺身而出，将官方的斑斑劣迹公之于众，有时甚至为此不惜以身试法，而且通常还要付出极大的个人代价：搭上个人的事业前途、亲朋好友甚至自己的自由。生活在民主社会中的每个人，珍视透明度和问责制度的每个人，都对这些揭秘者感激备至。

激励着爱德华 · 斯诺登能有如此惊人之举的前辈有很多，首先就是五角大楼文件揭秘者丹尼尔 · 艾尔斯伯格，他长期以来都是我个人的英雄偶像，现在也是我的好友兼同事，我做的所有工作都在尽力以他为榜样。还有其他勇气可嘉的泄密者为将至关重要的事实真相公之于世，甚至不惜遭到指控，他们就是美国泄密士兵切尔西 · 曼宁、律师简瑟琳 · 拉达克（Jesselyn Radack）、司法部的律师托马斯 · 塔姆（Thomas Tamm）、前国安局官员托马斯 · 德雷克（Thomas Drake）及比尔·宾尼（Bill Binney）。他们对斯诺登也起到关键性的激励作用。

将美国政府及其同盟秘密实施大规模监听体系公之于世，是斯诺登自我牺牲的良知之举。一个年仅29岁的普通人明知会有终身监禁的风险，但是出于捍卫原则，为维护基本的人权，竟可以不惜铤而走险，这的确令人钦佩。基于深信自己所作所为的正确无误，斯诺登的无畏精神和强大的内心激励着我完成所有文字，并会对我的一生产生深远影响。

若没有无比机智勇敢的记者伙伴和好友劳拉·波伊特拉斯的鼎力支持，此事也无法产生这般效果。尽管多年来美国政府对她所摄制的影片百般刁难，她从未对大力推进此事有过半点犹豫。她对个人隐私的坚守，以及对成为公众焦点人物的厌恶，有时会模糊她在我们能完成的所有报道中起到的不可或缺的作用。可她的专业精神、战略才能、决断能力和勇气是我们成就所有工作的核心和灵魂。我们几乎天天要进行交流，共同协商做出每个重大决定。我无法企及能有更完美的伙伴关系或更加无畏和激励人心的友谊。

正如劳拉和我所预见到的那样，斯诺登的勇气势必会影响众人。无数新闻工作者义无反顾地报道追踪此事，其中包括《卫报》主编简宁·吉布森、她的副手斯图尔特·米拉尔、主编艾伦·拉斯布里杰以及以资深记者埃文·麦卡斯基尔为首的若干报方记者。斯诺登能够一直保持自由之身，并可参与他所掀起的这些论战，要得益于维基解密及其工作人员萨拉·哈里森（Sarah Harrison）所做的鼎力支持，在她的努力下，才能帮助斯诺登离开香港，并陪同他在莫斯科逗留数月，后来才安全返回她的祖国——英国。

有无数友人和同事在形势艰难的情况下，为我提供明智的咨询和帮助，他们包括美国公民自由联盟的本·维兹纳（Ben Wizner）和高级律师贾米勒·贾法尔，我一生的挚友诺曼·费雷雪（Norman Fleisher）；世界上最勇敢最出色的调查记者杰里米·斯卡希尔（Jeremy Scahill）、坚强而足智多谋的巴西环球电视台（Globo）记者索尼亚·布里迪（Sonia Bridi）、出版自由基金会

（Freedom of the Press Foundation）执行理事特埃沃 · 蒂姆（Trevor Timm）。还有我亲爱的家人，他们常常会为所发生的一切而深感担忧（只有至亲的家人才会如此担心），却义无反顾地始终支持（只有至亲的家人才会如此这般），他们是我的父母、我的兄弟马克和弟媳克里斯蒂。

若要成就此书绝非易事，特别是在现在这种局面下，更是如此，所以我由衷地感谢大都会出版公司（Metropolitan Books）：感谢康纳 · 盖（Connor Guy）高效的管理；格里戈里 · 托夫比斯（Grigory Tovbis）真知灼见的编辑意见以及娴熟的技术；特别是里瓦 · 霍彻曼（Riva Hocherman），她的聪明才干和高水准的工作使她成为本书最理想的编辑人选。本书是我和 萨拉 · 伯什特尔（Sara Bershtel）连续合作的第二本作品，若没有她的聪明睿智和创造性思维，我无法想象本书会变成怎样。我的经纪人丹 · 科纳韦（Dan Conaway）的坚定而聪慧的意见再次贯穿本书的始终。还要深深感谢泰勒 · 巴尼斯（Taylor Barnes），她为本书成型给予了极大帮助，她的研究才干和聪明才智无疑会让她今后的记者生涯熠熠生辉。

像以往一样，位于我所作所为核心位置的是我的生命伴侣，与我结发 9 年的丈夫，我的灵魂伙伴戴维 · 米兰达。为了我们所做的报道，他经受了令人发指、超乎想象的折磨与考验，但是作为回报，世人了解到了他的为人是多么出色。在我们所经历的每一步，他都给予我无畏的帮助，坚定我的信念，指引我做决策，帮我审时度势，辨明方向，在我左右不离不弃，无条件地给予支持和关爱。这样的伴侣价值无与伦比，它可以消灭恐惧，冲破局限，无所不能。